ユーキャンの

衛生管理者

重要過去問＆予想模試

第2種

はじめに

衛生管理者試験は、総得点で60％以上、各科目で40％以上得点できれば、合格できる試験です。試験内容は、**過去問題と類似した問題が繰り返し出題される**という特徴があります。

そこで、本書は、**過去問題を徹底的に分析**したうえで、**効率的に問題演習を行いながら合格に必要な知識を身につけられる**ようさまざまな工夫をしています。

● 徹底的に過去問題を分析し、重要問題195問を厳選！

今後も出題されやすい過去問題を科目別・論点別に整理して掲載。問題ごとに重要度を3段階で表示していますので、効率良く取り組めます。

● 充実したわかりやすい解説！

一問一問、平易な表現で詳しく解説しています。なお、必要最低限の知識で合格できるよう、同じ知識で解ける問題についてはできる限り同じ解説を採用しています。また、「チェック！ここが狙われる」「合格エッセンス」などのプラスαの解説も、知識の強化に役立ちます。

● 本試験のシミュレーションが可能！

過去問題〔令和6年4月公表試験問題〕と予想模擬試験を収載しています。学習の総仕上げとしてはもちろん、本試験のシミュレーションに最適です。

本書は、基本書による学習→問題演習→基本書による知識の再確認という流れで、姉妹書である『ユーキャンの第1種・第2種衛生管理者 速習レッスン』と併用していただくと、さらに効率良く学習を進めることができるようになっています。

本書には『速習レッスン』の該当箇所も表示していますので、すぐに基本書に戻って復習することができます。

過去問題集は「1回解いて終わり」ではありません。

本書を繰り返しご活用になり、見事試験に合格されることを、心より応援しています。

監修　波場　久実

本書の使い方

STEP1　論点別問題で重要事項のチェック

まずは「論点別問題」を解いて、重要事項を学習しましょう。
衛生管理者試験では、同じ知識が形を変えて繰り返し出題される傾向があるので、解説の太字部分を中心に、頻出の知識を丁寧に押さえましょう。

STEP2　本試験形式にチャレンジ

論点別問題を終えたら、過去問題［令和６年４月公表試験問題］と予想模擬試験にチャレンジ。時間を計るなどして、本試験と同様の条件で行うと、シミュレーションの効果が高まります。
終了後は別冊の「解答・解説」で採点するとともに復習を行いましょう。

2. 空気環境　速 第２章 LESSON 2

★★★
70
□□ 事務室内において、空気を外気と入れ換えて二酸化炭素濃度を 1,000ppm 以下に保った状態で、在室することのできる最大の人数は次のうちどれか。
ただし、外気の二酸化炭素濃度を 400ppm、外気と入れ換える空気量を $600m^3/h$、１人当たりの呼出二酸化炭素量を $0.016m^3/h$ とする。

（1）10 人
（2）14 人
（3）18 人
（4）22 人
（5）26 人

R4.10-11

＊＊＊

重要度

★★★
1
□□

★★★　高
★★
★　低

過去に出題された頻出論点など試験対策として重要度の高い順に★の数で示しています。★の数が多い問題について繰り返し学習し、確実に得点できるようにしましょう。

問題表示

R5.4-14

問題には、上記のように出典を表示しています。この場合、「令和５年４月公表試験・問14」を表しています。
なお、法改正による改訂を加えた問題に関しては、末尾に「改題」を付しています。また、選択肢の順や用語のみが異なる問題については、末尾に「類」を付しています。

基本書と対応

速 第6章 LESSON 4

姉妹書の『ユーキャンの第１種・第２種衛生管理者　速習レッスン』の対応箇所を示しています。

※上に掲載しているページは本書の使い方を説明するための見本です。

STEP3　繰り返し学習で弱点を克服

苦手な部分を発見したら、再び関連する論点別問題に取り組み、知識を確実なものとしてください。
総仕上げとして、再度巻末の「過去問題」と「予想模擬試験」にチャレンジすることをお勧めします。

おことわり

本書は、2024年6月までに施行された法令に基づき編集しております。本書の記載内容について、執筆時点以降の法改正情報などで、試験の対象となるものについては、下記「ユーキャンの本」ウェブサイト内「追補（法改正・正誤）」にて、適宜お知らせいたします。

https://www.u-can.co.jp/book/information

2. 空気環境

労働衛生

70 解説

事務室内において、空気を外気と入れ換えて二酸化炭素濃度を1,000ppm以下に保った状態で、在室することのできる最大の人数は、以下の公式から求める。

$$\text{必要換気量}\ (m^3/h) = \frac{\text{室内にいる人が1時間に呼出する二酸化炭素量}\ (m^3/h)}{\text{室内二酸化炭素基準濃度}-\text{外気の二酸化炭素濃度}}$$

①在室者の人数を x とする。

②二酸化炭素濃度が ppm 単位であるため、上記の公式を 1,000,000 倍する。

①、②と与えられた数値を公式にあてはめる。

$$600\ (m^3/h) = \frac{x \times 0.016\ (m^3/h)}{1000 - 400} \times 1{,}000{,}000$$

$$600 = \frac{x \times 16{,}000}{600}$$

ここで、人数 x を左辺に、他の数値を右辺に移す。

$$x = \frac{600 \times 600}{16{,}000}$$

$$x = 22.5$$

以上から、事務室内において、空気を外気と入れ換えて二酸化炭素濃度を1,000ppm以下に保った状態で、在室することのできる最大の人数は、22となる。したがって、選択肢（4）が正答となる。

正答（4）

合格エッセンス　必要換気量の公式　速P.88

①原則

$$\text{必要換気量}\ (m^3/h) = \frac{\text{室内にいる人が1時間に呼出する二酸化炭素量}\ (m^3/h)}{\text{室内二酸化炭素基準濃度}-\text{外気の二酸化炭素濃度}}$$

②二酸化炭素濃度が%単位の場合

$$\frac{\text{室内にいる人が1時間に呼出する二酸化炭素量}\ (m^3/h)}{\text{室内二酸化炭素基準濃度}\ (\%) - \text{外気の二酸化炭素濃度}\ (\%)} \times 100$$

③二酸化炭素濃度が ppm 単位の場合

$$\frac{\text{室内にいる人が1時間に呼出する二酸化炭素量}\ (m^3/h)}{\text{室内二酸化炭素基準濃度}\ (ppm) - \text{外気の二酸化炭素濃度}\ (ppm)} \times 1{,}000{,}000$$

★★★

補足解説

キーワード

問題を解くために重要となる専門用語やわかりにくい語を詳しく解説しています。

チェック！ ここが狙われる

試験に出題されやすいポイントをピックアップし、わかりやすく解説しています。

合格エッセンス

合格するためには確実に覚えておきたい重要事項をクローズアップして解説しています。

基本書と対応

資格について

1 衛生管理者とは

「衛生管理者」の資格取得学習を始めるにあたり、まずは「衛生管理者」とはどんな業務を行うものなのかを確認しましょう。

● ● ●

昨今の多様化する労働環境のなか、労働災害を未然に防ぎ安全で健康的な職場づくりを推進するエキスパートとして、多くの企業から求められているのが「衛生管理者」です。「衛生管理者」は国家資格である衛生管理者免許試験に合格した者、または一定の資格をもつ者(医師、歯科医師等)でなければならないと規定されています。

「衛生管理者」の設置について、具体的には、常時50人以上の労働者を使用する事業場において、衛生管理者免許を有する者のうちから労働者数に応じ一定数以上の衛生管理者を選任し、安全衛生業務のうち、衛生に係わる技術的な事項を管理させることが法律によって義務付けられています。ところが実際には、こうした「衛生管理者」の免許をもつ者の絶対数が不足していることもあり、未選任のままの企業も多く存在しています。このような状況のなかで、衛生管理者免許の取得者は、企業の総務・労務部門などから大いに期待されることは間違いないでしょう。

「衛生管理者」の免許には、第一種衛生管理者免許と第二種衛生管理者免許があります。

第一種衛生管理者免許を有する者は、工場などの危険あるいは有害な要素のある事業場を含むすべての事業場において、衛生環境を管理することができます。

第二種衛生管理者免許を有する者は、有害業務と関連のうすい情報通信業、金融・保険業、卸売・小売業など一定の業種の事業場においてのみ、衛生環境の管理が可能です。

衛生管理者免許を有する者の主な職務は、次のとおりです。

- 健康に異常のある者の発見と処置
- 労働環境の衛生に関する調査
- 衛生教育や健康相談等の実施
- 環境改善プランの立案と実行

2 衛生管理者試験について

それでは次に、衛生管理者試験がどのように行われるのかを確認しましょう。

衛生管理者試験は、厚生労働大臣指定試験機関である公益財団法人 安全衛生技術試験協会が運営している、全国8カ所にある安全衛生技術センターにて実施されています。受験に関しての概要は以下のとおりですが、詳細は、上記協会およびセンターにて頒布される免許試験受験申請書やホームページで確認してください。

受験資格

衛生管理者試験の受験資格として、学校を卒業後、労働衛生に関する一定の業務に従事した経験のあることが必要です。受験に必要な労働衛生業務の実務経験年数は、最終学歴によって異なります。

〔最終学歴と経験年数〕

- 大学（短大を含む）または高等専門学校の卒業者：労働衛生の実務経験1年以上
- 高等学校の卒業者：労働衛生の実務経験3年以上
- 中学校の卒業者：労働衛生の実務経験10年以上

有資格者（実務経験）

労働衛生に関する一定の業務（実務経験）については、通常、所属企業・団体などが発行する事業者証明書を提出することで認められます。実務経験は他の業務と兼任していても問題ありません。

試験スケジュール

全国8カ所にある安全衛生技術センターで月1～10回程度実施しています。また、各センターから遠方の地域では、年に1回、出張特別試験が実施されている場合があります。

試験手数料

8,800円

出題数と受験科目

受験科目は、第一種、第二種ともに、「労働生理」「労働衛生」「関係法令」の３科目です。

労働生理	人体組織および機能、環境条件による人体の機能の変化、労働による人体の機能の変化、疲労およびその予防、職業適性などに関する知識
労働衛生	衛生管理体制、作業環境要素、職業性疾病、作業環境管理、作業管理、健康管理、健康の保持増進対策、労働衛生教育、労働衛生管理統計、救急処置などに関する知識
関係法令	労働基準法、労働安全衛生法、作業環境測定法およびじん肺法ならびにこれらに基づく命令中の関係条項に関する知識

有害業務に関連する問題は、第一種衛生管理者試験には出題されますが、第二種衛生管理者試験には出題されません。各科目の詳細と問題数は、次表のとおりです。

〔受験科目の詳細〕

受験科目		第一種衛生管理者（44問）	第二種衛生管理者（30問）
労働生理		10問	10問
労働衛生	有害業務に係るもの	10問	――
	有害業務に係るもの以外のもの	７問	10問
関係法令	有害業務に係るもの	10問	――
	有害業務に係るもの以外のもの	７問	10問

注：　部分は、第一種、第二種共通出題分野です。

科目免除

第二種衛生管理者免許をすでにもっている者が第一種衛生管理者試験を受験するときは、「労働生理」の科目および「労働衛生」「関係法令」の２科目のうち有害業務に係るもの以外の問題が免除されます（特例第一種衛生管理者）。また、船員法による衛生管理者適任証書の交付を受けた者でその後１年以上労働衛生の実務に従事した経験を有するものは、「労働生理」の科目が免除されます。

出題形式

試験の出題形式は、すべて５肢択一式で、解答用紙はマークシート記入方式の筆記試験です。

試験時間

各センターでの試験時間は、第一種衛生管理者試験、第二種衛生管理者試験ともに、3時間（13：30～16：30）です。ただし、特例第一種衛生管理者試験については、13：30～15：30の2時間。船員法による科目免除者については、13：30～15：45の2時間15分が試験時間となります。

合格基準

衛生管理者免許試験は、合格人数に制限はありません。基準点以上取れば、順位にかかわらず誰でも合格できます。試験科目（「有害業務に係るもの」と「有害業務に係るもの以外のもの」に範囲が分かれている科目はそれぞれの範囲を1科目とする）ごとに40％以上得点でき、かつ、すべての科目の合計得点が60％以上の場合に合格となります。

〔過去３年間の試験実施状況〕

	第一種衛生管理者			第二種衛生管理者		
年度	受験者数	合格者数	合格率	受験者数	合格者数	合格率
2021年度	68,210人	29,113人	42.7%	36,057人	17,922人	49.7%
2022年度	68,066人	31,207人	45.8%	35,199人	18,089人	51.4%
2023年度	67,572人	31,108人	46.0%	37,061人	18,374人	49.6%

受験手続

①オンライン＋郵送

受験申し込みと試験手数料の支払いをオンライン上で行い、別途、提出書類と印刷した申請書を郵送する方法です。詳しくは下記HPを確認してください。

受験申請システム：https://www.exam.or.jp/m/index.html

②書面

公益財団法人 安全衛生技術試験協会および全国8カ所にある安全技術センター、免許試験受験申請書取扱機関一覧に示す団体にて頒布されている免許試験受験申請書を入手のうえ、受験を希望する安全衛生技術センターへ提出します。詳しくは下記HPを確認してください。

公益財団法人 安全衛生技術試験協会 HP：https://www.exam.or.jp

試験に関する問い合わせ先

公益財団法人 安全衛生技術試験協会	〒101-0065　東京都千代田区西神田３-８-１ 千代田ファーストビル東館９階	03-5275-1088
北海道安全衛生技術センター	〒061-1407　北海道恵庭市黄金北３-13	0123-34-1171
東北安全衛生技術センター	〒989-2427　宮城県岩沼市里の杜１-１-15	0223-23-3181
関東安全衛生技術センター	〒290-0011　千葉県市原市能満2089	0436-75-1141
関東安全衛生技術センター 東京試験場	〒105-0022　東京都港区海岸１-11-１ ニューピア竹芝ノースタワー21階	03-6432-0461
中部安全衛生技術センター	〒477-0032　愛知県東海市加木屋町丑寅海戸 51-５	0562-33-1161
近畿安全衛生技術センター	〒675-0007　兵庫県加古川市神野町西之山字 迎野	079-438-8481
中国四国安全衛生技術センター	〒721-0955　広島県福山市新涯町２-29-36	084-954-4661
九州安全衛生技術センター	〒839-0809　福岡県久留米市東合川５-９-３	0942-43-3381

出題傾向分析＆対策

第二種衛生管理者の試験科目は「労働生理」「労働衛生」「関係法令」の３科目に分かれています。

試験は各科目で40％以上、合計得点60％以上で合格となります。つまり、合計得点が60％以上であったとしても、３科目のうち40％未満の得点の科目が１科目でもあれば合格できないのです。広範な学習分野を効率良く学習し、苦手分野でも確実に得点するために、各科目ごとの概要と試験対策を紹介します。

労働生理

１．科目概要

人体の組織やそのメカニズム、環境条件や労働による人体への影響などについて学習します。

２．試験対策

労働生理は、中学校の理科で学ぶような内容です。人体に関する分野のため、なじみのある単語も多く、学習しやすく、得点源となる科目です。

科目範囲からまんべんなく出題される傾向にありますが、特に頻出の問題については重要度の★が３つとなっていますので、それらの問題から確実に解けるよう、優先的に繰り返し学習しましょう。

労働衛生

1．科目概要

一般的な作業環境にある事業場について、気温や空気、照明などが与える人体への影響と、救急処置の方法について学習します。

2．試験対策

労働衛生では、「**温熱指数**」「**換気**」「**照明**」「**食中毒**」「**統計**」に関する問題が頻出です。また、「**救急処置**」は必ず出題されます。

この分野は、かなり広範囲にわたって出題されるのが特徴です。ただし、繰り返し出題される比較的解きやすい問題も少なくないので、丁寧な学習を心がけ、確実に40％以上得点できるように知識を身につけましょう。

関係法令

1．科目概要

労働基準法、労働安全衛生法、事務所衛生基準規則など、労働者を取り巻く環境に関する法令に関する知識を学びます。

2．試験対策

試験では、法令の条文そのものが出題されることはほとんどありません。しかし、条文の内容をきちんと把握していれば解ける問題が多いので、基本書等で身につけた知識をどのように使って正解を導くのか、問題演習を通して学習しましょう。

解説は、問題を解くための思考の過程をできるだけ詳しく記載しています。繰り返し学習するうちに徐々に理解が深まりますので、焦らずじっくり取り組みましょう。

衛生管理者試験は毎月１～10回実施される非常に回数の多い試験です。そのため試験問題は、ある程度のパターンに絞られるといっても過言ではありません。基本的な知識を押さえ、そのうえで、過去に出題された問題を選択肢ごとに吟味するという地道な繰り返しが、なによりの攻略法となります。まずは姉妹書の『ユーキャンの第１種・第２種衛生管理者 速習レッスン』で基礎的な知識を身につけ、本書『ユーキャンの第２種衛生管理者 重要過去問＆予想模試』で復習を兼ねた問題演習を行うことをおすすめします。

CONTENTS

ユーキャンの第２種衛生管理者
「重要過去問＆予想模試」

論点別問題

労働生理

労働衛生

関係法令

過去問題

予想模擬試験

<別冊>

過去問題　予想模擬試験

解答・解説編

解答用紙

本書における科目の順番について

論点別問題の科目の順番は『学びやすさ』という観点から、実際の試験の科目順とは異なっています。

略語一覧

本書では、必要に応じて略称を使用しています。下記以外の略称も、以下の基準に準じて略しています。

法令名	略語
労働安全衛生法	安衛法
労働安全衛生法施行令	安衛令
労働安全衛生規則	安衛則
労働基準法	労基法
労働基準法施行規則	労基則
女性労働基準規則	女性則
年少者労働基準規則	年少者則

ユーキャンの第２種衛生管理者「重要過去問＆予想模試」

論点別問題

この「論点別問題」には、**195問の過去問題を論点別に収録**しています。今勉強している論点の問題にチャレンジし、実際の試験ではどういった問われ方をするのかを確かめながら、正確な知識を効率良く習得してください。

なお、問題を解いた後は、誤りの選択肢だけでなく、**すべての選択肢の解説を必ず読む**ようにし、その論点に関する知識を強化しましょう。

労働生理

労働生理では、人体のしくみなど、主に医学的な分野について出題されます。すでに中学校の理科の授業などで一度学んだことのある部分も多く、得点源にしやすい科目ですので、ここで確実に点を稼ぐことが、合格のカギといえるでしょう。
試験では10問出題されます。

1. 血液・循環器系　速 第1章 LESSON 1

★★★

1 **血液に関する次の記述のうち、誤っているものはどれか。**

□□

（1）赤血球は、骨髄で産生され、寿命は約120日であり、全血液の体積の約60%を占めている。

（2）血液中に占める赤血球の容積の割合をヘマトクリットといい、貧血になるとその値は低くなる。

（3）好中球は、偽足を出してアメーバ様運動を行い、体内に侵入してきた細菌などを貪食する。

（4）リンパ球は、白血球の約30%を占め、Tリンパ球やBリンパ球などの種類があり、免疫反応に関与している。

（5）ABO式血液型は、赤血球による血液型分類の一つで、A型血液の血清は抗B抗体をもつ。

H30.4-21

★★★

2 **血液に関する次の記述のうち、正しいものはどれか。**

□□

（1）血漿《しょう》中の蛋《たん》白質のうち、アルブミンは血液の浸透圧の維持に関与している。

（2）血漿中の水溶性蛋白質であるフィブリンがフィブリノーゲンに変化する現象が、血液の凝集反応である。

（3）赤血球は、損傷部位から血管外に出ると、血液凝固を促進させる物質を放出する。

（4）血液中に占める白血球の容積の割合をヘマトクリットといい、感染や炎症があると増加する。

（5）血小板は、体内に侵入してきた細菌やウイルスを貪食する働きがある。

R3.4-26、R1.10-26、H30.10-26、H29.10-21

1 解説

（1）**誤り。**赤血球は、全血液の体積の約**40%**を占めており、血球の中で最も多い。約60%ではない。なお、赤血球は、骨髄で産生され、寿命が約120日であるという点は、正しい。

（2）**正しい。**血液中に占める**赤血球の容積の割合**を**ヘマトクリット**という。この値は貧血になると**低く**なる。

（3）**正しい。**好中球は、偽足を出してアメーバ様運動を行い、体内に侵入してきた**細菌やウイルスなどを貪食《どんしょく》**する。なお、好中球は、白血球の約60%を占めている。

（4）**正しい。**リンパ球は、白血球の約30%を占めている。リンパ球には、Tリンパ球やBリンパ球などの種類があり、**免疫反応**に関与している。なお、Bリンパ球は、抗体を産生し、その抗体によって抗原を攻撃する。また、Tリンパ球は、細菌や異物を認識し、直接、抗原を攻撃する。

（5）**正しい。**ABO式血液型は、**赤血球による血液型分類**の一つで、**A型血液の血清**は**抗B抗体**をもつ。なお、血液が凝固したあとしばらくすると出てくる少量の液体成分を、血清という。

正答（1）

2 解説

（1）**正しい。**血漿中の蛋白質のうち、**アルブミン**は**血液の浸透圧の維持**に関与している。なお、血液は、血漿と有形成分からなり、血漿中には、アルブミン、グロブリンなどの蛋白質が含まれている。

（2）**誤り。**血漿中の水溶性蛋白質である**フィブリノーゲン**が**フィブリン**に変化する現象が、**血液の凝固**である。血漿中の水溶性蛋白質は、フィブリノーゲンである。また、そのフィブリノーゲンがフィブリンに変化する現象を、血液の凝固という。凝集反応ではない。

（3）**誤り。血小板**は、損傷部位から血管外に出ると、**血液凝固を促進**させる物質を放出する。赤血球ではない。なお、血小板は、核をもたない直径2～3 μmの不定形の細胞である。

（4）**誤り。**血液中に占める**赤血球の容積の割合**を**ヘマトクリット**という。白血球の容積の割合ではない。なお、一般的に、白血球は、感染や炎症があると増加する。

（5）**誤り。**白血球のうちの**好中球**は、体内に侵入してきた**細菌やウイルスなどを貪食する働き**がある。血小板ではない。

正答（1）

★★★
3 **血液に関する次の記述のうち、誤っているものはどれか。**

□□

（1）血液は、血漿《しょう》と有形成分から成り、有形成分は赤血球、白血球及び血小板から成る。

（2）血漿《しょう》中の蛋《たん》白質のうち、グロブリンは血液浸透圧の維持に関与し、アルブミンは免疫物質の抗体を含む。

（3）血液中に占める血球（主に赤血球）の容積の割合をヘマトクリットといい、男性で約45%、女性で約40%である。

（4）血液の凝固は、血漿《しょう》中のフィブリノーゲンがフィブリンに変化し、赤血球などが絡みついて固まる現象である。

（5）ＡＢＯ式血液型は、赤血球の血液型分類の一つで、Ａ型の血清は抗Ｂ抗体を持つ。

R5.4-26

★★★
4 **血液に関する次の記述のうち、誤っているものはどれか。**

□□

（1）血液は、血漿《しょう》成分と有形成分から成り、血漿《しょう》成分は血液容積の約55%を占める。

（2）血漿《しょう》中の蛋《たん》白質のうち、アルブミンは血液の浸透圧の維持に関与している。

（3）白血球のうち、好中球には、体内に侵入してきた細菌や異物を貪食する働きがある。

（4）血小板のうち、リンパ球には、Ｂリンパ球、Ｔリンパ球などがあり、これらは免疫反応に関与している。

（5）血液の凝固は、血漿《しょう》中のフィブリノーゲンがフィブリンに変化し、赤血球などが絡みついて固まる現象である。

R5.10-21、R4.10-28

3 解説

（1）**正しい。**血液は、**血漿**と**有形成分**からなり、有形成分は赤血球、白血球および血小板からなる。

（2）**誤り。**血漿中には、アルブミン、グロブリンなどの蛋白質が含まれている。**グロブリン**は**免疫物質の抗体**を含み、**アルブミン**は**血液の浸透圧の維持**に関与している。

（3）**正しい。**血液中に占める**血球（主に赤血球）の容積の割合**を**ヘマトクリット**という。男性で約45%、女性で約40%であり、正常値に男女による差がある。

（4）**正しい。**血液の凝固は、血漿中の水溶性蛋白質である**フィブリノーゲン**が**フィブリン**に変化し、赤血球などが絡みついて固まる現象である。

（5）**正しい。**ABO式血液型は、赤血球による血液型分類の一つで、**A型血液の血清**は**抗B抗体**をもつ。なお、血液が凝固したあとしばらくすると出てくる少量の液体成分を、血清という。

正答（2）

4 解説

（1）**正しい。**血液は、血漿と有形成分からなり、血液の容積の55%程度を占める。

（2）**正しい。**血漿中の蛋白質のうち、**アルブミン**は**血液浸透圧の維持**に関与している。

（3）**正しい。**白血球のうちの**好中球**は、体内に侵入してきた**細菌やウイルスなどを貪食**する働きがある。

（4）**誤り。白血球**の一種であるリンパ球には、Bリンパ球やTリンパ球などがあり、**免疫反応**に関与している。血小板ではない。

（5）**正しい。**血液の凝固は、血漿中の**フィブリノーゲンがフィブリンに変化**し、赤血球などが絡みついて固まる現象である。

正答（4）

合格エッセンス　血液の有形成分の機能

速 P.25

有形性分		機　能	数の男女差
赤血球		酸素を組織に供給し、二酸化炭素を搬出する	あり
白血球	Tリンパ球	細菌や異物を認識し、**直接、抗原を攻撃**する	なし
	Bリンパ球	**抗体を産生し**、その**抗体によって抗原を攻撃**する	
	好中球	細菌やウイルス、異物などを貪食	
血小板		血液凝固作用を促進し止血	なし

★★
5 次のうち、正常値に男女による差がないとされているものはどれか。

□□

（1）赤血球数

（2）ヘモグロビン量

（3）血小板数

（4）基礎代謝量

（5）ヘマトクリット値

H31.4-26

★★★
6 次のうち、正常値に男女による差がないとされているものはどれか。

□□

（1）赤血球数

（2）ヘモグロビン濃度

（3）ヘマトクリット値

（4）白血球数

（5）基礎代謝量

R4.4-25、R2.10-21 類

★★★
7 心臓の働きと血液の循環に関する次の記述のうち、誤っているものはどれか。

□□

（1）心臓の中にある洞結節（洞房結節）で発生した刺激が、刺激伝導系を介して心筋に伝わることにより、心臓は規則正しく収縮と拡張を繰り返す。

（2）体循環は、左心室から大動脈に入り、毛細血管を経て静脈血となり右心房に戻ってくる血液の循環である。

（3）肺循環は、右心室から肺静脈を経て肺の毛細血管に入り、肺動脈を通って左心房に戻る血液の循環である。

（4）心臓の拍動は、自律神経の支配を受けている。

（5）大動脈及び肺静脈を流れる血液は、酸素に富む動脈血である。

R2.10-22、R1.10-22 類、H31.4-22、H30.10-22

5 解説

血小板数（15～35万個／1 μL）は、正常値に**男女による差がない**とされている。したがって、選択肢（3）が正答となる。

正答（3）

6 解説

白血球数（4,000～8,500個／1 μL）は、正常値に**男女による差がない**とされている。

したがって、選択肢（4）が正答となる。

正答（4）

7 解説

（1）**正しい。**心臓（右心房）の中にある**洞結節（洞房結節）**で発生した刺激が、刺激伝導系を介して心筋に伝わることにより、心臓は規則正しく収縮と拡張を繰り返す。このような心臓の動きを拍動という。

（2）**正しい。体循環**は、**左心室**から**大動脈**に入り、毛細血管を経て**静脈血**となり**右心房**に戻ってくる血液の循環である。なお、心臓から**拍出**された血液を送る血管を**動脈**といい、心臓に**戻る**血液を送る血管を**静脈**という。

（3）**誤り。肺循環**は、**右心室**から**肺動脈**を経て肺の毛細血管に入り、**肺静脈**を通って**左心房**に戻る血液の循環である。設問は、肺動脈と肺静脈の記述が逆である。

（4）**正しい。**心臓の拍動は、**自律神経の支配**を受けている。なお、自律神経は、交感神経と副交感神経に分類されるが、**交感神経**は**心臓の動き**を**促進**し、**副交感神経**は**心臓の動き**を**抑制**する。

（5）**正しい。大動脈**および**肺静脈**を流れる血液は、**酸素に富む動脈血**である。

正答（3）

合格エッセンス　血液と血管

速 P.28

血管	動脈	心臓から送り出される血液が流れる血管
	静脈	心臓へ戻ってくる血液が流れる血管
血液	動脈血	酸素を多く含む血液
	静脈血	二酸化炭素を多く含む血液

★★
8 **心臓の働きと血液の循環に関する次の記述のうち、正しいものはどれか。**

□□

（1）肺循環は、右心室から肺静脈を経て肺の毛細血管に入り、肺動脈を通って左心房に戻る血液の循環である。

（2）心臓は、自律神経の中枢で発生した刺激が刺激伝導系を介して心筋に伝わることにより、規則正しく収縮と拡張を繰り返す。

（3）心臓から拍出された血液を送る血管を動脈といい、心臓に戻る血液を送る血管を静脈という。

（4）大動脈や肺動脈には、動脈血が流れる。

（5）血圧は、血液が血管の側面を押し広げる力であり、高血圧の状態が続くと、血管壁の厚さは減少していく。

H30.4-23

★★★
9 **心臓及び血液循環に関する次の記述のうち、誤っているものはどれか。**

□□

（1）心拍数は、左心房に存在する洞結節からの電気刺激によってコントロールされている。

（2）心臓の拍動による動脈圧の変動を末梢《しょう》の動脈で触知したものを脈拍といい、一般に、手首の橈《とう》骨動脈で触知する。

（3）心臓自体は、大動脈の起始部から出る冠動脈によって酸素や栄養分の供給を受けている。

（4）肺循環により左心房に戻ってきた血液は、左心室を経て大動脈に入る。

（5）大動脈を流れる血液は動脈血であるが、肺動脈を流れる血液は静脈血である。

R5.10-22

8 解説

（1）**誤り。肺循環**は、右心室から**肺動脈**を経て肺の毛細血管に入り、**肺静脈**を通って**左心房**に戻る血液の循環である。設問は、肺動脈と肺静脈の記述が逆である。

（2）**誤り**。心臓は、**洞結節（洞房結節）**で発生した刺激が、刺激伝導系を介して心筋に伝わることにより、規則正しく収縮と拡張を繰り返す。自律神経の中枢で発生した刺激ではない。

（3）**正しい。心臓から拍出**された血液を送る血管を**動脈**といい、**心臓に戻る**血液を送る血管を**静脈**という。

（4）**誤り**。肺動脈には、**静脈血**が流れる。動脈血ではない。なお、大動脈には動脈血が流れるという点は、正しい。

（5）**誤り**。高血圧の状態が続くと、血液の圧力に耐えるため、血管壁の**厚さは増す**。なお、血圧は、血液が血管の側面を押し広げる力であるとする点は、正しい。また、高血圧の状態が続き、血管壁の厚さが増すと、動脈硬化を引き起こす原因となる。

正答（3）

9 解説

（1）**誤り**。心臓は、**右心房に存在**する洞結節（洞房結節）で発生した刺激が、刺激伝導系を介して心筋に伝わることにより、規則正しく収縮と拡張を繰り返す。洞結節は左心房に存在するのではない。

（2）**正しい**。心臓の拍動による動脈圧の変動を末梢の動脈で触知したものを**脈拍**という。一般に、手首の**橈骨動脈**（手首の母指側）で**触知**する。

（3）**正しい**。心臓自体は、大動脈の起始部から出る**冠状動脈（冠動脈）**によって酸素や栄養分の供給を受けている。なお、冠状動脈（冠動脈）は、心臓から出た大動脈の起始部から左右２本が分岐し、左の冠動脈はさらに２本に分岐して心臓を取り巻いている。

（4）**正しい**。肺循環により**左心房**に戻ってきた血液は、**左心室**を経て大動脈に入る。

（5）**正しい**。大動脈を流れる血液は動脈血であるが、肺動脈を流れる血液は静脈血である。なお、動脈血は酸素を多く含む血液であり、静脈血は二酸化炭素を多く含む血液である。

正答（1）

★★
10 下図は、血液循環の経路を模式的に表したものであるが、図中の血管ア～カを流れる血液に関する（1）～（5）の記述のうち、誤っているものはどれか。

□□

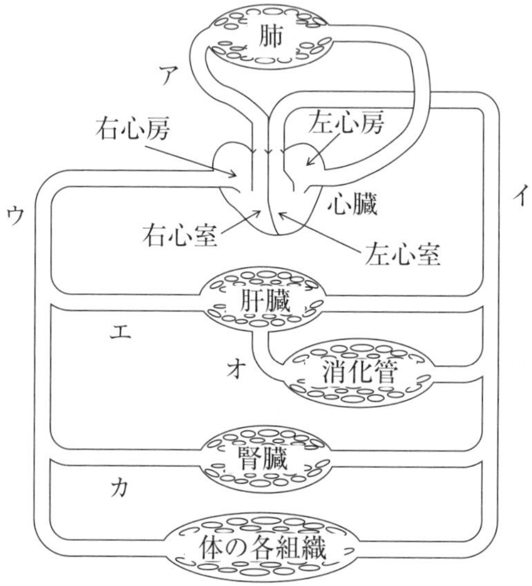

（1）血管ア及び血管イはいずれも動脈であるが、血管アには静脈血が流れる。

（2）血管ア～カを流れる血液のうち、酸素が最も多く含まれる血液は、血管イを流れる血液である。

（3）血管ウを流れる血液には、血管イを流れる血液に比べて二酸化炭素が多く含まれる。

（4）血管カを流れる血液には、血管エを流れる血液に比べて尿素が多く含まれる。

（5）血管ア～カを流れる血液のうち、食後、ブドウ糖が最も多く含まれる血液は、血管オを流れる血液である。

H28.4-22、H27.4-23

10 解説

（1）**正しい。**血管ア（**肺動脈**）および血管イ（**大動脈**）はいずれも**動脈**であるが、**血管ア**は、肺でガス交換を行う前の二酸化炭素を多く含む**静脈血**が流れる。

（2）**正しい。**血管ア～カを流れる血液のうち酸素が最も多く含まれる血液は、肺でガス交換を行った後の血液であり、血管イ（大動脈）を流れる血液である。

（3）**正しい。**血管ウ（大静脈）を流れる血液は、肺でガス交換を行う前の血液で、血管イ（大動脈）を流れる血液に比べて二酸化炭素が多く含まれる。

（4）**誤り。**血管エ（**肝静脈**）を流れる血液には、肝臓で合成された**尿素が多く含まれている**。この尿素は、腎臓に運ばれ腎臓から尿として体外に排出される。したがって、血管エを流れる血液には、血管カ（腎静脈）を流れる血液に比べて尿素が多く含まれている。

（5）**正しい。**食物に含まれる炭水化物は消化管で分解されブドウ糖（グルコース）となり、血管オ（**門脈**）を通って肝臓に運ばれる。そのため、血管ア～カを流れる血液のうち血管オを流れる血液には、食後、**ブドウ糖が最も多く含まれる**。

正答（4）

合格エッセンス 血液の循環

速 P.28

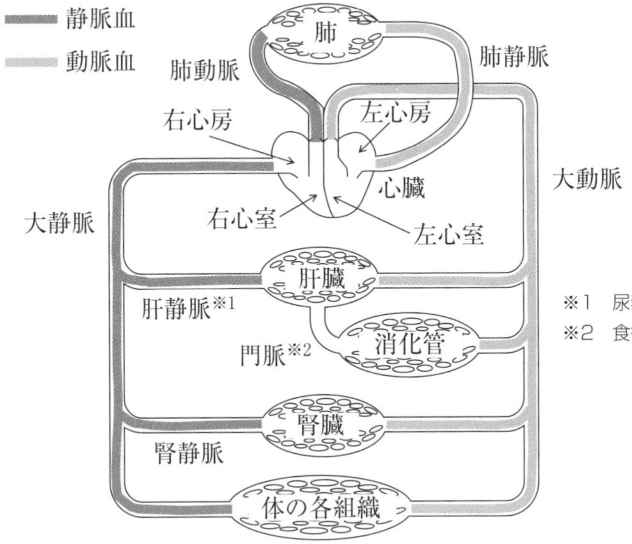

※1　尿素が多く含まれる

※2　食後、ブドウ糖が多く含まれる

★★★

11 心臓及び血液循環に関する次の記述のうち、誤っているものはどれか。

□□

（1）心臓は、自律神経の中枢で発生した刺激が刺激伝導系を介して心筋に伝わることにより、規則正しく収縮と拡張を繰り返す。

（2）肺循環により左心房に戻ってきた血液は、左心室を経て大動脈に入る。

（3）大動脈を流れる血液は動脈血であるが、肺動脈を流れる血液は静脈血である。

（4）心臓の拍動による動脈圧の変動を末梢《しょう》の動脈で触知したものを脈拍といい、一般に、手首の橈《とう》骨動脈で触知する。

（5）動脈硬化とは、コレステロールの蓄積などにより、動脈壁が肥厚・硬化して弾力性を失った状態であり、進行すると血管の狭窄《さく》や閉塞を招き、臓器への酸素や栄養分の供給が妨げられる。

R3.10-22、H28.10-22

★★★

12 心臓の働きと血液の循環に関する次の記述のうち、誤っているものはどれか。

□□

（1）心筋は、意志と無関係に動く不随意筋である平滑筋から成り、自動的に収縮と拡張を繰り返す。

（2）体循環では、血液は左心室から大動脈に入り、静脈血となって右心房に戻ってくる。

（3）肺循環では、血液は右心室から肺動脈を経て肺の毛細血管に入り、肺静脈を通って左心房に戻ってくる。

（4）肺を除く各組織の毛細血管を通過する血液の流れは、体循環の一部である。

（5）大動脈を流れる血液は動脈血であるが、肺動脈を流れる血液は静脈血である。

H27.10-22

11 解説

（1）**誤り。**心臓は、**洞結節（洞房結節）**で発生した刺激が、刺激伝導系を介して心筋に伝わることにより、規則正しく収縮と拡張を繰り返す。自律神経の中枢で発生した刺激ではない。

（2）**正しい。**肺循環により左心房に戻ってきた血液は、左心室を経て大動脈に入る。なお、心臓から拍出された血液を送る血管を動脈といい、心臓に戻る血液を送る血管を静脈という。

（3）**正しい。大動脈**を流れる血液は**動脈血**であるが、**肺動脈**を流れる血液は**静脈血**である。なお、動脈血は酸素を多く含む血液であり、静脈血は二酸化炭素を多く含む血液である。

（4）**正しい。**心臓の拍動による動脈圧の変動を末梢の動脈で触知したものを脈拍という。一般に、手首の橈骨動脈（手首の母指側）で触知する。

（5）**正しい。**動脈硬化とは、コレステロールの蓄積などにより、**動脈壁が肥厚・硬化して弾力性を失った状態**をいう。進行すると血液が通る血管の狭窄や閉塞を招き、臓器への酸素や栄養分の供給が妨げられる。このように、血液の供給が滞ることで組織の一部が死ぬことを、梗塞という。

正答（1）

12 解説

（1）**誤り。心筋**は、筋肉の構造的には**横紋筋**である。平滑筋からなるのではない。なお、心筋は意志と無関係に自動的に収縮と拡張を繰り返す**不随意筋**であるとする点は、正しい。

（2）**正しい。体循環**では、血液は**左心室**から**大動脈**に入り、毛細血管を経て**静脈血**となり**右心房**に戻ってくる。なお、心臓から拍出された血液を送る血管を動脈といい、心臓に戻る血液を送る血管を静脈という。

（3）**正しい。肺循環**では、血液は**右心室**から**肺動脈**を経て肺の毛細血管に入り、**肺静脈**を通って**左心房**に戻ってくる。

（4）**正しい。**肺を除く各組織の毛細血管を通過する血液の流れは、体循環の一部である。

（5）**正しい。大動脈**を流れる血液は**動脈血**であるが、**肺動脈**を流れる血液は**静脈血**である。なお、動脈血は酸素を多く含む血液であり、静脈血は二酸化炭素を多く含む血液である。

正答（1）

★★★
13 **心臓の働きと血液の循環に関する次の記述のうち、誤っているものはどれか。**

□□

（1）心筋は、不随意筋に分類されるが、横紋筋である。

（2）体循環とは、左心室から大動脈に入り、静脈血となって右心房に戻ってくる血液の循環をいう。

（3）肺を除く各組織の毛細血管を通過する血液の流れは、体循環の一部である。

（4）大動脈及び肺動脈を流れる血液は、酸素に富む動脈血である。

（5）心臓自体は、大動脈の起始部から出る冠状動脈によって酸素や栄養分の供給を受けている。

H24.4-22

★★★
14 **心臓及び血液循環に関する次の記述のうち、誤っているものはどれか。**

□□

（1）大動脈及び肺動脈を流れる血液は、酸素に富む動脈血である。

（2）体循環では、血液は左心室から大動脈に入り、静脈血となって右心房に戻ってくる。

（3）心筋は人間の意思によって動かすことができない不随意筋であるが、随意筋である骨格筋と同じ横紋筋に分類される。

（4）心臓の中にある洞結節（洞房結節）で発生した刺激が、刺激伝導系を介して心筋に伝わることにより、心臓は規則正しく収縮と拡張を繰り返す。

（5）動脈硬化とは、コレステロールの蓄積などにより、動脈壁が肥厚・硬化して弾力性を失った状態であり、進行すると血管の狭窄《さく》や閉塞を招き、臓器への酸素や栄養分の供給が妨げられる。

R4.4-22

13 解説

（1）**正しい。**心筋は、意志と無関係に自動的に収縮と拡張を繰り返す**不随意筋**に分類される。しかし、筋肉の構造的には、随意筋である骨格筋と同じ**横紋筋**である。

（2）**正しい。体循環**とは、**左心室**から**大動脈**に入り、毛細血管を経て**静脈血**となって**右心房**に戻ってくる血液の循環をいう。

（3）**正しい。**肺を除く各組織の毛細血管を通過する血液の流れは、体循環の一部である。

（4）**誤り。肺動脈**には、**静脈血**が流れる。動脈血ではない。なお、大動脈には酸素に富む動脈血が流れるという点は、正しい。

（5）**正しい。**心臓自体は、大動脈の起始部から出る**冠状動脈（冠動脈）**によって酸素や栄養分の供給を受けている。

正答（4）

14 解説

（1）**誤り。肺動脈**を流れる血液は、二酸化炭素に富む**静脈血**である。酸素に富む動脈血が流れるのではない。

（2）**正しい。**体循環は、**左心室**から**大動脈**に入り、**毛細血管を経て**静脈血となり**右心房**に戻ってくる血液の循環である。

（3）**正しい。**心筋は人間の意思によって動かすことができない**不随意筋**である。しかし、筋肉の構造的には、随意筋である骨格筋と同じ**横紋筋に分類**される。

（4）**正しい。**心臓（右心房）の中にある**洞結節（洞房結節）**で発生した刺激が、刺激伝導系を介して心筋に伝わることにより、心臓は規則正しく収縮と拡張を繰り返す。このような心臓の動きを拍動という。

（5）**正しい。**コレステロールの蓄積などにより、動脈壁が肥厚・硬化して弾力性を失った状態を動脈硬化という。進行すると血管の狭窄や閉塞を招き、臓器への酸素や栄養分の供給が妨げられる。

正答（1）

キーワード　冠状動脈（冠動脈）

速 P.28

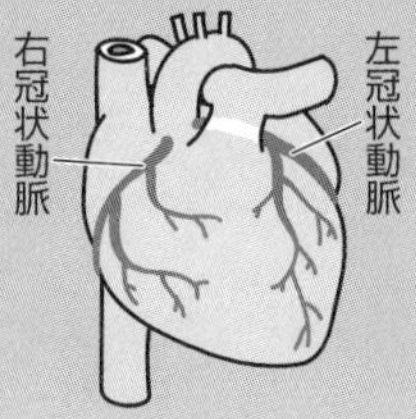

心臓自体に血液を提供している動脈を、冠状動脈（冠動脈）という。冠状動脈（冠動脈）は、心臓から出た大動脈の起始部から左右2本が分岐し、左の冠動脈はさらに2本に分岐して心臓を取り巻いている。この動脈の硬化が原因となり、心臓に十分な血液が行かない状態になると、虚血性心疾患（狭心症や心筋梗塞など）が現れる。

2. 呼吸器系　速 第1章 LESSON 2

★★★

15 **呼吸に関する次の記述のうち、誤っているものはどれか。**

□□

（1）呼吸運動は、横隔膜、肋《ろっ》間筋などの呼吸筋が収縮と弛《し》緩をすることにより行われる。

（2）胸郭内容積が増し、その内圧が低くなるにつれ、鼻腔《くう》、気管などの気道を経て肺内へ流れ込む空気が吸気である。

（3）肺胞内の空気と肺胞を取り巻く毛細血管中の血液との間で行われるガス交換は、外呼吸である。

（4）血液中の二酸化炭素濃度が増加すると、呼吸中枢が刺激され、呼吸が速く深くなる。

（5）呼吸のリズムをコントロールしているのは、間脳の視床下部である。

R5.10-23

★★★

16 **呼吸に関する次の記述のうち、誤っているものはどれか。**

□□

（1）呼吸運動は、横隔膜、肋《ろっ》間筋などの呼吸筋が収縮と弛《し》緩をすることで胸腔《くう》内の圧力を変化させ、肺を受動的に伸縮させることにより行われる。

（2）横隔膜が下がり、胸腔の内圧が低くなるにつれ、鼻腔、気管などの気道を経て肺内へ流れ込む空気が吸気である。

（3）肺胞内の空気と肺胞を取り巻く毛細血管中の血液との間で行われるガス交換を行う呼吸を外呼吸という。

（4）呼吸に関与する筋肉は、延髄にある呼吸中枢によって支配されている。

（5）呼吸中枢がその興奮性を維持するためには、常に一定量以上の一酸化炭素が血液中に含まれていることが必要である。

H29.10-24

15 解説

（1）**正しい。**呼吸運動は、**横隔膜、肋間筋などの呼吸筋**が収縮と弛緩をすることで胸腔内の圧力を変化させ、肺を**受動的に伸縮**させることにより行われる。

（2）**正しい。**横隔膜が下がり、**胸郭内容積が増し、胸腔の内圧が低く**なるにつれ、鼻腔、気管などの気道を経て**肺内へ流れ込む空気**が吸気である。

（3）**正しい。****肺胞内**の空気と肺胞を取り巻く**毛細血管中の血液**との間で行われるガス交換を**外呼吸**という。

（4）**正しい。**血液中の**二酸化炭素濃度**（分圧）が**増加**（上昇）すると、呼吸中枢が刺激され、呼吸が**速く深く**なる。

（5）**誤り。**呼吸のリズムをコントロールしているのは、**延髄にある呼吸中枢**である。間脳の視床下部ではない。なお、間脳の視床下部には、体温調節中枢などがある。

正答（5）

16 解説

（1）**正しい。**呼吸運動は、**横隔膜、肋間筋**などの**呼吸筋**が収縮と弛緩をすることで胸腔内の圧力を変化させ、肺を**受動的に伸縮**させることにより行われる。

（2）**正しい。**横隔膜が下がり、**胸郭内容積が増し、胸腔の内圧が低く**なるにつれ、鼻腔、気管などの気道を経て**肺内へ流れ込む空気**が**吸気**である。

（3）**正しい。****肺胞内の空気**と肺胞を取り巻く**毛細血管中の血液**との間で行われるガス交換を**外呼吸**という。なお、一般にはこれを呼吸と呼ぶことが多い。

（4）**正しい。**呼吸に関与する筋肉は、**延髄**にある**呼吸中枢**によって支配されている。

（5）**誤り。**呼吸中枢がその興奮性を維持するためには、常に一定量以上の**二酸化炭素**が血液中に含まれていることが必要である。一酸化炭素ではない。

正答（5）

キーワード　外呼吸と内呼吸

速 P.33

外呼吸	**肺胞内の空気**と肺胞を取り巻く**毛細血管中の血液**との間で行われるガス交換
内呼吸	血液と組織細胞との間で行われるガス交換

★★★

17 呼吸に関する次の記述のうち、正しいものはどれか。

□□

（1）呼吸運動は、主として肋《ろっ》間筋と横隔膜の協調運動によって胸郭内容積を周期的に増減し、それに伴って肺を収縮させることにより行われる。

（2）肺胞内の空気と肺胞を取り巻く毛細血管中の血液との間で行われるガス交換は、内呼吸である。

（3）成人の呼吸数は、通常、１分間に 16 ～ 20 回であるが、食事、入浴及び発熱によって減少する。

（4）呼吸に関与する筋肉は、間脳の視床下部にある呼吸中枢によって支配されている。

（5）身体活動時には、血液中の窒素分圧の上昇により呼吸中枢が刺激され、１回換気量及び呼吸数が増加する。

H31.4-21、H28.10-21 類

★★★

18 呼吸に関する次の記述のうち、正しいものはどれか。

□□

（1）呼吸は、胸膜が運動することで胸腔《くう》内の圧力を変化させ、肺を受動的に伸縮させることにより行われる。

（2）肺胞内の空気と肺胞を取り巻く毛細血管中の血液との間で行われるガス交換は、内呼吸である。

（3）成人の呼吸数は、通常、１分間に 16 ～ 20 回であるが、食事、入浴、発熱などによって増加する。

（4）チェーンストークス呼吸とは、肺機能の低下により呼吸数が増加した状態をいい、喫煙が原因となることが多い。

（5）身体活動時には、血液中の窒素分圧の上昇により呼吸中枢が刺激され、１回換気量及び呼吸数が増加する。

R5.4-21、R4.10-21

17 解説

（1）**正しい。**呼吸運動は、主として**肋間筋**と**横隔膜**の**協調運動**によって胸郭内容積を周期的に増減し、それに伴って肺を**受動的**に**収縮（伸縮）**させることにより行われる。

（2）**誤り。肺胞内の空気**と肺胞を取り巻く**毛細血管中の血液**との間で行われるガス交換を**外呼吸**という。内呼吸ではない。

（3）**誤り。**成人の呼吸数は、通常、1分間に16～20回で、食事、入浴、発熱、運動などによって**増加**する。減少するのではない。

（4）**誤り。**呼吸に関与する筋肉は、**延髄**にある**呼吸中枢**によって支配されている。間脳の視床下部ではない。なお、間脳の視床下部には、体温調節中枢などがある。

（5）**誤り。**身体活動時には、血液中の**二酸化炭素分圧（濃度）**の上昇により呼吸中枢が刺激され、1回換気量および呼吸数が増加する。窒素分圧ではない。

正答（1）

18 解説

（1）**誤り。**呼吸運動は、横隔膜、肋間筋などの**呼吸筋**が収縮と弛緩をすることによって胸郭内容積を周期的に増減し、それに伴って肺を受動的に伸縮させることにより行われる。胸膜が運動することで行われるのではない。なお、呼吸に関与する筋肉は、延髄にある呼吸中枢によって支配されている。

（2）**誤り。肺胞内の空気**と肺胞を取り巻く**毛細血管中の血液**との間で行われるガス交換を**外呼吸**という。内呼吸ではない。なお、一般にはこれを呼吸と呼ぶことが多い。

（3）**正しい。**成人の呼吸数は、通常、1分間に16～20回で、食事、入浴、発熱、運動などによって**増加**する。

（4）**誤り。**呼吸をしていない状態から次第に呼吸が深まり、再び浅くなって呼吸が止まる状態を交互に繰り返すパターンの呼吸をチェーンストークス呼吸という。**延髄の呼吸中枢の機能が衰える**ことが原因で生じる。心不全や脳卒中などが重症化して、脳への酸素の供給が不十分になっていることを示すことが多い。肺機能の低下により呼吸数が増加した状態をいうのではない。また、喫煙が原因ではない。

（5）**誤り。**身体活動時には、血液中の**二酸化炭素分圧（濃度）**の上昇により呼吸中枢が刺激され、1回換気量および呼吸数が増加する。窒素分圧ではない。

正答（3）

3. 消化器系　速 第1章 LESSON 3

★★★
19 消化器系に関する次の記述のうち、誤っているものはどれか。

□□

（1）三大栄養素のうち糖質はブドウ糖などに、蛋《たん》白質はアミノ酸に、脂肪は脂肪酸とモノグリセリドに、酵素により分解されて吸収される。

（2）無機塩及びビタミン類は、酵素による分解を受けないでそのまま吸収される。

（3）膵《すい》臓から十二指腸に分泌される膵液には、消化酵素は含まれていないが、血糖値を調節するホルモンが含まれている。

（4）ペプシノーゲンは、胃酸によってペプシンという消化酵素になり、蛋白質を分解する。

（5）小腸の表面は、ビロード状の絨《じゅう》毛という小突起で覆われており、栄養素の吸収の効率を上げるために役立っている。

R3.10-23 改題、R1.10-24 類、H31.4-25 類

★★★
20 次のAからDまでの消化酵素について、蛋《たん》白質の消化に関与しているものの組合せは（1）～（5）のうちどれか。

□□

A　リパーゼ

B　ペプシン

C　アミラーゼ

D　トリプシン

（1）A，B

（2）A，C

（3）B，C

（4）B，D

（5）C，D

R2.4-24 類、H30.10-24、H29.4-24、H25.10-25 類

19 解説

（1）**正しい。**三大栄養素のうち**糖質（炭水化物）**は**ブドウ糖**（グルコース）などに、**蛋白質**は**アミノ酸**に、**脂肪**は**脂肪酸**と**モノグリセリド**に、酵素により分解されて吸収される。なお、糖質、蛋白質、脂質をまとめて三大栄養素と呼ぶ。

（2）**正しい。無機塩**や**ビタミン類**は、酵素による**分解を受けない**でそのまま吸収される。なお、無機塩（ミネラル）の代表的なものに血液に含まれるナトリウムがある。

（3）**誤り。**膵臓から分泌される**膵液**は、三大栄養素のすべての**消化酵素を含む**。なお、膵臓は、消化酵素を含む膵液を十二指腸に分泌するとともに、**血糖値を調節するホルモン**を血液中に**分泌**する。

（4）**正しい。ペプシノーゲン**は、胃酸によって**ペプシン**という消化酵素になり、**蛋白質**を**分解**（消化）する。なお、蛋白質は、ペプシンによりペプトンに分解される。

（5）**正しい。**小腸の表面は、ビロード状の絨毛という小突起で覆われており、栄養素の吸収の効率を上げるために役立っている。なお、小腸は、胃に続く全長6～7ｍの管状の器官で、十二指腸、空腸および回腸に分けられる。

正答（3）

20 解説

蛋白質の消化に関与している消化酵素は、**ペプシン**（B）と**トリプシン**（D）である。したがって、選択肢（4）が正答となる。

なお、蛋白質は、胃液中の消化酵素ペプシンによりペプトンに分解される。その後、十二指腸へ送られ膵液中の消化酵素トリプシンなどにより分解され、最終的にアミノ酸となり、小腸の絨毛から吸収されて毛細血管に入る。

正答（4）

合格エッセンス　三大栄養素の消化吸収

速 P.37

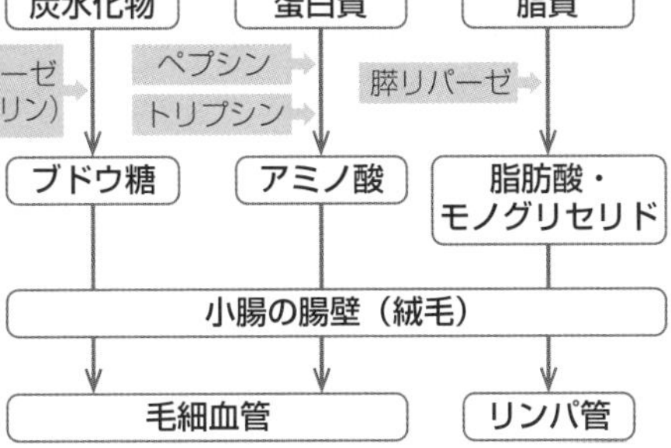

★★

21 □□ **摂取した食物中の炭水化物（糖質）は消化管において主にブドウ糖に、同じく脂肪は脂肪酸とモノグリセリドに、同じく蛋《たん》白質はアミノ酸に分解されるが、これらの分解されたものの小腸における吸収に関する次の文中の［　　］内に入れるAからDの語句の組合せとして、正しいものは（1）～（5）のうちどれか。**

「・［A］及び［B］は、絨《じゅう》毛から吸収されて毛細血管に入る。

・［C］は、絨毛から吸収された後、大部分は［D］となってリンパ管に入る。」

	A	B	C	D
（1）	ブドウ糖	脂肪酸とモノグリセリド	アミノ酸	脂肪
（2）	ブドウ糖	脂肪酸とモノグリセリド	アミノ酸	蛋白質
（3）	ブドウ糖	アミノ酸	脂肪酸とモノグリセリド	脂肪
（4）	脂肪酸とモノグリセリド	アミノ酸	ブドウ糖	蛋白質
（5）	脂肪酸とモノグリセリド	アミノ酸	ブドウ糖	脂肪

H28.10-24 改題

★

22 □□ **脂肪の分解・吸収及び脂質の代謝に関する次の記述のうち、誤っているものはどれか。**

（1）胆汁は、アルカリ性で、消化酵素は含まないが、食物中の脂肪を乳化させ、脂肪分解の働きを助ける。

（2）脂肪は、膵《すい》臓から分泌される消化酵素である膵《すい》アミラーゼにより脂肪酸とモノグリセリドに分解され、小腸の絨《じゅう》毛から吸収される。

（3）肝臓は、過剰な蛋《たん》白質及び糖質を中性脂肪に変換する。

（4）コレステロールやリン脂質は、神経組織の構成成分となる。

（5）脂質は、糖質や蛋《たん》白質に比べて多くのＡＴＰを産生することができるので、エネルギー源として優れている。

R4.10-30 改題

21 解説

消化管で分解された

「・A **ブドウ糖** 及び B **アミノ酸** は、(小腸の) 絨毛から吸収されて毛細血管に入る。」

その後、門脈を通って肝臓に運ばれる。

「・C **脂肪酸とモノグリセリド** は、絨毛から吸収された後、大部分は D **脂肪** となってリンパ管に入る。」

その後、血管を通って肝臓に運ばれる。

したがって、選択肢（3）が正答となる。

正答（3）

22 解説

（1）**正しい。**胆汁は、**アルカリ性**で、**消化酵素は含まない**。しかし、食物中の脂肪を乳化させ、脂肪分解の働きを助ける。なお、食物中の脂肪を乳化させるのは、胆汁酸である。

（2）**誤り。脂肪**は、膵臓から分泌される膵液中の消化酵素である**リパーゼ（膵リパーゼ）**により脂肪酸とモノグリセリドに分解され、小腸の絨毛から吸収される。膵アミラーゼにより分解されるのではない。なお、膵アミラーゼは、糖質（炭水化物）を分解する。

（3）**正しい。**肝臓は、過剰（余分）な蛋白質と糖質（炭水化物）を中性脂肪に変える。また、コレステロールやリン脂質を合成する。

（4）**正しい。**コレステロールやリン脂質は、神経組織の構成成分となる。また、細胞膜の成分となる。

（5）**正しい。脂質（脂肪）**は、糖質（炭水化物）や蛋白質に比べて**多くのATP（アデノシン三リン酸）を産生**することができるので、エネルギー源として優れている。ただし、摂取量が多すぎると肥満の原因となる。なおATPの分解により、筋肉の収縮に使用されるエネルギーが得られる。

正答（2）

★★★

23 □□ **蛋《たん》白質並びにその分解、吸収及び代謝に関する次の記述のうち、誤っているものはどれか。**

（1）蛋《たん》白質は、約20種類のアミノ酸が結合してできており、内臓、筋肉、皮膚など人体の臓器等を構成する主成分である。

（2）蛋《たん》白質は、膵《すい》臓から分泌される消化酵素である膵《すい》リパーゼなどによりアミノ酸に分解され、小腸から吸収される。

（3）血液循環に入ったアミノ酸は、体内の各組織において蛋《たん》白質に再合成される。

（4）肝臓では、アミノ酸から多くの血漿《しょう》蛋《たん》白質が合成される。

（5）飢餓時には、肝臓などでアミノ酸などからブドウ糖を生成する糖新生が行われる。

R4.4-26、H27.10-26、H26.4-24

★★★

24 □□ **摂取した食物中の炭水化物（糖質）、脂質及び蛋《たん》白質を分解する消化酵素の組合せとして、正しいものは次のうちどれか。**

	炭水化物（糖質）	脂質	蛋《たん》白質
（1）	マルターゼ	リパーゼ	トリプシン
（2）	トリプシン	アミラーゼ	ペプシン
（3）	ペプシン	マルターゼ	トリプシン
（4）	ペプシン	リパーゼ	マルターゼ
（5）	アミラーゼ	トリプシン	リパーゼ

R5.10-24、R5.4-24

★★★

25 □□ **肝臓の機能として、誤っているものは次のうちどれか。**

（1）血液中の身体に有害な物質を分解する。

（2）ブドウ糖をグリコーゲンに変えて蓄える。

（3）ビリルビンを分解する。

（4）血液凝固物質を合成する。

（5）血液凝固阻止物質を合成する。

R4.4-24

23 解説

（1）**正しい。**蛋白質は、約 20 種類のアミノ酸が結合してできており、内臓、筋肉、皮膚、血液、酵素、免疫物質など人体を構成する主成分である。

（2）**誤り。蛋白質**は、膵臓から分泌される消化酵素である**トリプシン**などによりアミノ酸に分解され、小腸の腸壁から吸収される。膵リパーゼは、蛋白質を分解する消化酵素ではない。なお、**膵リパーゼ**は膵液中に含まれ**脂肪**を**分解**する。

（3）**正しい。**小腸の腸壁から吸収され、血液循環に入ったアミノ酸は、体内の各組織において蛋白質に再合成される。

（4）**正しい。**肝臓では、アミノ酸から多くの**血漿蛋白質**（アルブミン、フィブリノーゲンなど）**が合成**される。

（5）**正しい。**飢餓時には、肝臓でアミノ酸からブドウ糖を生成する糖新生が行われる。なお、飢餓時には、筋肉組織の蛋白質を分解して、アミノ酸から血糖を補給することもある。

正答（2）

24 解説

炭水化物（糖質）の消化に関与している消化酵素はアミラーゼと**マルターゼ**、脂質の消化に関与している消化酵素は**リパーゼ**（膵リパーゼ）、蛋白質の消化に関与している消化酵素はペプシンと**トリプシン**である。

したがって、選択肢（1）が正答となる。

正答（1）

25 解説

（1）**正しい。**肝臓は、血液中の身体に**有害な物質**（有機溶剤などの化学物質、アルコールなど）を**分解**する。

（2）**正しい。**肝臓は、血糖値が上昇すると、ブドウ糖を**グリコーゲンに変えて蓄える。**

（3）**誤り。**肝臓は、赤血球の分解物から**ビリルビン**を**合成**して胆汁に排泄する。ビルビリンを分解するのではない。

（4）**正しい。**肝臓は、血液凝固物質（フィブリノーゲンなど）を合成（生成）する。

（5）**正しい。**肝臓は、血液凝固阻止物質（ヘパリンなど）を合成（生成）する。

正答（3）

★★★
26 **成人の肝臓の機能として、誤っているものは次のうちどれか。**

□□

（1）脂肪酸の分解及びコレステロールの合成

（2）胆汁の生成

（3）赤血球の産生及び分解

（4）アルコールなどの身体に有害な物質の分解

（5）グリコーゲンの合成及び分解

H27.10-24

26 解説

（1）**正しい**。肝臓は、**脂肪酸の分解**および**コレステロールの合成**をする。

（2）**正しい**。肝臓は、**胆汁の生成**し、脂肪の消化吸収を助ける。

（3）**誤り**。肝臓には、赤血球の産生をする機能はない。 赤血球は骨髄で産生される。なお、肝臓は、赤血球の分解物からビリルビンを合成して胆汁に排泄する。

（4）**正しい**。肝臓は、アルコールなどの身体に**有害な物質を分解**する。代謝物は胆汁中に排泄されたり、血中に放出される。

（5）**正しい**。肝臓は、**グリコーゲンの合成**および**分解**をする。血糖値が上昇するとグリコーゲンを合成・貯蔵し、血糖値が低下すると、グリコーゲンを分解し、血中に放出する。

正答（3）

合格エッセンス 試験によく出る肝臓の機能

速 P.39

各栄養素の貯蔵・代謝	糖質(炭水化物)	グリコーゲンの合成・貯蔵・分解
	蛋白質	血液凝固物質や血液凝固阻止物質の合成
	脂質	コレステロール・リン脂質の合成、脂肪酸の分解
胆汁の生成	（脂肪の消化吸収を助ける）	
その他物質の代謝	ビリルビンを合成し、胆汁に排泄	
解毒作用	有害な物質（アルコール・薬剤など）の分解	

4. 代謝・内分泌系

速 第1章 LESSON 4

★★

27 代謝に関する次の記述のうち、正しいものはどれか。

□□

（1）代謝において、細胞に取り入れられた体脂肪、グリコーゲンなどが分解されてエネルギーを発生し、ATP が合成されることを同化という。

（2）代謝において、体内に摂取された栄養素が、種々の化学反応によって、ATP に蓄えられたエネルギーを用いて、細胞を構成する蛋《たん》白質などの生体に必要な物質に合成されることを異化という。

（3）基礎代謝は、心臓の拍動、呼吸運動、体温保持などに必要な代謝で、基礎代謝量は、覚醒、横臥《が》、安静時の測定値で表される。

（4）エネルギー代謝率は、一定時間中に体内で消費された酸素と排出された二酸化炭素の容積比で表される。

（5）エネルギー代謝率は、生理的負担だけでなく、精神的及び感覚的な側面をも考慮した作業強度を表す指標としても用いられる。

R5.10-26類、R3.4-29、R1.10-29類

★★

28 体温調節に関する次の記述のうち、正しいものはどれか。

□□

（1）体温調節中枢は、脳幹の延髄にある。

（2）暑熱な環境においては、内臓の血流量が増加し体内の代謝活動が亢《こう》進することにより、人体からの熱の放散が促進される。

（3）体温調節のように、外部環境が変化しても身体内部の状態を一定に保つ生体の仕組みを同調性といい、筋肉と神経系により調整されている。

（4）計算上、体重 70kg の人の体表面から 10 g の汗が蒸発すると、体温が約1℃下がる。

（5）発汗のほかに、皮膚及び呼気から水分を蒸発させている現象を不感蒸泄《せつ》という。

R4.10-23

27 解説

（1）**誤り。**細胞に取り入れられた体脂肪やグリコーゲンなどが**分解**されて**エネルギーを発生**し、**ATP（アデノシン三リン酸）が生産（合成）**されることを**異化**という。同化ではない。

（2）**誤り。**体内に摂取された栄養素が、種々の化学反応によって、ATPに蓄えられたエネルギーを用いて、細胞を構成する蛋白質などの**生体に必要な物質に合成されること**を**同化**という。異化ではない。

（3）**正しい。**基礎代謝は、心臓の拍動、呼吸運動、体温保持などに必要な代謝で、基礎代謝量は、**覚醒、横臥、安静時**の測定値で表される。

（4）**誤り。**エネルギー代謝率は、**作業中の総消費エネルギー量から安静時消費エネルギー量を引き、基礎代謝量で割った値**である。

（5）**誤り。**エネルギー代謝率は、動的筋作業の強度を表すことができるが、作業に要するエネルギーが少ない精神的および感覚的な側面をも考慮した作業の強度を表す指標としては適用できない。

正答（3）

28 解説

（1）**誤り。**体温調節中枢は、**間脳の視床下部**にある。脳幹の延髄にあるのではない。なお、体温調節中枢は、産熱と放熱とのバランスを維持し体温を一定に保つよう機能している。

（2）**誤り。**暑熱な環境においては、**内臓の血流量は減少**し体内の**代謝は抑制**される。

（3）**誤り。**体温調節のように、外部環境が変化しても身体内部の状態を一定に保つ生体の仕組みを**恒常性（ホメオスタシス）**という。同調性ではない。また、**恒常性（ホメオスタシス）**は、おもに**内分泌系**と**神経系（自律神経系）**により調整されている。筋肉と神経系により調整されているのではない。

（4）**誤り。**計算上、発汗によって体重70kgの人の体表面から**100g**の汗が蒸発すると、気化熱が奪われ、体温が約1℃下がる。10gではない。

（5）**正しい。**発汗のほかに皮膚および呼気から水分が失われる現象を不感蒸泄という。

正答（5）

★★
29 BMIは肥満度の評価に用いられる指標で、身長と体重から算出されるが、身長170cm、体重66kgの人のBMIに最も近い値は次のうちどれか。

□□

（1）23
（2）26
（3）29
（4）33
（5）39

H26.10-30

★★★
30 ホルモンとその働きに関する次の記述のうち、正しいものはどれか。

□□

（1）副腎皮質から分泌されるコルチゾールは、血糖値を上昇させる。
（2）副腎髄質から分泌されるアドレナリンは、血糖値を低下させる。
（3）副甲状腺から分泌されるパラソルモンは、睡眠と覚醒のリズムの調節を行う。
（4）松果体から分泌されるメラトニンは、体内のカルシウムバランスの調整を行う。
（5）胃粘膜から分泌されるガストリンは、胃酸の分泌を抑制する。

H30.4-30

29 解説

BMI の値は、次の計算式から算出される。

BMI ＝体重（kg）÷（身長（m））^{2}

本問では、170（cm）を 1.7（m）に変換し、計算式に当てはめる。

BMI ＝ 66 ÷（1.7 × 1.7）＝ 66 ÷ 2.89 ＝ 22.83…

以上から、計算した BMI に最も近い値は、23 となる。

したがって、選択肢（1）が正答となる。

正答（1）

30 解説

（1）**正しい。**副腎皮質から分泌されるコルチゾールは、**血糖値を上昇**させる。

（2）**誤り。**副腎髄質から分泌されるアドレナリンは、**血糖値を上昇**させる。血糖値を低下させるのではない。

（3）**誤り。**副甲状腺から分泌されるパラソルモンは、**血中（体液中）のカルシウムバランスを調整**する。睡眠と覚醒のリズムの調節を行うのではない。

（4）**誤り。**脳の松果体から分泌されるメラトニンは、**睡眠と覚醒のリズム（サーカディアンリズム、概日リズム）の調節**に関係している。体内のカルシウムバランスの調整を行うのではない。

（5）**誤り。**胃粘膜から分泌されるガストリンは、**胃酸の分泌を刺激（促進）**する。胃酸の分泌を抑制するのではない。

正答（1）

合格エッセンス　試験によく出るホルモンの働き 速 P.46

ホルモン	はたらき	内分泌器官
グルカゴン	血糖量の増加（血糖上昇）	膵臓
インスリン	血糖量の**減少**（**血糖低下**）	
アドレナリン	血糖量の増加（血糖上昇）	副腎髄質
コルチゾール	血糖量の増加（血糖上昇）	**副腎皮質**
アルドステロン	**塩類バランスの調節**	
パラソルモン	**カルシウムバランスの調節**	副甲状腺
ガストリン	胃酸の分泌を**促進**	胃粘膜
セクレチン	消化液の分泌を促進	十二指腸
メラトニン	サーカディアンリズム（概日リズム）の調節	脳の松果体
副腎皮質刺激ホルモン	副腎皮質の活性化	下垂体

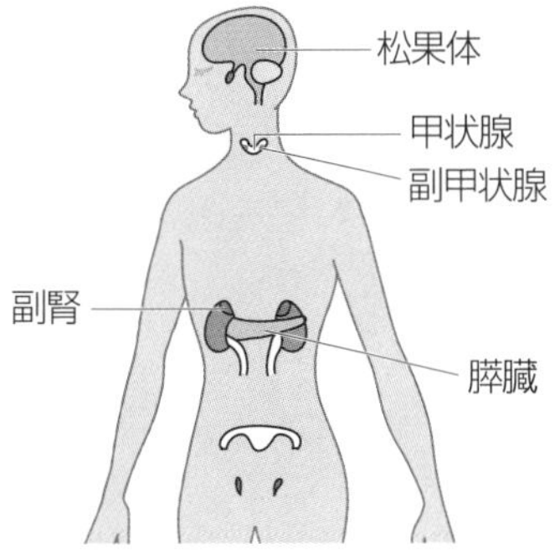

★★★

31 **ホルモン、その内分泌器官及びそのはたらきの組合せとして、誤っているもの**
□□ **は次のうちどれか。**

ホルモン	内分泌器官	はたらき
(1) セクレチン	十二指腸	消化液分泌促進
(2) アルドステロン	副腎皮質	血中の塩類バランスの調節
(3) パラソルモン	副甲状腺	血中のカルシウムバランスの調節
(4) インスリン	膵《すい》臓	血糖量の増加
(5) ガストリン	胃	胃酸分泌刺激

H31.4-28

★★★

32 **ホルモン、その内分泌器官及びそのはたらきの組合せとして、誤っているもの**
□□ **は次のうちどれか。**

ホルモン	内分泌器官	はたらき
(1) コルチゾール	副腎皮質	血糖量の増加
(2) メラトニン	副腎髄質	体液中の塩類バランスの調節
(3) パラソルモン	副甲状腺	体液中のカルシウムバランスの調節
(4) インスリン	膵《すい》臓	血糖量の減少
(5) グルカゴン	膵臓	血糖量の増加

H30.10-28

31 解説

（1）**正しい。**セクレチンは、十二指腸から分泌されるホルモンで、消化液分泌促進の働きがある。

（2）**正しい。**アルドステロンは、副腎皮質から分泌されるホルモンで、血中の**塩類バランスの調節**の働きがある。

（3）**正しい。**パラソルモンは、副甲状腺から分泌されるホルモンで、**血中（体液中）のカルシウムバランスの調節**の働きがある。

（4）**誤り。**インスリンは、膵臓から分泌されるホルモンで、**血糖量の減少**の働きがある。血糖量の増加ではない。

（5）**正しい。**ガストリンは、胃から分泌されるホルモンで、胃酸分泌刺激の働きがある。

正答（4）

32 解説

（1）**正しい。**コルチゾールは、副腎皮質から分泌されるホルモンで、**血糖量を増加**させる働きがある。

（2）**誤り。**メラトニンは、**脳の松果体から分泌**されるホルモンで、**サーカディアンリズム（概日リズム）の調節**をする働きがある。なお、塩類バランスの調節をする働きがあるのは、副腎皮質から分泌されるアルドステロンである。

（3）**正しい。**パラソルモンは、副甲状腺から分泌されるホルモンで、**血中（体液中）のカルシウムバランスの調節**をする働きがある。

（4）**正しい。**インスリンは、膵臓から分泌されるホルモンで、**血糖量を減少**させる働きがある。

（5）**正しい。**グルカゴンは、膵臓から分泌されるホルモンで、**血糖量を増加**させる働きがある。

正答（2）

★★★
33 ヒトのホルモン、その内分泌器官及びそのはたらきの組合せとして、誤っているものは次のうちどれか。

□□

	ホルモン	内分泌器官	はたらき
(1)	ガストリン	胃	胃酸分泌刺激
(2)	アルドステロン	副腎皮質	体液中の塩類バランスの調節
(3)	パラソルモン	副甲状腺	血中のカルシウム量の調節
(4)	コルチゾール	膵《すい》臓	血糖量の増加
(5)	副腎皮質刺激ホルモン	下垂体	副腎皮質の活性化

R5.10-30、R4.10-24

★★
34 免疫に関する次の記述のうち、誤っているものはどれか。

□□

(1) 抗原とは、免疫に関係する細胞によって異物として認識される物質のことである。

(2) 抗原となる物質には、蛋《たん》白質、糖質などがある。

(3) 抗原に対する免疫が、逆に、人体の組織や細胞に傷害を与えてしまうことをアレルギーといい、主なアレルギー性疾患としては、気管支ぜんそく、アトピー性皮膚炎などがある。

(4) 免疫の機能が失われたり低下したりすることを免疫不全といい、免疫不全になると、感染症にかかりやすくなったり、がんに罹《り》患しやすくなったりする。

(5) 免疫には、リンパ球が産生する抗体によって病原体を攻撃する細胞性免疫と、リンパ球などが直接に病原体などを取り込んで排除する体液性免疫の二つがある。

R5.4-28

★★
35 抗体に関する次の文中の［　　］内に入れるAからCの語句の組合せとして、適切なものは（1）～（5）のうちどれか。

□□

「抗体とは、体内に入ってきた［ A ］に対して［ B ］免疫において作られる［ C ］と呼ばれる蛋《たん》白質のことで、［ A ］に特異的に結合し、［ A ］の働きを抑える働きがある。」

	A	B	C
(1)	化学物質	体液性	アルブミン
(2)	化学物質	細胞性	免疫グロブリン
(3)	抗原	体液性	アルブミン
(4)	抗原	体液性	免疫グロブリン
(5)	抗原	細胞性	アルブミン

R3.10-28、R3.4-28、R1.10-28 類

33 解説

（1）**正しい。**ガストリンは、胃から分泌されるホルモンで、**胃酸分泌刺激**の働きがある。

（2）**正しい。**アルドステロンは、副腎皮質から分泌されるホルモンで、血中の**塩類バランスの調節**の働きがある。

（3）**正しい。**パラソルモンは、副甲状腺から分泌されるホルモンで、血中の**カルシウム量（バランス）の調節**の働きがある。

（4）**誤り。**コルチゾールは、**副腎皮質**から分泌されるホルモンで、**血糖量を増加**させる働きがある。内分泌器官は膵臓ではない。

（5）**正しい。**副腎皮質刺激ホルモンは、下垂体から分泌されるホルモンで、**副腎皮質の活性化**の働きがある。

正答（4）

34 解説

（1）**正しい。**抗原とは、免疫に関係する細胞によって**異物として認識される物質**のことである。

（2）**正しい。**抗原となる物質には、細菌やウィルスに存在する**蛋白質**、**糖質**などがある。

（3）**正しい。**抗原に対する**免疫**が、逆に、**人体の組織や細胞に傷害を与えてしまうこと**をアレルギーという。主なアレルギー性疾患としては、気管支ぜんそく、アトピー性皮膚炎、アレルギー性結膜炎などがある。

（4）**正しい。**免疫の機能が失われたり、低下することを免疫不全という。免疫不全になると、感染症や、がんに罹患しやすくなる。

（5）**誤り。**免疫には、リンパ球が産生する抗体によって病原体を攻撃する**体液性免疫**と、リンパ球などが直接に病原体などを取り込んで排除する**細胞性免疫**の二つがある。

正答（5）

35 解説

「抗体とは、体内に入ってきた A　**抗原** に対して B　**体液性** 免疫において作られる C　**免疫グロブリン** と呼ばれる蛋白質のことで、A　**抗原** に特異的に結合し、A　**抗原** の働きを抑える働きがある。」

したがって、選択肢（4）が正答となる。

正答（4）

5. 泌尿器系　速 第1章 LESSON 5

★★★

36 腎臓又は尿に関する次のAからDの記述について、誤っているものの組合せは（1）～（5）のうちどれか。

□□

A　腎機能が正常な場合、糖はボウマン囊《のう》中に濾《こ》し出されないので尿中には排出されない。

B　腎機能が正常な場合、大部分の蛋《たん》白質はボウマン囊中に濾し出されるが、尿細管でほぼ100％再吸収されるので尿中にはほとんど排出されない。

C　尿は淡黄色の液体で、固有の臭気を有し、通常、弱酸性である。

D　尿素窒素（BUN）は、腎臓から排泄《せつ》される老廃物の一種で、腎臓の働きが低下すると尿中に排泄されず、血液中の値が高くなる。

（1）A，B
（2）A，C
（3）A，D
（4）B，C
（5）C，D

H30.10-25

★★★

37 腎臓・泌尿器系に関する次の記述のうち、誤っているものはどれか。

□□

（1）糸球体では、血液中の蛋《たん》白質以外の血漿《しょう》成分がボウマン囊《のう》に濾《こ》し出され、原尿が生成される。

（2）尿細管では、原尿に含まれる大部分の水分、電解質、栄養分などが血液中に再吸収される。

（3）尿の生成・排出により、体内の水分の量やナトリウムなどの電解質の濃度を調節するとともに、生命活動によって生じた不要な物質を排出する。

（4）尿の約95％は水分で、約５％が固形物であるが、その成分は全身の健康状態をよく反映するので、尿検査は健康診断などで広く行われている。

（5）血液中の尿素窒素（BUN）の値が低くなる場合は、腎臓の機能の低下が考えられる。

R5.4-25

36 解説

A　**誤り。**腎機能が正常な場合、**糖（グルコース）**は**ボウマン嚢中に濾し出され**、原尿となる。

B　**誤り。**腎機能が正常な場合、**蛋白質**は、糸球体からボウマン嚢中に濾し出されることなく**血液中に残る**。

C　**正しい。**尿は淡黄色の液体で、固有の臭気を有し、通常、**弱酸性**である。

D　**正しい。尿素窒素（BUN）**は、腎臓から排泄される老廃物の一種で、**腎臓の働きが低下**すると尿中に排泄されず、**血液中の値が高くなる**。

以上から、誤っているものの組合せは、A、Bとなる。したがって、選択肢（1）が正答となる。

正答（1）

37 解説

（1）**正しい。**腎臓の皮質にある腎小体中の糸球体では、血液中の**血球**および**蛋白質以外**の血漿成分が**ボウマン嚢に濾し出され**、原尿が生成される。なお、原尿中には糖（グルコース）やナトリウムなどの電解質が含まれる。

（2）**正しい。尿細管**では、原尿に含まれる**大部分の水分**、**電解質**、**栄養分**（糖）などが血液中に**再吸収**される。

（3）**正しい。**尿の生成・排出により、体内の**水分の量**や**ナトリウムなどの電解質の濃度**を**調節**する。また、生命活動によって生じた不要な物質を排出する。

（4）**正しい。**尿の約95%は水分で、約５%が固形物であるが、その成分は全身の健康状態をよく反映するので、尿検査は健康診断などで広く行われている。

（5）**誤り。尿素窒素（BUN）**は、腎臓から排泄される老廃物の一種で、**腎臓の働きが低下**すると尿中に排泄されず、**血液中の値が高くなる**。

正答（5）

合格エッセンス　泌尿器系の構造

速 P.49

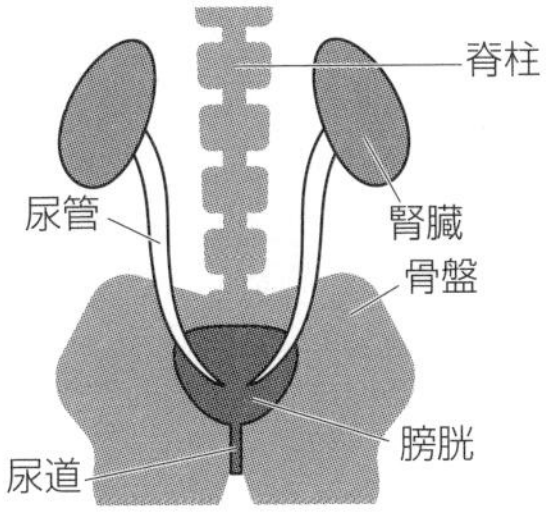

★★★
38 腎臓での尿の生成に関する次の文中の [　] 内に入れるAからDの語句の組合せとして、正しいものは（1）～（5）のうちどれか。

□□

「腎小体を通る血液中の血球及び [A] 以外の成分は、糸球体から [B] に濾《ろ》過されて原尿になる。原尿中の水分、電解質、[C] などの成分が [D] において血液中に再吸収され、残った成分で生成された尿は膀胱《ぼうこう》にたまり体外に排泄《せつ》される。」

	A	B	C	D
（1）	蛋《たん》白質	尿細管	糖	ボウマン嚢《のう》
（2）	糖	ボウマン嚢	蛋白質	尿細管
（3）	糖	ボウマン嚢	アミノ酸	尿細管
（4）	糖	尿細管	蛋白質	ボウマン嚢
（5）	蛋白質	ボウマン嚢	糖	尿細管

H26.10-25、H25.10-24

★★★
39 腎臓又は尿に関する次の記述のうち、正しいものはどれか。

□□

（1）血中の老廃物は、尿細管からボウマン嚢《のう》に濾《こ》し出される。
（2）血中の蛋《たん》白質は、糸球体からボウマン嚢《のう》に濾《こ》し出される。
（3）血中のグルコースは、糸球体からボウマン嚢《のう》に濾《こ》し出される。
（4）原尿中に濾《こ》し出された電解質の多くは、ボウマン嚢《のう》から血中に再吸収される。
（5）原尿中に濾《こ》し出された水分の大部分は、そのまま尿として排出される。

R4.10-25、R2.4-25、R1.10-25、H28.10-25、H28.4-25、H27.4-25

38 解説

腎小体を通る血液中の血球および［A **蛋白質**］以外の成分は、糸球体から［B **ボウマン嚢**］にろ過されて原尿になる。原尿中の水分、電解質、［C **糖**］などの成分が［D **尿細管**］において血液中に再吸収され、残った成分で生成された尿は膀胱に溜まり体外に排泄される。

したがって、選択肢（5）が正答となる。

正答（5）

39 解説

（1）**誤り**。血中の老廃物は、**糸球体**からボウマン嚢に濾し出され尿細管に送られる。尿細管からボウマン嚢に濾し出されるのではない。

（2）**誤り**。血中の**蛋白質**は、糸球体からボウマン嚢に濾し出されることなく**血液中に残る**。

（3）**正しい**。血中の**グルコース（糖）**は、糸球体からボウマン嚢に**濾し出される**。

（4）**誤り**。原尿中に濾し出された**電解質**の多くは、**尿細管**から血液中に**再吸収**される。ボウマン嚢から再吸収されるのではない。

（5）**誤り**。原尿中に濾し出された**水分**の多くは、**尿細管**から血液中に**再吸収**される。そのまま尿として排出されるのではない。

正答（3）

合格エッセンス 尿の生成

速 P.50

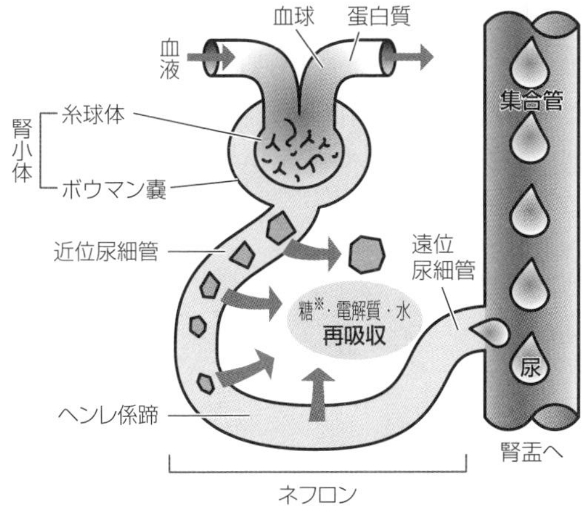

※本試験では「グルコース」と表現されることもある

6. 感覚器系

速 第1章 LESSON 6

★★

40 視覚に関する次の記述のうち、誤っているものはどれか 。

□□

（1）眼は、周りの明るさによって瞳孔の大きさが変化して眼に入る光量が調節され、暗い場合には瞳孔が広がる。

（2）眼軸が短すぎることなどにより、平行光線が網膜の後方で像を結ぶものを遠視という。

（3）角膜が歪《ゆが》んでいたり、表面に凹凸があるために、眼軸などに異常がなくても、物体の像が網膜上に正しく結ばれないものを乱視という。

（4）網膜には、明るい所で働き色を感じる錐《すい》状体と、暗い所で働き弱い光を感じる杆《かん》状体の２種類の視細胞がある。

（5）明るいところから急に暗いところに入ると、初めは見えにくいが徐々に見えやすくなることを明順応という。

R4.4-27

★★

41 視覚に関する次の記述のうち、誤っているものはどれか。

□□

（1）遠距離視力検査は、一般に、５ｍの距離で実施する。

（2）ヒトの眼は、硝子体の厚さを変えることにより焦点距離を調節して網膜の上に像を結ぶようにしている。

（3）角膜が歪《ゆが》んでいたり、表面に凹凸があるために、眼軸などに異常がなくても、物体の像が網膜上に正しく結ばないものを乱視という。

（4）網膜には、錐《すい》状体と杆《かん》状体の２種類の視細胞がある。

（5）視作業の継続により、前額部の圧迫感、頭痛、複視、吐き気、嘔《おう》吐などの眼精疲労を生じ、作業の継続が困難になることがある。

H30.4-28

40 解説

（1）**正しい。**眼は、周りの明るさによって瞳孔の大きさが変化して眼に入る光量が調節される。明るい所では瞳孔がせまくなり、**暗い所**では**広がる**。

（2）**正しい。**眼軸が**短すぎる**ために、平行光線が**網膜の後方で像を結ぶ**状態を遠視（遠視眼）という。

（3）**正しい。角膜が歪んでいたり、表面に凹凸**があるために、物体の像が網膜上に正しく結ばないものを**乱視**という。

（4）**正しい。**網膜には、錐状体と杆状体の２種類の視細胞がある。**錐状体は**、明るい所で働き**色を感じ、杆状体は**、暗い所で働き**弱い光を感じる**。

（5）**誤り。**明るい所から急に暗い所に入ると、初めは見えにくいが徐々に見えるようになる。これを**暗順応**という。明順応ではない。なお、急に明るい所に出る場合も、最初はまぶしく感じるがすぐに目が慣れてものが見えるようになる。これを明順応という。

正答（5）

41 解説

（1）**正しい。**視力検査（遠距離視力検査）は、一般に、５ｍの距離で実施する。なお、近年では、労働者の高齢化による老視（老眼）の影響や近距離の視力が必要な情報機器作業の増加により、30cm または 50cm の距離での検査（近見視力）も併せて行われることがある。

（2）**誤り。**眼は、**水晶体**の厚さを変えることにより、焦点距離を調節して網膜の上に正しく像を結ぶようにしている。硝子体ではない。

（3）**正しい。角膜が歪んでいたり、表面に凹凸**があるために、物体の像が網膜上に正しく結ばないものを**乱視**という。

（4）**正しい。**網膜には、**錐状体**と**杆状体**の２種類の視細胞がある。なお、**錐状体は**、明るい所で働き**色を感じ、杆状体は**、暗い所で働き**弱い光を感じる**。

（5）**正しい。**視作業の継続により、前額部の圧迫感、頭痛、複視（ものが二重に見えること）、吐き気、嘔吐などの症状が現れ、作業の継続が困難になることがある。

正答（2）

★★
42 下の図は眼球の水平断面図であるが、図中に　　　又は　　　で示すAから
□□ らEの部位に関する次の記述のうち、誤っているものはどれか。

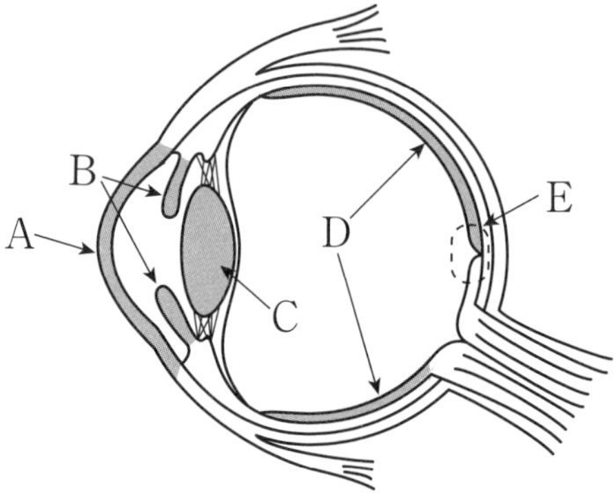

（1）Aの　　　部分は角膜で、これが歪《ゆが》んでいたり、表面に凹凸があるために、見た物体の像が網膜上に正しく結ばないものを乱視という。

（2）Bの　　　部分は虹《こう》彩で、光量に応じて瞳孔の径を変える。

（3）Cの　　　部分は硝子体で、これの厚さを変えることにより焦点距離を調節して網膜上に像を結ぶようにしている。

（4）Dの　　　部分は網膜で、ここには、明るい所で働き色を感じる錐《すい》状体と、暗い所で働き弱い光を感じる杆《かん》状体の２種類の視細胞がある。

（5）Eの　　　部分は中心窩《か》で、視力の鋭敏な部位である。

H29.10-28

★★
43 感覚又は感覚器に関する次の記述のうち、誤っているものはどれか。
□□

（1）眼軸が短過ぎるために、平行光線が網膜の後方で像を結ぶものを遠視という。

（2）嗅覚と味覚は化学感覚ともいわれ、物質の化学的性質を認知する感覚である。

（3）温度感覚は、皮膚のほか口腔《くう》などの粘膜にも存在し、一般に温覚の方が冷覚よりも鋭敏である。

（4）深部感覚は、筋肉や腱にある受容器から得られる身体各部の位置、運動などを認識する感覚である。

（5）中耳にある鼓室は、耳管によって咽頭に通じており、その内圧は外気圧と等しく保たれている。

R5.4-27、R3.4-27 類

42 解説

（1）**正しい。**Aの部分は**角膜**である。**角膜が歪んでいたり、表面に凹凸**があるために、見た物体の像が網膜上に正しく結ばないものを**乱視**という。

（2）**正しい。**Bの部分は**虹彩**である。虹彩は、光量に応じて瞳孔の径を変える。カメラに例えると、しぼりの働きをする。

（3）**誤り。**Cの部分は**水晶体**である。硝子体ではない。水晶体の厚さを変えることにより平行光線を屈折させ、焦点距離を調節して網膜の上に正しく像を結ぶようにしている。

（4）**正しい。**Dの部分は**網膜**である。網膜には、明るい所で働き**色を感じる錐状体**と、暗い所で働き**弱い光を感じる杆状体**の２種類の視細胞がある。

（5）**正しい。**Eの部分は中心窩である。錐状体が集まっていて、視力の鋭敏な部位である。

正答（3）

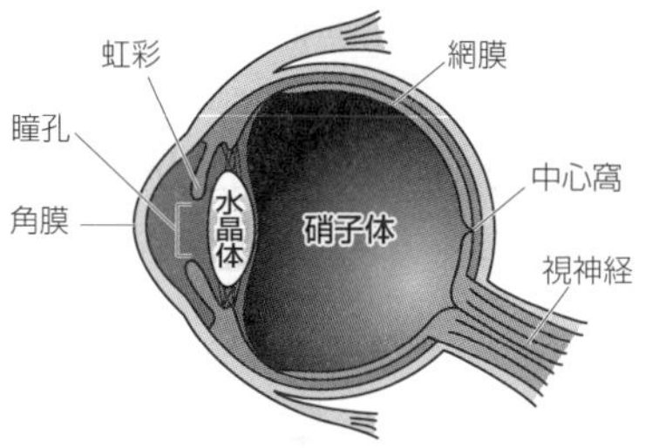

43 解説

（1）**正しい。**眼軸が**短すぎる**ために、平行光線が**網膜の後方で像を結ぶ**状態を遠視（遠視眼）という。

（2）**正しい。**嗅覚と味覚は化学感覚ともいわれ、物質の化学的性質（刺激）を認知する感覚である。

（3）**誤り。**温度感覚は、一般に**冷覚**の方が温覚よりも**鋭敏**である。なお、皮膚のほか口腔などの粘膜にも存在するという点は、正しい。

（4）**正しい。**深部感覚は、筋肉や腱にある受容器から得られる**身体各部の位置、運動などを認識**する感覚である。

（5）**正しい。**中耳にある鼓室は、耳管によって咽頭に通じており、その**内圧**は**外気圧と等しく保たれている**。

正答（3）

★★
44 **耳とその機能に関する次の記述のうち、誤っているものはどれか 。**

□□

（1）騒音性難聴は、音を神経に伝達する内耳の聴覚器官の有毛細胞の変性によって起こる。

（2）耳介で集められた音は、鼓膜を振動させ、その振動は耳小骨によって増幅され、内耳に伝えられる。

（3）内耳は、前庭、半規管及び蝸《か》牛（うずまき管）の三つの部位からなり、前庭と半規管が平衡感覚、蝸《か》牛が聴覚をそれぞれ分担している。

（4）前庭は、体の回転の方向や速度を感じ、半規管は、体の傾きの方向や大きさを感じる。

（5）鼓室は、耳管によって咽頭に通じており、その内圧は外気圧と等しく保たれている。

R5.10-28

★★
45 **下図は、ヒトの右耳の構造を示したものであるが、耳の中を音の振動が伝わり、音の刺激を受け取るまでの経路を正しく示したものは（1）～（5）のうちどれか。**

□□

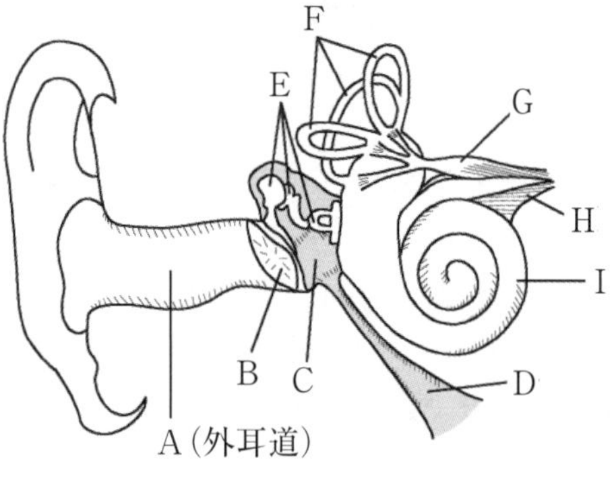

（1）A → B → C → F → G

（2）A → B → C → I → H

（3）A → B → E → F → G

（4）A → B → E → I → H

（5）A → B → C → I → D

H25.4-29

44 解説

（1）**正しい。**耳は、聴覚と平衡感覚などをつかさどる器官で、外耳、中耳と内耳の三つの部位に分けられる。そして、騒音性難聴は、**音を神経に伝達する内耳**の聴覚器官の有毛細胞の変性によって起こる。

（2）**正しい。外耳の耳介**で集められた音は、**中耳の鼓膜**を振動させ、その振動は**耳小骨**によって**増幅**され、**内耳に伝えられる**。

（3）**正しい。**内耳は、前庭、半規管および蝸牛からなり、**前庭**と**半規管**が**平衡感覚**を、**蝸牛**が**聴覚**をつかさどっている。

（4）**誤り。前庭**は、体の**傾きの方向**や**大きさ**を感じ、**半規管**は、体の**回転の方向**や**速度**を感じる。

（5）**正しい。**中耳にある鼓室は、耳管によって咽頭に通じており、その**内圧**は**外気圧と等しく保たれている**。

正答（4）

45 解説

音の振動は、A（外耳道）を通り、B（鼓膜）を振動させ、この振動がE（**耳小骨**）からI（**蝸牛**）に伝わり、H（蝸牛神経）が大脳へ音の振動を伝える。

したがって、選択肢（4）が正答となる。

正答（4）

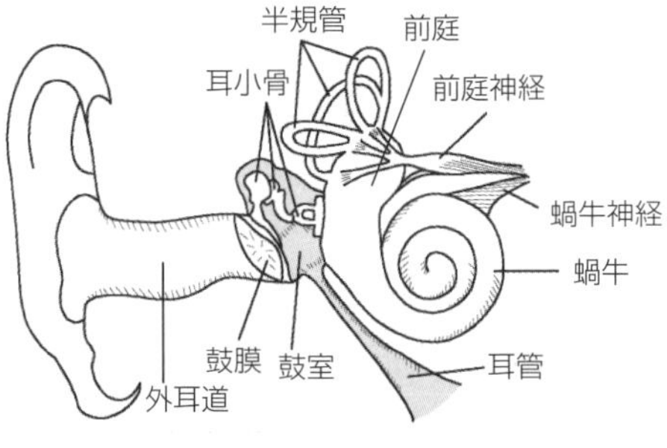

合格エッセンス 内耳の器官とその機能

速 P.57

器官	機能	
前庭	平衡感覚	傾き
半規管		回転
蝸牛	聴覚	

7. 神経系　速 第1章 LESSON 7

★★★
46 神経系に関する次の記述のうち、誤っているものはどれか。

□□

（1）神経系は、中枢神経系と末梢《しょう》神経系に大別され、中枢神経系は脳と脊髄から成る。

（2）大脳の内側の髄質は神経細胞の細胞体が集合した灰白質で、感覚、運動、思考などの作用を支配する中枢として機能する。

（3）神経系を構成する基本的な単位である神経細胞は、通常、１個の細胞体、１本の軸索及び複数の樹状突起から成り、ニューロンともいわれる。

（4）神経系は、機能的には、体性神経と自律神経に分類され、自律神経は更に交感神経と副交感神経に分類される。

（5）体性神経には、感覚器官からの情報を中枢神経に伝える感覚神経と、中枢神経からの命令を運動器官に伝える運動神経がある。

R1.10-23

★★★
47 神経系に関する次の記述のうち、誤っているものはどれか。

□□

（1）神経系を構成する基本的な単位である神経細胞は、通常、１個の細胞体、１本の軸索及び複数の樹状突起から成り、ニューロンともいわれる。

（2）体性神経は、運動及び感覚に関与し、自律神経は、呼吸、循環などに関与する。

（3）大脳の皮質は、神経細胞の細胞体が集まっている灰白質で、感覚、思考などの作用を支配する中枢として機能する。

（4）交感神経系と副交感神経系は、各種臓器において双方の神経線維が分布し、相反する作用を有している。

（5）交感神経系は、身体の機能をより活動的に調節する働きがあり、心拍数を増加させたり、消化管の運動を亢《こう》進する。

R3.10-21 類、R3.4-21

46 解説

（1）**正しい。**神経系は、肉眼的には**中枢神経系**と**末梢神経系**に大別され、**中枢神経系**は**脳**と**脊髄**からなる。

（2）**誤り。**大脳の**内側**の**髄質**は**神経線維の多い白質**である。設問は、大脳の**外側**の**皮質**の説明である。

（3）**正しい。**神経系を構成する基本的な単位である神経細胞は、**ニューロン**ともいわれる。通常、1個の細胞体、**1本の軸索**および**複数の樹状突起**からなる。

（4）**正しい。**神経系は機能的には、**体性神経**と**自律神経**に分類される。また、**自律神経**は更に**交感神経**と**副交感神経**に分類される。

（5）**正しい。体性神経**には、感覚器官からの情報を中枢に伝える**感覚神経**と、中枢からの命令を運動器官に伝える**運動神経**がある。

正答（2）

47 解説

（1）**正しい。**神経系を構成する基本的な単位である神経細胞は、**ニューロン**ともいわれる。通常、1個の細胞体、1本の軸索および複数の樹状突起からなる。

（2）**正しい。体性**神経は、**運動および感覚**に関与し、**自律**神経は、**呼吸、循環**などに関与する。なお、神経を機能面で分類すると、体性神経（感覚神経・運動神経）と自律神経（交感神経・副交感神経）となる。

（3）**正しい。**大脳の**外側の皮質**は、神経細胞の細胞体が集合した**灰白質**であり、**感覚、思考などの作用を支配する中枢**として機能する。なお、大脳の内側の髄質は神経線維の多い白質である。

（4）**正しい。**自律神経である交感神経と副交感神経は、各種臓器において双方の神経線維が分布し、ほぼ相反する作用をする。

（5）**誤り。交感神経系**は、身体の機能をより活動的に調節する働きがある。たとえば、**心拍数を増加**し、**消化管の運動を抑制**する。消化管の運動を亢進するのではない。

正答（5）

合格エッセンス　自律神経の作用

速 P.66

	心臓（心拍数）	消化管の活動
交感神経系	増加	抑制
副交感神経系	減少	促進

★★★
48 **自律神経系に関する次の記述のうち、誤っているものはどれか。**

□□

（1）自律神経系は、内臓、血管などの不随意筋に分布している。

（2）自律神経である交感神経と副交感神経は、同一器官に分布していても、その作用はほぼ正反対である。

（3）自律神経系の中枢は、脳幹及び脊髄にある。

（4）消化管に対しては、交感神経の亢《こう》進は運動を促進させ、副交感神経の亢進は運動を抑制させる。

（5）心臓に対しては、交感神経の亢進は心拍数を増加させ、副交感神経の亢進は心拍数を減少させる。

R2.4-30

★★★
49 **神経系に関する次の記述のうち、誤っているものはどれか。**

□□

（1）神経細胞（ニューロン）は、神経系を構成する基本的な単位で、通常、１個の細胞体、１本の軸索及び複数の樹状突起から成る。

（2）脊髄では、中心部が灰白質であり、その外側が白質である。

（3）大脳では、内側の髄質が白質であり、外側の皮質が灰白質である。

（4）体性神経には感覚器官からの情報を中枢に伝える感覚神経と、中枢からの命令を運動器官に伝える運動神経がある。

（5）交感神経系は、心拍数を増加し、消化管の運動を亢《こう》進する。

R4.10-27

48 解説

（1）**正しい。**自律神経系は、内臓、血管などの**不随意筋に分布**している。なお、自律神経系は、各種臓器の機能を調節している。

（2）**正しい。**自律神経である交感神経と副交感神経は、同一器官に分布していても、その**作用はほぼ正反対**である。**交感神経系**は、身体の機能をより**活動的に調節**し、**副交感神経系**は、身体の機能を**回復**に向けて働く。

（3）**正しい。**自律神経系の中枢は、脳幹および脊髄にある。

（4）**誤り。消化管**に対しては、**交感神経の亢進**は**運動を抑制**させるように作用し、**副交感神経の亢進**は**運動を促進**させるように作用する。

（5）**正しい。心臓**に対しては、**交感神経の亢進**は**心拍数を増加**させ、**副交感神経の亢進**は**心拍数を減少**させる。

正答（4）

49 解説

（1）**正しい。**神経系を構成する基本的な単位である神経細胞は、**ニューロン**ともいわれる。通常、1個の細胞体、**1本の軸索**および**複数の樹状突起**からなる。

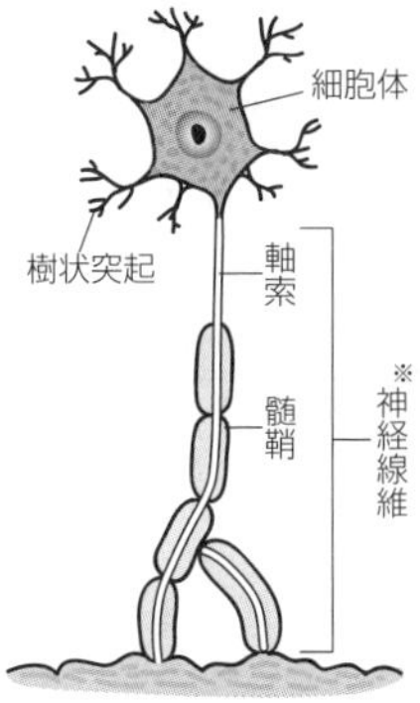

※神経線維には、絶縁体の役割のある髄《ずい》鞘《しょう》を持つ有髄神経線維と、髄鞘を持たない無髄神経線維とがある。

（2）**正しい。脊髄**では、**中心部**が**灰白質**であり、その外側が白質である。なお、灰白質の部分には細胞体が多数集まっており、白質の部分には神経線維が多くなっている。

（3）**正しい。大脳**では、**内側の髄質**が**白質**であり、外側の皮質が灰白質である。

（4）**正しい。体性神経**には、感覚器官からの情報を中枢に伝える**感覚神経**と、中枢からの命令を運動器官に伝える**運動神経**がある。

（5）**誤り。**交感神経系は、身体の機能をより活動的に調節する働きがあり、**心拍数を増加**し、**消化管の運動を抑制**する。消化管の運動を亢進するのではない。

正答（5）

★★★
50 **神経系に関する次の記述のうち、誤っているものはどれか。**

□□

（１）神経系を構成する基本的な単位である神経細胞は、通常、１個の細胞体、１本の軸索及び複数の樹状突起から成り、シナプスともいわれる。

（２）中枢神経系には脳と脊髄が、末梢《しょう》神経系には体性神経と自律神経がある。

（３）体性神経は、運動及び感覚に関与し、自律神経は、呼吸、循環などに関与する。

（４）大脳の皮質は、神経細胞の細胞体が集まっている灰白質で、感覚、思考などの作用を支配する中枢として機能する。

（５）交感神経及び副交感神経は、同一器官に分布していても、その作用はほぼ正反対である。

H28.4-23

★★★
51 **神経系に関する次の記述のうち、誤っているものはどれか。**

□□

（１）神経系を構成する基本的な単位である神経細胞は、通常、１個の細胞体、１本の軸索、複数の樹状突起から成り、ニューロンともいわれる。

（２）有髄神経線維は、無髄神経線維より神経伝達速度が速い。

（３）大脳の内側の髄質は神経細胞の細胞体が集合した灰白質で、感覚、運動、思考などの作用を支配する中枢として機能する。

（４）末梢《しょう》神経系において神経細胞の細胞体が集合している部分を神経節という。

（５）交感神経と副交感神経は、同一器官に分布していても、ほぼ相反する作用をする。

H29.4-23

50 解説

（1）**誤り。**神経系を構成する基本的な単位である神経細胞は、**ニューロン**ともいわれる。シナプスではない。なお、神経細胞は通常、1個の細胞体、**1本の軸索**および**複数の樹状突起**からなるとする点は、正しい。

（2）**正しい。**中枢神経系には脳と脊髄が、末梢神経系には体性神経と自律神経がある。

（3）**正しい。体性神経**は、**運動**および**感覚**に関与し、**自律神経**は、**呼吸、循環**などに関与する。なお、神経を機能面で分類すると、体性神経（感覚神経・運動神経）と自律神経（交感神経・副交感神経）となる。

（4）**正しい。**大脳の外側の**皮質**は、神経細胞の**細胞体が集合した灰白質**であり、感覚、思考などの作用を支配する中枢として機能する。なお、大脳の内側の**髄質**は**神経線維の多い白質**である。

（5）**正しい。**自律神経である交感神経と副交感神経は、同一器官に分布していても、その**作用はほぼ正反対**である。

正答（1）

51 解説

（1）**正しい。**神経系を構成する基本的な単位である神経細胞は、**ニューロン**ともいわれる。

（2）**正しい。**神経伝導速度は有髄神経線維の方が無髄神経線維よりも速い。

（3）**誤り。**大脳の**内側**の**髄質**は**神経線維の多い白質**である。なお、神経細胞の細胞体が集合した灰白質で、感覚、運動、思考などの作用を支配する中枢として機能するのは、大脳の外側の皮質である。

（4）**正しい。**末梢神経系において神経細胞の細胞体が集合している部分を、神経節という。なお、中枢神経系においては神経核という。

（5）**正しい。**自律神経である交感神経と副交感神経は、同一器官に分布していても、**ほぼ相反する作用**をする。

正答（3）

合格エッセンス 脳の構造

速 P.63

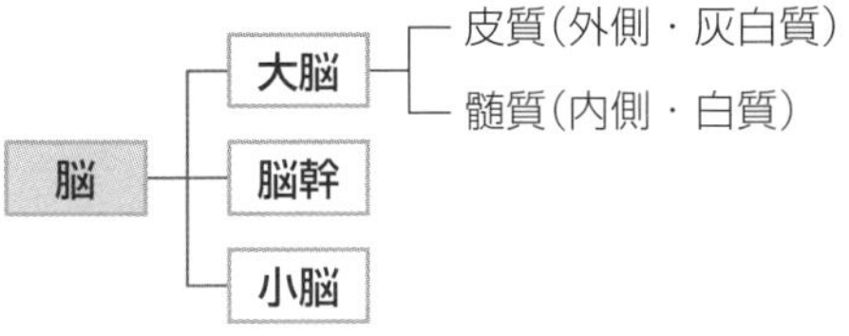

★★
52 下の図は、脳などの正中縦断面であるが、図中に □ で示すAからEの部位に関する次の記述のうち、誤っているものはどれか。

□□

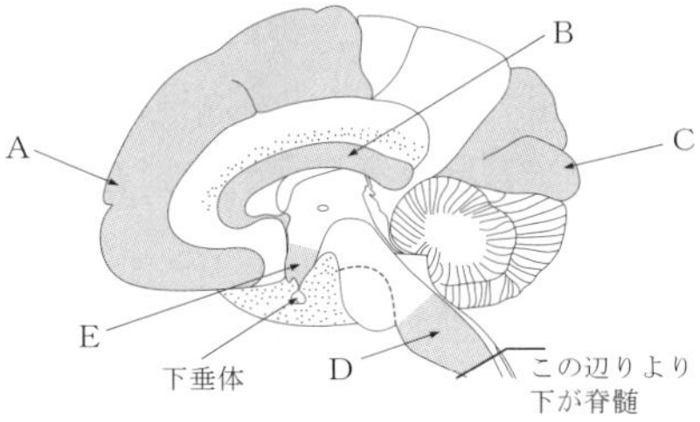

（1）Aは、大脳皮質の前頭葉で、運動機能中枢、運動性言語中枢及び精神機能中枢がある。

（2）Bは、小脳で、体の平衡を保つ中枢がある。

（3）Cは、大脳皮質の後頭葉で、視覚中枢がある。

（4）Dは、延髄で、呼吸運動、循環器官・消化器官の働きなど、生命維持に重要な機能の中枢がある。

（5）Eは、間脳の視床下部で、自律神経系の中枢がある。

R5.4-23

★★
53 神経系に関する次の文及び図中の □ 内に入れるAからCの語句の組合せとして、正しいものは（1）～（5）のうちどれか。

□□

なお、図は、ヒトの体が刺激を受けて反応する時の、信号が伝わる経路を模式的に表したものである。

「神経系は中枢神経系と末梢《しょう》神経系に大別されるが、末梢神経系のうち［ A ］神経系は［ B ］神経と［ C ］神経から成り、図のような経路で刺激が伝えられ反応が引き起こされる。」

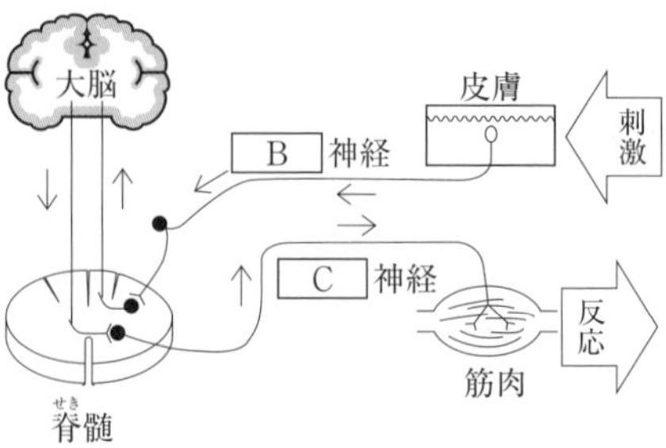

	A	B	C
（1）	自律	副交感	交感
（2）	体性	運動	感覚
（3）	自律	交感	副交感
（4）	自律	感覚	運動
（5）	体性	感覚	運動

H23.4-23

52 解説

（1）**正しい。**Aの部分は、大脳皮質の**前頭葉**である。運動機能中枢、運動性言語中枢および精神機能中枢がある。

（2）**誤り。**Bの部分は、脳梁である。左右の脳をつなぐ働きをしている。小脳ではない。

（3）**正しい。**Cの部分は、大脳皮質の**後頭葉**である。視覚中枢がある。

（4）**正しい。**Dの部分は、**延髄**である。呼吸運動、循環器官･消化器官の働きなど、生命維持に重要な機能の中枢がある。

（5）**正しい。**Eの部分は、間脳の視床下部である。自律神経系の中枢がある。

正答（2）

53 解説

「神経系は中枢神経系と末梢神経系に大別されるが、末梢神経系のうち A　**体性** 神経系は B　**感覚** 神経と C　**運動** 神経から成り、図のような経路で刺激が伝えられ反応が引き起こされる。」

したがって、選択肢（5）が正答となる。

正答（5）

★★★
54 筋肉に関する次の記述のうち、誤っているものはどれか。

□□

（1）筋肉は、神経から送られてくる刺激によって収縮するが、神経に比べて疲労しやすい。

（2）強い力を必要とする運動を続けていても、筋肉を構成する個々の筋線維の太さは変わらないが、その数が増えることによって筋肉が太くなり筋力が増強する。

（3）筋肉中のグリコーゲンは、筋肉の収縮時に酸素が不足していると、水と二酸化炭素にまで分解されず乳酸になる。

（4）筋肉が収縮して出す最大筋力は、筋肉の単位断面積当たりの平均値をとると、性差又は年齢差がほとんどない。

（5）荷物を持ち上げたり屈伸運動をするとき、関節運動に関与する筋肉には、等張性収縮が生じている。

H31.4-29

★★★
55 筋肉に関する次の記述のうち、正しいものはどれか。

□□

（1）横紋筋は、骨に付着して身体の運動の原動力となる筋肉で意志によって動かすことができるが、平滑筋は、心筋などの内臓に存在する筋肉で意志によって動かすことができない。

（2）筋肉の縮む速さが速ければ速いほど、仕事の効率は大きい。

（3）荷物を持ち上げたり、屈伸運動を行うときは、筋肉が長さを変えずに外力に抵抗して筋力を発生させる等尺性収縮が生じている。

（4）強い力を必要とする運動を続けていても、筋肉を構成する個々の筋線維の太さは変わらないが、その数が増えることによって筋肉が太くなり筋力が増強する。

（5）筋肉は、収縮しようとする瞬間に最も大きい力を出す。

H30.4-27

54 解説

（1）**正しい。**筋肉は神経からの刺激によって収縮する。また、筋肉は神経より疲労しやすい。

（2）**誤り。**強い力を必要とする運動を続けていると、筋肉を構成する**個々の筋線維が太くなり筋力が増強**する。筋線維の数が増えるのではない。

（3）**正しい。**筋肉中のグリコーゲンは、**酸素が不足**していると、完全に分解されず**乳酸**になる。なお、筋肉中のグリコーゲンは、**酸素が十分**にあると、**完全に分解**され**水**と**二酸化炭素**になり、多量のATP（アデノシン三リン酸）が得られる。

（4）**正しい。**筋肉が収縮して出す最大筋力は、筋肉の単位断面積当たりの平均値をとると、性差または年齢差がほとんどない。

（5）**正しい。**荷物を持ち上げたり、屈伸運動を行うときは、筋肉が**長さを変えて筋力を発生**させる**等張性収縮**が生じている。

正答（2）

55 解説

（1）**誤り。心筋**は筋肉の構造的には**横紋筋**である。なお、**横紋筋**は、骨に付着して身体の運動の原動力となる**筋肉で意志によって動かすことができる**とする点と、平滑筋は主に内臓に存在する筋肉で意志によって動かすことができないとする点は、正しい。

（2）**誤り。**筋肉の**縮む速さが適当**なときに、**仕事の効率**がいちばん大きくなる。筋肉の縮む速さが速ければ速いほど、仕事の効率が大きくなるのではない。

（3）**誤り。**荷物を持ち上げたり、屈伸運動を行うときは、筋肉が**長さを変えて筋力を発生**させる**等張性収縮**が生じている。等尺性収縮ではない。なお、長い時間同じ姿勢を保持する情報機器作業では、筋肉が長さを変えずに外力に抵抗して筋力を発生させる等尺性収縮が生じている。

（4）**誤り。**強い力を必要とする運動を続けていると、筋肉を構成する**個々の筋線維が太くなり筋力が増強**する。筋繊維の数が増えるのではない。

（5）**正しい。**筋肉は、**収縮しようとする瞬間に最も大きい力を出す**。

正答（5）

★★★
56 筋肉に関する次の記述のうち、正しいものはどれか。

□□

（1）横紋筋は、骨に付着して身体の運動の原動力となる筋肉で意志によって動かすことができるが、平滑筋は、心筋などの内臓に存在する筋肉で意志によって動かすことができない。

（2）筋肉は神経からの刺激によって収縮するが、神経より疲労しにくい。

（3）荷物を持ち上げたり、屈伸運動を行うときは、筋肉が長さを変えずに外力に抵抗して筋力を発生させる等尺性収縮が生じている。

（4）強い力を必要とする運動を続けていると、筋肉を構成する個々の筋線維の太さは変わらないが、その数が増えることによって筋肉が太くなり筋力が増強する。

（5）刺激に対して意識とは無関係に起こる定型的な反応を反射といい、四肢の皮膚に熱いものが触れたときなどに、その肢を体幹に近づけるような反射は屈曲反射と呼ばれる。

R5.10-27

56 解説

（1）**誤り。心筋**は筋肉の構造的には**横紋筋**である。なお、**横紋筋**は、骨に付着して身体の運動の原動力となる**筋肉で意志によって動かすことができる**とする点と、平滑筋は主に内臓に存在する筋肉で意志によって動かすことができないとする点は、正しい。

（2）**誤り。**筋肉は神経より疲労しやすい。なお、筋肉は神経からの刺激によって収縮するとする点は、正しい。

（3）**誤り。**荷物を持ち上げたり、屈伸運動を行うときは、筋肉が**長さを変えて筋力を発生**させる**等張性収縮**が生じている。等尺性収縮ではない。

（4）**誤り。**強い力を必要とする運動を続けていると、筋肉を構成する**個々の筋線維が太くなり筋力が増強**する。筋繊維の数が増えるのではない。

（5）**正しい。**刺激に対して**意識とは無関係**に起こる反応を**反射**という。四肢の皮膚に熱いものが触れたときなどに、その肢を体幹に近づけるような反射は屈曲反射と呼ばれる。なお、最も単純な反射は、膝蓋腱反射などの伸張反射で、膝の下の腱（膝蓋腱）をたたくと足が前にけり出される。

正答（5）

合格エッセンス 筋肉の種類と筋収縮の仕組み

速 P.68

〔筋肉の種類〕

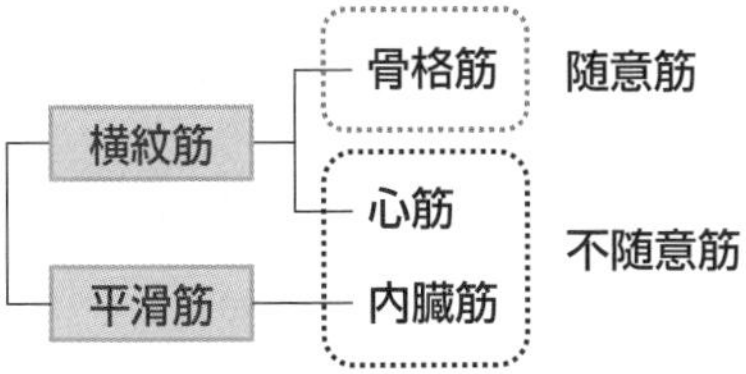

〔筋収縮の仕組み〕

収縮の仕方	仕組み	具体例
等張性収縮	筋肉が長さを変えて一定の張力で筋力を発生	荷物を持ち上げる、屈伸運動など
等尺性収縮	筋肉の長さを変えずに外力に抵抗して筋力を発生	直立姿勢、情報機器作業など

★★★
57 筋肉に関する次の記述のうち、誤っているものはどれか。

□□

（1）筋肉は、神経から送られてくる刺激によって収縮するが、神経に比べて疲労しやすい。

（2）筋収縮には、グリコーゲン、りん酸化合物などのエネルギー源が必要で、特に、直接のエネルギーはATPの加水分解によってまかなわれる。

（3）筋肉中のグリコーゲンは、筋肉の収縮時に酸素が不足していると、水と二酸化炭素にまで分解されず乳酸になる。

（4）荷物を持ち上げたり、屈伸運動を行うときは、筋肉が長さを変えずに外力に抵抗して筋力を発生させる等尺性収縮が生じている。

（5）運動することによって筋肉が太くなることを筋肉の活動性肥大という。

H28.10-29、H26.10-29 類

★★★
58 筋肉に関する次の記述のうち、正しいものはどれか。

□□

（1）横紋筋は、骨に付着して身体の運動の原動力となる筋肉で意志によって動かすことができるが、平滑筋は、心筋などの内臓に存在する筋肉で意志によって動かすことができない。

（2）筋肉は神経からの刺激によって収縮するが、神経より疲労しにくい。

（3）荷物を持ち上げたり、屈伸運動を行うときは、筋肉が長さを変えずに外力に抵抗して筋力を発生させる等尺性収縮が生じている。

（4）強い力を必要とする運動を続けていると、筋肉を構成する個々の筋線維の太さは変わらないが、その数が増えることによって筋肉が太くなり筋力が増強する。

（5）筋肉自体が収縮して出す最大筋力は、筋肉の断面積1 cm^2当たりの平均値をとると、性差、年齢差がほとんどない。

R5.4-29、R3.4-30、R2.4-26 類

57 解説

（1）**正しい。**筋肉は神経より疲労しやすい。また、筋肉は神経からの刺激によって収縮する。

（2）**正しい。**筋収縮の**直接のエネルギー**は**ATP**（アデノシン三リン酸）の加水分解によってまかなわれる。また、グリコーゲン、りん酸化合物などもエネルギー源として必要である。

（3）**正しい。**筋肉中のグリコーゲンは、**酸素が不足**していると、完全に分解されず**乳酸**になる。なお、筋肉中のグリコーゲンは、**酸素が十分**にあると、**完全に分解**され**水**と**二酸化炭素**になり、多量のATPが得られる。

（4）**誤り。**荷物を持ち上げたり、屈伸運動を行うときは、筋肉が**長さを変えて筋力を発生**させる**等張性収縮**が生じている。等尺性収縮ではない。

（5）**正しい。**運動することによって**筋肉**（筋肉を構成する**個々の筋線維**）**が太くなる**ことを筋肉の活動性肥大という。

正答（4）

58 解説

（1）**誤り。心筋**は筋肉の構造的には**横紋筋**である。なお、**横紋筋**は、骨に付着して身体の運動の原動力となる筋肉で**意志によって動かすことができる**とする点と、平滑筋は主に内臓に存在する筋肉で意志によって動かすことができないとする点は、正しい。

（2）**誤り。**筋肉は神経より疲労しやすい。なお、筋肉は神経からの刺激によって収縮するとする点は、正しい。

（3）**誤り。**荷物を持ち上げたり、屈伸運動を行うときは、筋肉が**長さを変えて筋力を発生**させる**等張性収縮**が生じている。等尺性収縮ではない。

（4）**誤り。**強い力を必要とする運動を続けていると、筋肉を構成する**個々の筋線維が太くなり筋力が増強**する。筋線維の数が増えるのではない。

（5）**正しい。**筋肉が収縮して出す最大筋力は、筋肉の単位断面積当たりの平均値をとると、**性差**または**年齢差がほとんどない**。

正答（5）

★★★

59 ストレスに関する次の記述のうち、誤っているものはどれか。

□□

（1）外部からの刺激であるストレッサーは、その形態や程度にかかわらず、自律神経系と内分泌系を介して、心身の活動を抑圧する。

（2）ストレスに伴う心身の反応には、ノルアドレナリン、アドレナリンなどのカテコールアミンや副腎皮質ホルモンが深く関与している。

（3）昇進、転勤、配置替えなどがストレスの原因となることがある。

（4）職場環境における騒音、気温、湿度、悪臭などがストレスの原因となることがある。

（5）ストレスにより、高血圧症、狭心症、十二指腸潰瘍などの疾患が生じることがある。

R5.10-29、H29.10-29 類

★★★

60 ストレスに関する次のAからDまでの記述について、誤っているものの組合せは（1）～（5）のうちどれか。

□□

A　外部環境からの刺激すなわちストレッサーは、その形態や程度にかかわらず、自律神経系と内分泌系を介して、心身の活動を抑圧する。

B　ストレス反応には、ノルアドレナリン、アドレナリンなどのカテコールアミンや副腎皮質ホルモンが深く関与している。

C　ストレスにより、自律神経系と内分泌系のバランスが崩れ、精神神経科的疾患、内科的疾患などを招く場合がある。

D　ストレス反応には、個人差がほとんどない。

（1）A，B

（2）A，D

（3）B，C

（4）B，D

（5）C，D

H30.10-30、H29.4-29、H27.10-30 類

59 解説

（1）**誤り。**ストレッサーとは、外部環境からの刺激のことをいい、ストレッサーにより生じる変化をストレスという。ストレッサーは、その**強弱や質に応じて、自律神経系**と**内分泌系**を介して、**心身の活動を亢進したり抑圧**したりする。個人の能力や感性に適合しないストレッサーは、心理的には不安、焦燥感、抑うつ感などを、身体的には疲労を生じることがある。

（2）**正しい。**ストレス反応には、ノルアドレナリン、アドレナリンなどのカテコールアミンや副腎皮質ホルモンが深く関与している。典型的なストレス反応として、副腎皮質ホルモンの分泌の**増加（亢進）**がある。

（3）**正しい。**昇進、転勤、配置替えなどがストレスの原因となることがある。

（4）**正しい。**職場環境における騒音、気温、湿度、悪臭などがストレスの原因となることがある。

（5）**正しい。**ストレスにより、**内科的疾患**（**高血圧症、狭心症**、胃・**十二指腸潰瘍**など）が生じることがある。また、自律神経系の障害（発汗、手足の震えなど）が生じることがある。

正答（1）

60 解説

A　**誤り。**ストレッサーは、その**強弱や質に応じて、自律神経系**と**内分泌系**を介して、心身の活動を亢《こう》進したり抑圧したりする。

B　**正しい。**ストレス反応には、ノルアドレナリン、アドレナリンなどのカテコールアミンや副腎皮質ホルモンが深く関与している。ストレッサーの強弱や質に応じて分泌が亢進する。

C　**正しい。**ストレスにより、**自律神経系**と**内分泌系**のバランスが崩れ、精神神経科的疾患、内科的疾患（高血圧症、狭心症、胃・十二指腸潰瘍など）などを招く場合がある。

D　**誤り。**ストレス反応には個人差がある。同じようなストレス状況下でも、影響を受ける人と受けない人がいる。

以上から、誤っているものの組合せはA、Dとなる。したがって、選択肢（2）が正答となる。

正答（2）

★ 61 疲労などに関する次の記述のうち、誤っているものはどれか。

□□

（1）産業疲労は、疲労徴候の現れ方により、急性疲労、慢性疲労、日周性疲労などに分類することができる。

（2）産業疲労は、生体に対する労働負荷が大きすぎることによって引き起こされるが、その回復や蓄積は日常生活ともかかわっている。

（3）作業の各局面で生じる疲労を後へ持ち越さないようにすることは、産業疲労の対策として大切なことである。

（4）近年の職場では、全身疲労のみならず、体の一部の筋肉を使う情報機器作業などによる局所疲労が問題となっている。

（5）身体活動強度（メッツ）は、身体活動の強さが軽作業時の何倍に相当するかを表す単位である。

H29.4-28 改題

★★★ 62 睡眠などに関する次の記述のうち、誤っているものはどれか。

□□

（1）夜間に働いた後の昼間に睡眠する場合は、一般に、就寝から入眠までの時間が長くなり、睡眠時間が短縮し、睡眠の質も低下する。

（2）睡眠と食事は深く関係しているため、就寝直前の過食は、肥満のほか不眠を招くことになる。

（3）松果体から分泌されるメラトニンは、夜間に分泌が上昇するホルモンで、睡眠と覚醒のリズムの調節に関与している。

（4）体内時計の周期は、一般に、約25時間であり、外界の24時間周期に同調して、約1時間のずれが修正される。

（5）基礎代謝量は、生命活動を維持するために必要な最小限のエネルギー量で、睡眠中の測定値で表される。

H28.10-30

61 解説

（1）**正しい。**産業疲労は、疲労徴候の現れ方により、**急性**疲労、**慢性**疲労、**日周性**疲労などに分類することができる。なお、作業を行ったことによって生じる疲労のことを、産業疲労という。

（2）**正しい。**産業疲労は、生体に対する労働負荷が大きすぎることにより引き起こされ、その回復や蓄積は日常生活ともかかわっている。なお、産業疲労の要因としては、仕事だけでなく日常生活や心理的要因もある。

（3）**正しい。**産業疲労の対策としては、作業の各局面で生じる疲労を後へ持ち越さないようにすることが大切である。

（4）**正しい。**近年の職場では、全身疲労のみならず、**局所疲労**が問題となっている。

（5）**誤り。**身体活動強度（METs：メッツ）は、身体活動の強さを**安静時**の何倍に相当するかを表す単位である。軽作業時との比較ではない。なお、座って安静にしている状態が1メッツ、普通に歩行している状態が3メッツである。

正答（5）

62 解説

（1）**正しい。**一般に、夜間に働いた後の昼間に眠る場合は、就寝から入眠までの時間が長くなるため、睡眠時間が短くなり、質も低下する。昼間は、外因性リズム（音や明るさなど）による妨害が多く、夜間と同じ睡眠環境を整えられないことや、夜間に働いた後の昼間に眠るという行動が**サーカディアン（概日）リズム**に反することが一因となっている。

（2）**正しい。**睡眠と食事は深く関係しているため、就寝直前の過食は、肥満のほか不眠を招くことになる。また、極度の空腹も不眠の原因となる。

（3）**正しい。**松果体から分泌される**メラトニン**は、夜間に分泌が上昇するホルモンで、**睡眠と覚醒のリズムの調節**に関与している。

（4）**正しい。**一般に、体内時計の周期は24～25時間だが、外界は24時間周期であるため約1時間のずれが生じる。このずれは、体内時計の周期が外界の周期に同調することによって修正される。なお、このずれを適切に同調させることができないために生じる睡眠障害を概日リズム睡眠障害という。

（5）**誤り。**基礎代謝量は、心臓の拍動や呼吸、体温保持などの生命活動を維持するために必要な最小限のエネルギー量で、**覚醒・横臥・安静時の測定値**で表される。睡眠中の測定値ではない。

正答（5）

★★★
63 **睡眠に関する次の記述のうち、誤っているものはどれか。**

□□

（1）入眠の直後にはノンレム睡眠が生じ、これが不十分な時には、日中に眠気を催しやすい。

（2）副交感神経系は、身体の機能を回復に向けて働く神経系で、休息や睡眠状態で活動が高まり、心拍数を減少し、消化管の運動を亢《こう》進する。

（3）睡眠と覚醒のリズムは、体内時計により約１日の周期に調節されており、体内時計の周期を外界の 24 時間周期に適切に同調させることができないために生じる睡眠の障害を、概日リズム睡眠障害という。

（4）睡眠と食事は深く関係しているため、就寝直前の過食は、肥満のほか不眠を招くことになる。

（5）脳下垂体から分泌されるセクレチンは、夜間に分泌が上昇するホルモンで、睡眠と覚醒のリズムの調節に関与している。

R5.4-30

★★★
64 **睡眠に関する次の記述のうち、誤っているものはどれか。**

□□

（1）睡眠と覚醒のリズムのように、約１日の周期で繰り返される生物学的リズムをサーカディアンリズムといい、このリズムの乱れは、疲労や睡眠障害の原因となる。

（2）睡眠は、睡眠中の目の動きなどによって、レム睡眠とノンレム睡眠に分類される。

（3）コルチゾールは、血糖値の調節などの働きをするホルモンで、通常、その分泌量は明け方から増加し始め、起床前後で最大となる。

（4）レム睡眠は、安らかな眠りで、この間に脳は休んだ状態になっている。

（5）メラトニンは、睡眠に関与しているホルモンである。

R3.10-30、R1.10-30、H31.4-30

63 解説

（1）**正しい。**入眠の直後には**ノンレム睡眠**（急速眼球運動を伴わない）が生じる。ノンレム睡眠は、安らかな眠りで、脳は休んだ状態になっている。これが不十分な時には、日中に眠気を催しやすい。

（2）**正しい。**副交感神経系は、**休息や睡眠状態で活動が高まる**。副交感神経系は、身体の機能を回復に向けて働く神経系で、**心拍数を減少**し、**消化管の運動を亢進**する。

（3）**正しい。**睡眠と覚醒のリズムは、体内時計により約1日の周期に調節されており、この生物学的リズムをサーカディアン（概日）リズムという。この体内時計の周期を外界の24時間周期に適切に同調させることができないために生じる睡眠の障害を、概日リズム睡眠障害という。

（4）**正しい。**睡眠と食事は深く関係しているため、就寝直前の過食は、肥満のほか不眠を招くことになる。また、極度の空腹も不眠の原因となる。

（5）**誤り。松果体**から分泌される**メラトニン**は、通常夜間に分泌が上昇するホルモンで、睡眠と覚醒のリズムの調節に関与している。なお、セクレチンは、十二指腸から分泌されるホルモンで、消化液分泌促進の働きがある。

正答（5）

64 解説

（1）**正しい。**約1日の周期で繰り返される生物学的リズムを**サーカディアン（概日）リズム**という。このリズムの乱れは、疲労や睡眠障害の原因となる。

（2）**正しい。**睡眠は、睡眠中の目の動きなどによって、**レム睡眠**（急速眼球運動を伴う）と**ノンレム睡眠**（急速眼球運動を伴わない）に分類される。

（3）**正しい。**副腎皮質から分泌されるコルチゾールは、血糖値の調節などに関与しているホルモンである。通常、その分泌量は**明け方から増加**し始め、**起床前後で最大**となる。

（4）**誤り。レム睡眠**は、眠っていても眼球が動いている（**急速眼球運動を伴う**）、眠りの浅い状態である。安らかな眠りで、脳は休んだ状態になっているのは、**ノンレム睡眠**である。

（5）**正しい。**松果体から分泌される**メラトニン**は、**睡眠と覚醒のリズムの調節**に関与しているホルモンである。通常、夜間に分泌が上昇する。

正答（4）

労働衛生

労働衛生では、環境が人体にもたらす悪影響や管理の方法等について出題されます。最初からすべてを覚えようとするのではなく、細かい部分はあとから覚えることにして、まずは太字部分を中心に学習しましょう。
試験では非有害業務関連のみ10問出題されます。

★★★
65 温熱条件に関する次の記述のうち、誤っているものはどれか。

□□

（1）WBGT は、日射がない場合は、自然湿球温度と黒球温度の測定値から算出される。

（2）熱中症はⅠ度からⅢ度までに分類され、このうちⅢ度が最も重症である。

（3）WBGT 基準値は、健康な作業者を基準に、ばく露されてもほとんどの者が有害な影響を受けないレベルに相当するものとして設定されている。

（4）WBGT 基準値は、身体に対する負荷が大きな作業の方が、負荷が小さな作業より小さな値となる。

（5）温度感覚を左右する環境条件は、気温、湿度及びふく射（放射）熱の三つの要素で決まる。

R4.4-12

65 解説

（1）**正しい。**WBGTは、**日射がない場合**は、**自然湿球温度**と**黒球温度**の測定値から算出される。

（2）**正しい。**熱中症はⅠ度からⅢ度までに分類され、このうちⅢ度が最も重症である。なお、熱失神、熱けいれんはⅠ度、熱疲労はⅡ度、熱射病はⅢ度に分類される。

（3）**正しい。**WBGT基準値は、健康な労働（作業）者を基準に、ばく露されてもほとんどの者が有害な影響を受けないレベルに相当するものとして設定されている。

（4）**正しい。**WBGT基準値は、身体に対する負荷が大きな作業の方が、負荷が小さな作業より小さな値となる。たとえば、暑熱順化者が軽い手作業（書く、タイピングなど）をする場合のWBGT基準値は30であり、より負荷が大きいくぎ打ちなどの作業をする場合のWBGT基準値は28である。

（5）**誤り。**温度感覚を左右する環境条件は、**気温**、**湿度**、**気流**および**ふく射熱（放射熱）**の**4つ**の温熱要素によって決定される。気温、湿度およびふく射（放射）熱の3つの要素で決まるのではない。

正答（5）

キーワード 温熱環境に関連する用語

速 P.82～P.84

用語	説明
実効温度	気温、湿度および**気流**の総合効果を温度目盛りで表したもの。感覚温度とも呼ばれる。
相対湿度	空気中の水蒸気圧（水蒸気量）と、その温度における飽和水蒸気圧（水蒸気量）との比を百分率で示したもの。
WBGT	暑熱環境による熱ストレスを評価するための指標。
至適温度	暑からず、寒からずという温度感覚を伴う温度。

★★★
66 **WBGT（湿球黒球温度）に関する次の文中の［　　］内に入れるAからCの語句の組合せとして、正しいものは（1）～（5）のうちどれか。**

□□

「WBGTは、労働環境において作業者が受ける暑熱環境による熱ストレスの評価を行う簡便な指標で、その値は次の式により算出される。

屋外で太陽照射のある場合：

WBGT ＝ 0.7 ×［ A ］＋ 0.2 ×［ B ］＋ 0.1 ×［ C ］

屋内の場合又は屋外で太陽照射のない場合：

WBGT ＝ 0.7 ×［ A ］＋ 0.3 ×［ B ］」

	A	B	C
（1）	自然湿球温度	黒球温度	乾球温度
（2）	自然湿球温度	乾球温度	黒球温度
（3）	乾球温度	黒球温度	自然湿球温度
（4）	乾球温度	自然湿球温度	黒球温度
（5）	黒球温度	自然湿球温度	乾球温度

R2.4-13、H30.4-12、H26.10-12

★★★
67 **温熱条件に関する次の記述のうち、誤っているものはどれか。**

□□

（1）温度感覚を左右する環境条件は、気温、湿度、気流及びふく射（放射）熱の四つの要素によって決まる。

（2）実効温度は、人の温熱感に基礎を置いた指標で、気温、湿度及び気流の総合効果を温度目盛りで表したものである。

（3）相対湿度は、乾球温度と湿球温度によって求められる。

（4）太陽照射がない場合のWBGTは、乾球温度と黒球温度から求められる。

（5）WBGT値がその基準値を超えるおそれのあるときには、冷房などによりWBGT値を低減すること、代謝率レベルの低い作業に変更することなどの対策が必要である。

R3.4-12

66 解説

「WBGT は、労働環境において作業者が受ける暑熱環境による熱ストレスの評価を行う簡便な指標で、その値は次の式により算出される。

屋外で太陽照射（日射）のある場合：

WBGT ＝ 0.7 × A **自然湿球温度** ＋ 0.2 × B **黒球温度** ＋ 0.1 × C **乾球温度**

屋内の場合又は屋外で太陽照射（日射）のない場合：

WBGT ＝ 0.7 × A **自然湿球温度** ＋ 0.3 × B **黒球温度**」

したがって、選択肢（1）が正答となる。

なお、算出した WBGT の値が、作業内容に応じて設定された **WBGT 基準値を超える場合**は、**熱中症の発生リスクが高まる**ため、冷房等により当該作業場所の WBGT 値の低減を図ること、身体作業強度（代謝率レベル）の低い作業に変更することなどの熱中症予防対策を作業の状況等に応じて実施するよう努めることとされている。

正答（1）

67 解説

（1）**正しい。**WBGT は、**気温、湿度、気流**および**輻射熱（放射熱）**の**4つの要素**から暑熱環境の程度を示す指標として用いられる。

（2）**正しい。**実効温度は、**気温、湿度**および**気流**の総合効果を温度目盛りで表したものである。また、実効温度は感覚温度とも呼ばれ、人の温感覚（温熱感）に基礎を置いた指標である。

（3）**正しい。**相対湿度は、**乾球温度**および**湿球温度**から求める。

（4）**誤り。屋内**の場合および**屋外で太陽照射（日射）のない**場合の WBGT は、**自然湿球温度**および**黒球温度**の値から算出される。乾球温度ではない。なお、屋外で太陽照射（日射）がある場合は、自然湿球温度、黒球温度および気温（乾球温度）の測定値から算出される。

（5）**正しい。**算出した WBGT の値が、作業内容に応じて設定された WBGT 基準値を超える場合は、熱中症の発生リスクが高まるため、冷房等により当該作業場所の WBGT 値の低減を図ること、身体作業強度（代謝率レベル）の低い作業に変更することなどの熱中症予防対策を作業の状況等に応じて実施するよう努めることとされている。

正答（4）

★★★
68 次のAからDの温熱指標について、乾球温度と湿球温度のみで求められるものの組合せは、（1）～（5）のうちどれか。

□□

A　相対湿度

B　実効温度

C　不快指数

D　WBGT

（1）A，B

（2）A，C

（3）B，C

（4）B，D

（5）C，D

H28.10-12、H28.4-12

★★★
69 温熱条件に関する次の記述のうち、誤っているものはどれか。

□□

（1）実効温度（感覚温度）は、人の温熱感に基礎を置いた指標で、気温、湿度、放射熱の総合効果を温度目盛りで表したものである。

（2）暑からず、寒からずという温度感覚を伴う温度を至適温度という。

（3）WBGTは、暑熱環境による熱ストレスの評価に用いられる指標で、屋外で太陽照射がある場合は、自然湿球温度、黒球温度及び乾球温度の測定値から算出される。

（4）相対湿度とは、空気中の水蒸気圧とその温度における飽和水蒸気圧との比を百分率で示したものである。

（5）夏季等暑熱時に室内を冷房する場合、外気温との差が大きくなると身体の体温調節機能に支障が生じやすいので、この場合の外気温と室温の差は7℃以内が目安とされている。

H26.4-12、H25.10-12

68 **解説**

A　相対湿度は、空気中の水蒸気圧（水蒸気量）と、その温度における飽和水蒸気圧（水蒸気量）との比を百分率で示したもので、乾球温度および湿球温度から求める。

B　実効温度は、感覚温度とも呼ばれ、人の温感覚に基礎を置いた指標で、乾球温度、湿球温度および**気流**を用いて求める。

C　不快指数は、乾球温度および湿球温度から求める。

D　WBGT は、**暑熱環境による熱ストレス評価**に用いられる指標で、**日射がある場合**は、**自然湿球温度、黒球温度**および**気温（乾球温度）**から求める。

したがって、選択肢（2）が正答となる。

正答（2）

69 **解説**

（1）**誤り。**実効温度は、気温、湿度および**気流**の総合効果を温度目盛りで表したものである。放射熱ではない。なお、実効温度は感覚温度とも呼ばれ、人の温感覚（温熱感）に基礎を置いた指標であるとする点は、正しい。

（2）**正しい。**暑からず、寒からずという温度感覚を伴う温度を至適温度という。なお、至適温度は、温度感覚を実効温度（感覚温度）で示したものである。作業時間が長かったり、作業強度が強いと至適温度は低くなる。

（3）**正しい。**WBGT は、**暑熱環境による熱ストレス評価**に用いられる指標で、**屋外で太陽照射（日射）がある場合**は、**自然湿球温度、黒球温度**および**乾球温度（気温）**から求められる。

（4）**正しい。**空気中の水蒸気圧（水蒸気量）と、その温度における飽和水蒸気圧（水蒸気量）との比を百分率で示したものを相対湿度という。

（5）**正しい。**夏季等暑熱時に室内を冷房する場合、一般的に外気温と室温の差は7℃以内に収めると身体にもよいとされている。なお、事務所衛生基準規則（事務所則）では、室内を冷房する場合は、当該室内の気温を外気温より著しく低くしてはならないとされている。

正答（1）

★★★
70 事務室内において、空気を外気と入れ換えて二酸化炭素濃度を1,000ppm以下に保った状態で、在室することのできる最大の人数は次のうちどれか。
□□
ただし、外気の二酸化炭素濃度を400ppm、外気と入れ換える空気量を600m³/h、1人当たりの呼出二酸化炭素量を0.016m³/hとする。

（1）10人
（2）14人
（3）18人
（4）22人
（5）26人

R4.10-11

★★★
71 室内に11人の人が入っている事務室において、二酸化炭素濃度を1,000ppm以下に保つために最小限必要な換気量（m³/h）に最も近いものは次のうちどれか。
□□
ただし、外気の二酸化炭素濃度を400ppm、室内にいる人の1人当たりの呼出二酸化炭素量を0.02m³/hとする。

（1）19m³/h
（2）37m³/h
（3）190m³/h
（4）370m³/h
（5）740m³/h

R5.4-11

70 解説

事務室内において、空気を外気と入れ換えて二酸化炭素濃度を1,000ppm以下に保った状態で、在室することのできる最大の人数は、以下の公式から求める。

$$\text{必要換気量}\ (m^3/h) = \frac{\text{室内にいる人が1時間に呼出する二酸化炭素量}(m^3/h)}{\text{室内二酸化炭素基準濃度}-\text{外気の二酸化炭素濃度}}$$

①在室者の人数をxとする。

②二酸化炭素濃度がppm単位であるため、上記の公式を1,000,000倍する。

①、②と与えられた数値を公式にあてはめる。

$$600\ (m^3/h) = \frac{x \times 0.016\ (m^3/h)}{1{,}000 - 400} \times 1{,}000{,}000$$

$$600 = \frac{x \times 16{,}000}{600}$$

ここで、人数xを左辺に、他の数値を右辺に移す。

$$x = \frac{600 \times 600}{16{,}000}$$

$$x = 22.5$$

以上から、事務室内において、空気を外気と入れ換えて二酸化炭素濃度を1,000ppm以下に保った状態で、在室することのできる最大の人数は、22となる。

したがって、選択肢（4）が正答となる。 **正答**（4）

71 解説

必要換気量（m^3/h）は以下の公式から求める。

$$\text{必要換気量}(m^3/h) = \frac{\text{室内にいる人が1時間に呼出する二酸化炭素量}(m^3/h)}{\text{室内二酸化炭素基準濃度}-\text{外気の二酸化炭素濃度}}$$

①在室者11人が1時間に呼出する二酸化炭素量を求める。

$\Rightarrow 0.02\ (m^3/h) \times 11$（人）$= 0.22\ (m^3/h)$

②二酸化炭素濃度がppm単位であるため、上記の公式を1,000,000倍する。

①、②と与えられた数値を公式にあてはめる。

$$\frac{0.22\ (m^3/h)}{1{,}000 - 400} \times 1{,}000{,}000 = 366.66\cdots$$

以上から、二酸化炭素濃度を1,000ppm以下に保つために最小限必要な換気量の値（m^3/h）に最も近いものは、370となる。

したがって、選択肢（4）が正答となる。 **正答**（4）

★★★

72 事務室における必要換気量Q（m^3/h）を算出する式として、正しいものは（1）～（5）のうちどれか。ただし、AからDは次のとおりとする。

□□

A　室内二酸化炭素濃度の測定値（ppm）

B　室内二酸化炭素基準濃度（ppm）

C　外気の二酸化炭素濃度（ppm）

D　在室者全員が1時間に呼出する二酸化炭素量（m^3/h）

（1）$Q = \dfrac{D}{A - B} \times 100$

（2）$Q = \dfrac{D}{A - C} \times 100$

（3）$Q = \dfrac{D}{B - C} \times 100$

（4）$Q = \dfrac{D}{A - B} \times 1{,}000{,}000$

（5）$Q = \dfrac{D}{B - C} \times 1{,}000{,}000$

R2.4-11、H30.4-11、H29.4-11

★★★

73 一般作業環境において機械換気を行う場合の必要換気量（m^3/h）を算出する次の計算式において、室内二酸化炭素基準濃度（%）として通常用いられる数値は、（1）～（5）のうちどれか。

□□

$$\frac{\text{室内にいる人が1時間に呼出する二酸化炭素量（}m^3/h\text{）}}{\text{室内二酸化炭素基準濃度（\%）－外気の二酸化炭素濃度（\%）}} \times 100$$

（1）3

（2）1

（3）0.3

（4）0.1

（5）0.03

H29.10-11 類、H28.10-11、H28.4-11

72 解説

必要換気量は以下の公式から求める。

$$\textbf{必要換気量（m}^3\textbf{/h）} = \frac{\text{在室者全員（室内にいる人）が1時間に呼出する二酸化炭素量（m}^3\text{/h）}}{\text{室内二酸化炭素基準濃度} - \text{外気の二酸化炭素濃度}}$$

設問では、二酸化炭素濃度が**ppm 単位**であるため、上記の公式を**1,000,000倍**する。

したがって、選択肢（5）が正答となる。

なお、室内二酸化炭素濃度と外気の二酸化炭素濃度が％単位であるときは、上記の公式を100倍する。

正答（5）

73 解説

必要換気量（m^3/h）を算出する計算式において、室内二酸化炭素基準濃度（％）として通常用いられる数値は、**0.1（%）**である。

したがって、選択肢（4）が正答となる。

正答（4）

合格エッセンス　必要換気量の公式

速 P.88

①原則

$$\text{必要換気量（m}^3\text{/h）} = \frac{\text{室内にいる人が1時間に呼出する二酸化炭素量（m}^3\text{/h）}}{\text{室内二酸化炭素基準濃度} - \text{外気の二酸化炭素濃度}}$$

②二酸化炭素濃度が%単位の場合

$$\frac{\text{室内にいる人が1時間に呼出する二酸化炭素量（m}^3\text{/h）}}{\text{室内二酸化炭素基準濃度（\%）} - \text{外気の二酸化炭素濃度（\%）}} \times 100$$

③二酸化炭素濃度がppm単位の場合

$$\frac{\text{室内にいる人が1時間に呼出する二酸化炭素量（m}^3\text{/h）}}{\text{室内二酸化炭素基準濃度（ppm）} - \text{外気の二酸化炭素濃度（ppm）}} \times 1{,}000{,}000$$

★★★
74 一般の事務室における換気に関する次のAからDの記述について、誤っているものの組合せは（1）～（5）のうちどれか。

□□

A　人間の呼気の成分の中で、酸素の濃度は約16％、二酸化炭素の濃度は約4％である。

B　新鮮な外気中の酸素濃度は約21％、二酸化炭素濃度は0.3～0.4％程度である。

C　室内の必要換気量（m^3/h）は、次の式により算出される。

$$\frac{\text{室内にいる人が1時間に呼出する二酸化炭素量（}m^3/h\text{）}}{\text{室内二酸化炭素基準濃度（\%）}-\text{外気の二酸化炭素濃度（\%）}}\times 100$$

D　必要換気量の算出に当たって、室内二酸化炭素基準濃度は、通常、1％とする。

（1）A，B
（2）A，C
（3）B，C
（4）B，D
（5）C，D

R5.10-12、R4.4-11、R3.10-11

★★★
75 一般の事務室における換気に関する次の記述のうち、誤っているものはどれか。

□□

（1）人間の呼気の成分の中で、酸素の濃度は約16％、二酸化炭素の濃度は約4％である。

（2）新鮮な外気中の酸素濃度は、約21％、二酸化炭素濃度は、0.03～0.04％程度である。

（3）室内の空気の清浄度を保つために入れ替える必要のある空気の量を必要換気量といい、通常、1時間に交換される空気量で表す。

（4）室内の必要換気量（m^3/h）は、次の式により算出される。

$$\frac{\text{室内にいる人が1時間に呼出する二酸化炭素量（}m^3/h\text{）}}{\text{室内二酸化炭素基準濃度（\%）}}\times 100$$

（5）必要換気量の算出に当たっての室内二酸化炭素基準濃度は、通常、0.1％とする。

H27.4-11

74 解説

A　**正しい。**通常の呼吸の場合の**呼気**には、**酸素が約 16%、二酸化炭素が約4%**含まれる。

B　**誤り。外気**に含まれる**酸素は約 21%、二酸化炭素**は **0.03 ～ 0.04%**である。0.3 ～ 0.4%程度ではない。

C　**正しい。**室内における**必要換気量（m³/h）**は、次の式により算出される。

$$\frac{\text{室内にいる人が1時間に呼出する二酸化炭素量（m}^3\text{/h）}}{\text{室内二酸化炭素基準濃度（\%）－外気の二酸化炭素濃度（\%）}} \times 100$$

D　**誤り。**二酸化炭素濃度が%単位である場合、必要換気量（m³/h）を算出する計算式において、室内二酸化炭素基準濃度として通常用いられる数値は、**0.1%**である。1%ではない。

以上から、誤っているものの組合せはB、Dとなる。したがって、選択肢（4）が正答となる。

正答（4）

75 解説

（1）**正しい。**通常の呼吸の場合の**呼気**には、**酸素が約 16%、二酸化炭素が約4%**含まれる。

（2）**正しい。外気**に含まれる**酸素は約 21%、二酸化炭素は 0.03 ～ 0.04%** である。

（3）**正しい。**作業室内において、衛生上入れ替える必要のある空気の量を必要換気量という。通常、1時間に交換される空気量で表す。

（4）**誤り。**室内における**必要換気量（m³/h）**は、次の式により算出される。

$$\frac{\text{室内にいる人が1時間に呼出する二酸化炭素量（m}^3\text{/h）}}{\text{室内二酸化炭素基準濃度（\%）－外気の二酸化炭素濃度（\%）}} \times 100$$

（5）**正しい。**二酸化炭素濃度が%単位である場合、必要換気量（m³/h）を算出する計算式において、室内二酸化炭素基準濃度として通常用いられる数値は、**0.1%**である。

正答（4）

3. 視環境　速 第2章 LESSON 3

★★★
76 照明などの視環境に関する次の記述のうち、誤っているものはどれか。

□□

（1）前方から明かりを取るときは、眼と光源を結ぶ線と視線とで作る角度を40°程度としている。

（2）照明設備については、６か月以内ごとに１回、定期に点検し、汚れなどがあれば清掃又は交換を行っている。

（3）全般照明と局部照明を併用する場合、全般照明による照度は、局部照明による照度の５分の１程度にしている。

（4）照度の単位はルクスで、１ルクスは光度１カンデラの光源から10m離れた所で、その光の光軸に垂直な１m^2の面が受ける明るさに相当する。

（5）室内の彩色で、明度を高くすると光の反射率が高くなり照度を上げる効果があるが、彩度を高くしすぎると交感神経の緊張により疲労を招きやすい。

R3.4-13

76 解説

（1）**正しい。**前方から明かりをとるとき、目と光源を結ぶ線と視線とが作る角度は、**30°以上**になるようにする。したがって、前方から明かりをとるとき、眼と光源を結ぶ線と視線が作る角度を40°程度としていることは正しい。

（2）**正しい。**事業者は、労働者を常時就業させる場所の照明設備について、**6カ月以内ごとに1回**、定期に、点検しなければならない（安衛則第605条第2項）。したがって、6カ月以内ごとに1回、定期に点検し、汚れなどがあれば清掃または交換を行っていることは正しい。

（3）**正しい。**全般照明と局部照明を併用する場合、全般照明の照度は、局部照明による照度の少なくとも**10%（10分の1）**以上が望ましいとされている。したがって、全般照明による照度を局部照明による照度の5分の1程度になるようにしていることは正しい。

（4）**誤り。**照度はルクス（lx）という単位で示される。1ルクスは光度1カンデラ（cd）の光源から**1m**離れたところで、その光に直角な面（1 m^2 の面）が受ける明るさに相当する。10mではない。

（5）**正しい。**室内の彩色で、白色などの**明度**（色の明るさ）の**高い色彩**は、光の反射率が高いため、**照度を上げる**効果がある。しかし、**彩度**（色の鮮やかさの尺度）が**高い色彩**は、**交感神経の緊張を招き、長時間にわたる場合は疲労が生じやすい**。

正答（4）

合格エッセンス 照明のポイント

速 P.91

	説　明	試験のポイント
全般照明	作業室全体を明るくする方法	前方から明かりをとるとき、目と光源を結ぶ線と視線とが作る角度は、**30°以上**になるようにする
局部照明	手元に高い照度が必要である場合に用いる方法	全般照明と局部照明を併用する場合、全般照明の照度は、局部照明による照度の少なくとも**10%（10分の1）以上**が望ましい
照度	光によって照らされている面の明るさの度合い	1ルクスは、**1cd**の光源から、**1m**離れた場所でその光に直角な面が受ける明るさ

★★★
77 **照明、採光などに関する次の記述のうち、誤っているものはどれか。**

□□

（1）北向きの窓では、直射日光はほとんど入らないが一年中平均した明るさが得られる。

（2）全般照明と局部照明を併用する場合、全般照明による照度は、局部照明による照度の５分の１程度としている。

（3）前方から明かりを取るときは、まぶしさをなくすため、眼と光源を結ぶ線と視線とがなす角度が、40°以上になるように光源の位置を決めている。

（4）照明設備は、１年以内ごとに１回、定期に点検し、異常があれば電球の交換などを行っている。

（5）部屋の彩色として、目の高さ以下は、まぶしさを防ぎ安定感を出すために濁色とし、目より上方の壁や天井は、明るい色を用いるとよい。

R4.4-13、R3.10-13 類

★★★
78 **採光、照明などに関する次の記述のうち、正しいものはどれか。**

□□

（1）照度の単位はルクスで、１ルクスは光度１カンデラの光源から 10m 離れた所で、その光に直角な面が受ける明るさに相当する。

（2）部屋の彩色に当たり、目の高さから上の壁及び天井は、まぶしさを防ぐため濁色にするとよい。

（3）立体視を必要とする作業には、影のできない照明が適している。

（4）全般照明と局部照明を併用する場合、全般照明による照度は、局部照明による照度の 15 分の１以下になるようにする。

（5）前方から明かりをとるときは、まぶしさをなくすため、眼と光源を結ぶ線と視線が作る角度は、おおむね 30°以上になるようにする。

H29.10-13

77 解説

（1）**正しい。**北向きの窓では、直射日光はほとんど入らないが、明るさをとることはできる。また、一年中平均した明るさが得られる。

（2）**正しい。**全般照明と局部照明を併用する場合、全般照明の照度は、局部照明による照度の少なくとも **10％（10分の1）**以上が望ましいとされている。したがって、全般照明による照度を局部照明による照度の５分の１程度になるようにしていることは正しい。

（3）**正しい。**前方から明かりをとるとき、目と光源を結ぶ線と視線とが作る角度は、**30° 以上**になるようにする。したがって、前方から明かりをとるとき、眼と光源を結ぶ線と視線が作る角度を40° 以上になるように光源の位置を決めていることは正しい。

（4）**誤り。**事業者は、労働者を常時就業させる場所の照明設備について、**6カ月以内ごとに1回**、定期に、点検しなければならない（安衛則第605条第２項）。したがって、１年以内ごとに１回、定期に点検していることは、誤りである。

（5）**正しい。**部屋の彩色に当たり、**目の高さから上の壁および天井**は、照度を上げるため**明るい色**にするとよい。また、**目の高さ以下**は、まぶしさを防ぎ安定感を出すため**濁色**にするとよい。

正答（4）

78 解説

（1）**誤り。**照度はルクス（lx）という単位で示される。１ルクスは光度１カンデラ（cd）の光源から**1ｍ**離れたところで、その光に直角な面が受ける明るさに相当する。10ｍではない。

（2）**誤り。**部屋の彩色に当たり、**目の高さから上の壁および天井**は、照度を上げるため**明るい色**にするとよい。なお、**目の高さ以下**は、まぶしさを防ぎ安定感を出すため**濁色**にするとよい。

（3）**誤り。**照明により見るものに影ができないと、立体感がなくなる。そのため、立体視を必要とする作業に影のできない照明は適さない。

（4）**誤り。**全般照明と局部照明を併用する場合、全般照明の照度は、局部照明による照度の少なくとも **10％（10分の1）以上**が望ましいとされている。15分の１以下になるようにするのではない。

（5）**正しい。**前方から明かりをとるとき、目と光源を結ぶ線と視線とが作る角度は、**30° 以上**になるようにする。まぶしさをなくすためである。

正答（5）

★★★

79 **照明などの視環境に関する次の記述のうち、誤っているものはどれか。**

□□

（1）前方から明かりを取るときは、眼と光源を結ぶ線と視線とで作る角度が、40°以上になるようにしている。

（2）高齢者は、若年者に比較して、一般に、高い照度が必要であるが、水晶体の混濁により、まぶしさを感じやすくなっている場合もあるので、注意が必要である。

（3）全般照明と局部照明を併用する場合、全般照明による照度は、局部照明による照度の1/10以上になるようにしている。

（4）照度の単位はルクスで、1ルクスは光度1カンデラの光源から10m離れた所で、その光の光軸に垂直な面が受ける明るさに相当する。

（5）室内の彩色で、明度を高くすると光の反射率が高くなり照度を上げる効果があるが、彩度を高くしすぎると交感神経の緊張を招きやすい。

H29.4-13

★★★

80 **照明、採光などに関する次の記述のうち、誤っているものはどれか。**

□□

（1）1ルクス（lx）は、1カンデラ（cd）の光源から、1m離れた所において、光軸に垂直な面が受ける明るさをいう。

（2）部屋の彩色として、目の高さ以下は、まぶしさを防ぎ安定感を出すために濁色とし、目より上方の壁や天井は、明るい色を用いるとよい。

（3）全般照明と局部照明を併用する場合、全般照明による照度は、局部照明による照度の5分の1程度としている。

（4）前方から明かりを取るときは、まぶしさをなくすため、眼と光源を結ぶ線と視線とがなす角度が、40°以上になるように光源の位置を決めている。

（5）照明設備は、1年以内ごとに1回、定期に点検し、異常があれば電球の交換などを行っている。

R4.10-12

79 解説

（1）**正しい。**前方から明かりをとるとき、目と光源を結ぶ線と視線とが作る角度は、**30° 以上**になるようにする。したがって、前方から明かりを取るときに、眼と光源を結ぶ線と視線とで作る角度を40° 以上になるようにしていることは正しい。

（2）**正しい。**高齢者は、若年者に比較して、一般に、高い照度が必要である。しかし、老人性白内障の症状があると、水晶体の混濁（白内障の原因）により、まぶしさを感じやすくなっている場合もあるので、注意が必要である。

（3）**正しい。**全般照明と局部照明を併用する場合、全般照明の照度は、局部照明による照度の少なくとも**10%（10分の1）以上**が望ましいとされている。したがって、全般照明による照度を局部照明による照度の10分の1以上になるようにしていることは、正しい。

（4）**誤り。**照度はルクス（lx）という単位で示される。1ルクスは光度1カンデラ（cd）の光源から**1m**離れたところで、その光に直角な面（1㎡の面）が受ける明るさに相当する。10mではない。

（5）**正しい。**室内の彩色で、白色などの**明度**（色の明るさ）**の高い色彩**は、光の反射率が高いため、**照度を上げる**効果がある。しかし、**彩度**（色の鮮やかさの尺度）**が高い色彩**は、**交感神経の緊張を招き、長時間にわたる場合は疲労が生じやすい**。

正答（4）

80 解説

（1）**正しい。**1ルクスは光度1カンデラ（cd）の光源から**1m**離れたところで、その光に直角な面が受ける明るさに相当する。

（2）**正しい。目の高さ以下**は、まぶしさを防ぎ安定感を出すため**濁色**に。また、**目の高さから上の壁および天井**は、照度を上げるため**明るい色**にするとよい。

（3）**正しい。**全般照明による照度を局部照明による照度の5分の1程度になるようにしていることは正しい。

（4）**正しい。**前方から明かりをとるとき、眼と光源を結ぶ線と視線が作る角度を40° 以上になるように光源の位置を決めていることは正しい。

（5）**誤り。**事業者は、労働者を常時就業させる場所の照明設備について、**6カ月以内ごとに1回**、定期に、点検しなければならない（安衛則第605条第2項）。したがって、1年以内ごとに1回、定期に点検していることは、誤りである。

正答（5）

4. 生物化学的要因と疾病

速 第3章 LESSON 1

★★★
81 食中毒に関する次の記述のうち、誤っているものはどれか。
□□

（1）黄色ブドウ球菌による食中毒は、食品に付着した菌が食品中で増殖した際に生じる毒素により発症する。

（2）サルモネラ菌による食中毒は、鶏卵が原因となることがある。

（3）腸炎ビブリオ菌は、熱に強い。

（4）ボツリヌス菌は、缶詰、真空パック食品など酸素のない食品中で増殖して毒性の強い神経毒を産生し、筋肉の麻痺《ひ》症状を起こす。

（5）ノロウイルスの失活化には、煮沸消毒又は塩素系の消毒剤が効果的である。

R5.4-18

★★★
82 細菌性食中毒の原因菌のうち、病原性好塩菌ともいわれるものは、次のうちどれか。
□□

（1）黄色ブドウ球菌

（2）ボツリヌス菌

（3）サルモネラ菌

（4）腸炎ビブリオ

（5）カンピロバクター

H30.4-20、H28.10-19 類

81 解説

（1）**正しい。**黄色ブドウ球菌による食中毒は、毒素型食中毒で、食品に付着した**細菌により産生された毒素**によって起こる食中毒である。

（2）**正しい。**サルモネラ菌による食中毒は、鶏卵が原因となることがある。なお、サルモネラ菌による食中毒は、感染型食中毒である。

（3）**誤り。**腸炎ビブリオ菌は、真水や**熱に弱い**。なお、腸炎ビブリオ菌は、病原性好塩菌ともいわれる

（4）**正しい。**ボツリヌス菌は、缶詰、真空パック食品など**酸素のない食品中で増殖**して毒性の強い**神経毒を産生し**、筋肉の麻痺症状を起こす。なお、ボツリヌス菌は、**熱に非常に強く**、菌が芽胞という形態になると長時間煮沸しても死滅しない。

（5）**正しい。**ノロウイルスの失活化には、**煮沸消毒**または**塩素系の消毒剤**が効果的である。

正答（3）

82 解説

病原性好塩菌ともいわれるものは、**腸炎ビブリオ**である。
したがって、選択肢（4）が正答となる。

正答（4）

チェック！ ここが狙われる 細菌性中毒の原因菌

速 P.104

	感染型		毒素型	
原因菌	**サルモネラ菌**	**腸炎ビブリオ** （病原性好塩菌）	**黄色ブドウ球菌** （毒素：エンテロトキシン）	**ボツリヌス菌** （毒素：ボツリヌストキシン）
原因食品	ネズミなどの糞尿や、ゴキブリなどによって汚染された食肉、鶏卵	海産生鮮魚介類	にぎりめし あんこ 弁当	缶詰 真空パック食品
特性・症状	● 急性胃腸炎型の症状 ● 75℃で1分以上の加熱で殺菌可能	● 胃痙攣様の腹痛、水様下痢 ● 予後良好	● 嘔吐、続いて腹痛、下痢 ● 回復は早い	● **神経症状**（呼吸困難）を呈し**致死率が高い** ● 筋肉の麻痺 ● 熱に強く死滅しにくい

★★★

83 食中毒に関する次の記述のうち、正しいものはどれか。

□□

（1）感染型食中毒は、食物に付着した細菌そのものの感染によって起こる食中毒で、サルモネラ菌によるものがある。

（2）赤身魚などに含まれるヒスチジンが細菌により分解されて生成されるヒスタミンは、加熱調理によって分解する。

（3）エンテロトキシンは、フグ毒の主成分で、手足のしびれや呼吸麻痺《ひ》を起こす。

（4）カンピロバクターは、カビの産生する毒素で、腹痛や下痢を起こす。

（5）ボツリヌス菌は、缶詰や真空パックなど酸素のない密封食品中でも増殖するが、熱には弱く、60℃、10分間程度の加熱で殺菌することができる。

R5.10-19

★★★

84 ノロウイルスによる食中毒に関する次の記述のうち、正しいものはどれか。

□□

（1）食品に付着したウイルスが食品中で増殖し、ウイルスが産生した毒素により発症する。

（2）ウイルスの感染性は、長時間煮沸しても失われない。

（3）潜伏期間は、１～２日間である。

（4）発生時期は、夏季が多い。

（5）症状は、筋肉の麻痺《ひ》などの神経症状が特徴である。

H29.4-18、H27.4-19類

83 解説

（1）**正しい。感染型食中毒**は、食物に付着した**細菌そのものの感染**によって起こる食中毒で、**サルモネラ菌**によるものがある。

（2）**誤り。**ヒスタミンは、**加熱によって分解されにくい**。なお、赤身魚などに含まれるヒスチジンが細菌により分解されてヒスタミンを生成するという点は、正しい。

（3）**誤り。**エンテロトキシンは、黄色ブドウ球菌などの毒素型の細菌が産生する毒素である。なお、フグ毒の主成分で、手足のしびれや呼吸麻痺を起こすのは、テトロドトキシンである。

（4）**誤り。**カンピロバクターは、**細菌性食中毒の原因菌**であり、カビの産生する毒素ではない。なお、カビの産生する毒素で代表的なものとして、アフラトキシンがあり、アフラトキシンには発がん性がある。

（5）**誤り。**ボツリヌス菌は、**熱に非常に強く**、菌が芽胞という形態になると長時間煮沸しても死滅しない。なお、ボツリヌス菌は、缶詰や真空パック食品など酸素のない食品中で増殖するとする点は、正しい。

正答（1）

84 解説

（1）**誤り。**ノロウイルスによる食中毒は、食品に付着した**ウイルスが腸内で増殖**することで発症する。ウイルスが産生した毒素により発症するのではない。

（2）**誤り。**ウイルスの感染性は、**長時間煮沸**すると失われる。

（3）**正しい。**ノロウイルスによる食中毒の**潜伏期間**は、**1～2日間**である。

（4）**誤り。**ノロウイルスによる食中毒の発生時期は、**冬季**が多い。夏季ではない。

（5）**誤り。**ノロウイルスによる食中毒の症状は、**吐き気、嘔吐、下痢**などの症状が特徴である。筋肉の麻痺などの神経症状が特徴ではない。

正答（3）

合格エッセンス ノロウイルスまとめ

速 P.105

原因	食品に付着したウイルスが腸内で増殖することで発症
潜伏期間	1～2日間
発症時期	冬季
症状	吐き気、嘔吐、下痢が主症状
失活化	煮沸消毒、塩素系の消毒剤を用いる

★★★
85 食中毒に関する次の記述のうち、正しいものはどれか。

□□

（1）毒素型食中毒は、食物に付着した細菌により産生された毒素によって起こる食中毒で、代表的なものとしてサルモネラ菌によるものがある。

（2）感染型食中毒は、食物に付着している細菌そのものの感染によって起こる食中毒で、代表的なものとして黄色ブドウ球菌によるものがある。

（3）O-157やO-111による食中毒は、赤痢菌の毒素と類似の毒素を産生する大腸菌による食中毒で、腹痛、出血を伴う水様性の下痢などを呈する。

（4）テトロドトキシンは、カビの産生する毒素の一つで腹痛や下痢を起こす。

（5）エンテロトキシンは、食中毒の原因となる自然毒の一つであるフグ毒の主成分である。

H25.4-19

★★★
86 食中毒に関する次の記述のうち、正しいものはどれか。

□□

（1）毒素型食中毒は、食物に付着した細菌により産生された毒素によって起こる食中毒で、代表的なものとしてサルモネラ菌によるものがある。

（2）感染型食中毒は、食物に付着した細菌そのものの感染によって起こる食中毒で、代表的なものとして黄色ブドウ球菌によるものがある。

（3）O-157は、腸管出血性大腸菌の一種で、加熱不足の食肉などから摂取され、潜伏期間は３～５日である。

（4）ボツリヌス菌は、缶詰や真空パックなど酸素のない密封食品中でも増殖するが、熱には弱く、80℃程度で殺菌することができる。

（5）赤身魚などに含まれるヒスチジンが細菌により分解されて生成されるヒスタミンは、加熱調理によって分解する。

H31.4-19

85 解説

（1）**誤り**。毒素型食中毒には、**ボツリヌス菌**や黄色ブドウ球菌によるものなどがある。サルモネラ菌によるものは、感染型食中毒である。

（2）**誤り**。感染型食中毒には、**サルモネラ菌**や腸炎ビブリオによるものなどがある。黄色ブドウ球菌によるものは、毒素型食中毒である。

（3）**正しい**。O-157やO-111は、ベロ毒素（赤痢菌の毒素と類似の毒素）を産生する大腸菌である。腹痛や出血を伴う水様性の下痢などを起こす。菌に汚染された食肉や野菜などから摂取されることがある。

（4）**誤り**。テトロドトキシンは、食中毒の原因となる自然毒の一つである**フグ毒の主成分**である。カビの産生する毒素の一つではない。なお、テトロドトキシンによる食中毒では、手足のしびれなどから始まり、呼吸麻痺から死に至ることがある。

（5）**誤り**。エンテロトキシンは、食中毒の原因となる黄色ブドウ球菌が食品中で増殖するときに産生する毒素である。自然毒の一つであるフグ毒の主成分ではない。激しい吐き気、嘔吐、腹痛、下痢を伴う急激な急性胃腸炎症状を発する。

正答（3）

86 解説

（1）**誤り**。サルモネラ菌による食中毒は、**感染型食中毒**である。なお、毒素型食中毒は、食物に付着した**細菌により産生された毒素**によって起こる食中毒であるとする点は、正しい。

（2）**誤り**。黄色ブドウ球菌による食中毒は、**毒素型食中毒**である。なお、感染型食中毒は、食物に付着している**細菌そのものの感染**によって起こる食中毒であるとする点は、正しい。

（3）**正しい**。O-157は、腸管出血性大腸菌（ベロ毒素産生性大腸菌）の一種で、加熱不足の食肉などから摂取される。潜伏期間は3～5日で、腹痛や出血を伴う水様性の下痢などを起こす。

（4）**誤り**。ボツリヌス菌は、**熱に**非常に**強く**、菌が芽胞という形態になると長時間煮沸しても死滅しない。なお、缶詰、真空パック食品など酸素のない食品中で増殖するとする点は、正しい。

（5）**誤り**。ヒスタミンは、**加熱によって分解されにくい**。なお、赤身魚などに含まれるヒスチジンが細菌により分解されヒスタミンを生成するという点は、正しい。低温保存を徹底することで予防できる。

正答（3）

★
87 **感染症に関する次の記述のうち、誤っているものはどれか。**

□□

（1）人間の抵抗力が低下した場合は、通常、多くの人には影響を及ぼさない病原体が病気を発症させることがあり、これを不顕性感染という。

（2）感染が成立し、症状が現れるまでの人をキャリアといい、感染したことに気付かずに病原体をばらまく感染源になることがある。

（3）微生物を含む飛沫《まつ》の水分が蒸発して、5 μm 以下の小粒子として長時間空気中に浮遊し、空調などを通じて感染することを空気感染という。

（4）風しんは、発熱、発疹《しん》、リンパ節腫脹《ちょう》を特徴とするウイルス性発疹《しん》症で、免疫のない女性が妊娠初期に風しんにかかると、胎児に感染し出生児が先天性風しん症候群（CRS）となる危険性がある。

（5）インフルエンザウイルスにはＡ型、Ｂ型及びＣ型の三つの型があるが、流行の原因となるのは、主として、Ａ型及びＢ型である。

R4.4-20

★
88 **感染症に関する次の記述のうち、誤っているものはどれか。**

□□

（1）人間の抵抗力が低下した場合は、通常、多くの人には影響を及ぼさない病原体が病気を発症させることがあり、これを日和見感染という。

（2）感染が成立しているが、症状が現れない状態が継続することを不顕性感染という。

（3）感染が成立し、症状が現れるまでの人をキャリアといい、感染したことに気付かずに病原体をばらまく感染源になることがある。

（4）感染源の人が咳《せき》やくしゃみをして、唾液などに混じった病原体が飛散することにより感染することを空気感染といい、インフルエンザや普通感冒の代表的な感染経路である。

（5）インフルエンザウイルスにはＡ型、Ｂ型及びＣ型の三つの型があるが、流行の原因となるのは、主として、Ａ型及びＢ型である。

R5.4-19

87 解説

（1）**誤り。**不顕性感染とは、感染が成立したが、**症状が現れない状態が継続**することをいう。なお、人間の抵抗力が低下した場合は、通常、多くの人には影響を及ぼさない病原体が病気を発症させることがあり、これを日和見感染という。

（2）**正しい。感染が成立**し、**症状が現れるまでの人**をキャリア（保菌者）という。感染したことに気付かずに病原体をばらまく感染源になることがある。

（3）**正しい。**微生物を含む飛沫の水分が蒸発して、５μm以下の小粒子として長時間空気中に浮遊し、空調などを通じて感染することを空気感染という。結核などは空気感染することがある。

（4）**正しい。**風しんは、発熱、発疹、リンパ節腫脹を特徴とする**ウイルス性発疹症**である。免疫のない女性が妊娠初期に風しんにかかると、胎児に感染し出生児が先天性風しん症候群（CRS）となる危険性がある。風しんは感染力が強く、特に成人で発症すると重症化する。

（5）**正しい。**インフルエンザウイルスにはＡ型、Ｂ型およびＣ型の３つの型があるが、**流行の原因**となるのは、主として、**A型**および**B型**である。インフルエンザは、風邪に比べて発熱、頭痛、関節痛、筋肉痛などの全身症状が強い。

正答（1）

88 解説

（1）**正しい。**人間の抵抗力が低下した場合は、通常、多くの人には影響を及ぼさない病原体が病気を発症させることがあり、これを日和見感染という。

（2）**正しい。**不顕性感染とは、感染が成立しているが、**症状が現れない状態が継続**することをいう。

（3）**正しい。感染が成立**し、**症状が現れるまでの人**をキャリア（保菌者）という。感染したことに気付かずに病原体をばらまく感染源になることがある。

（4）**誤り。**微生物を含む飛沫の水分が蒸発して、**乾燥した小粒子として長時間空気中に浮遊**し、**空調などを通じて感染**することを空気感染という。なお、感染源の人が咳せきやくしゃみをして、唾液などに混じった病原体が飛散することにより感染することを飛沫感染といい、インフルエンザや普通感冒の代表的な感染経路である。

（5）**正しい。**インフルエンザウイルスにはＡ型、Ｂ型およびＣ型の３つの型があるが、**流行の原因**となるのは、主として、**A型**および**B型**である。

正答（4）

★★★
91 脳血管障害に関する次の記述のうち、誤っているものはどれか。

□□

（1）脳血管障害は、脳の血管の病変が原因で生じ、出血性病変、虚血性病変などに分類される。

（2）出血性の脳血管障害は、脳表面のくも膜下腔《くう》に出血するくも膜下出血、脳実質内に出血する脳出血などに分類される。

（3）虚血性の脳血管障害である脳梗塞は、脳血管自体の動脈硬化性病変による脳塞栓症と、心臓や動脈壁の血栓などが剥がれて脳血管を閉塞する脳血栓症に分類される。

（4）脳梗塞や脳出血では、頭痛、吐き気、手足のしびれ、麻痺《ひ》、言語障害、視覚障害などの症状が認められる。

（5）くも膜下出血の症状は、「頭が割れるような」、「ハンマーでたたかれたような」などと表現される急激で激しい頭痛が特徴である。

H27.10-16、H26.4-17、H25.10-16

91 解説

（1）**正しい。**脳血管障害は、出血性病変、虚血性病変などに分類される。

（2）**正しい。**出血性の脳血管障害は、くも膜下出血（脳表面のくも膜下腔に出血）、脳出血（脳実質内に出血）などに分類される。

（3）**誤り。**虚血性の脳血管障害である脳梗塞は、**脳血管自体の動脈硬化性病変による脳血栓症**と、**心臓や動脈壁の血栓などがはがれて脳血管を閉塞する脳塞栓症**に分類される。設問は、脳血栓症と脳塞栓症の説明が逆である。

（4）**正しい。**脳梗塞や脳出血では、頭痛、吐き気、手足のしびれ、麻痺、言語障害、視覚障害などの症状が認められる。

（5）**正しい。**くも膜下出血の症状は、急激で激しい頭痛が特徴である。

正答（3）

合格エッセンス　脳血管障害の分類

速 P.108

脳血管障害

- **虚血性**
  - **脳梗塞**
    脳の血管が狭くなる、血栓が詰まるなどが原因で、血流が悪くなり、脳の細胞が障害を受けるもの
    - **脳血栓症**
      脳の血管自体の**動脈硬化や蓄積した血栓によって脳の血管が狭くなること（動脈硬化性病変）**により生じるもの

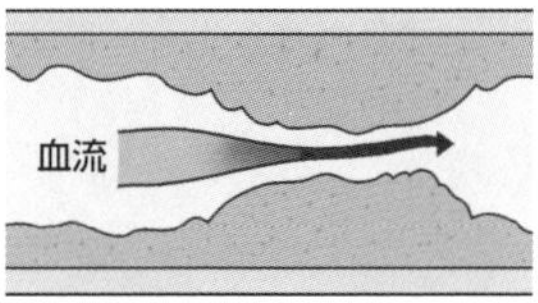

    - **脳塞栓症**
      心臓や動脈壁などからはがれ流れてきた血栓などが、脳の血管をふさぐことにより生じるもの

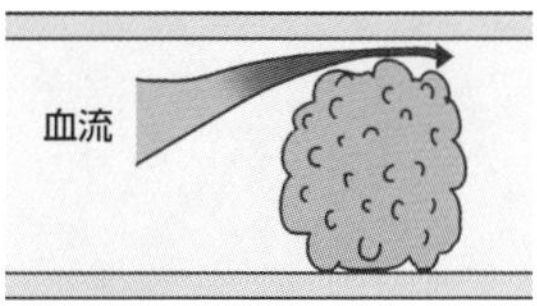

- **出血性**
  - **くも膜下出血**
    脳の表面の動脈にできたコブ（動脈瘤）などが破れ、くも膜下腔に出血したもの
  - **脳出血**
    脳実質（脳自体）の細かい血管が破れて脳実質内に出血したもの

★★★

92 **脳血管障害及び虚血性心疾患に関する次の記述のうち、誤っているものはどれか。**

□□

（1）出血性の脳血管障害は、脳表面のくも膜下腔《くう》に出血するくも膜下出血、脳実質内に出血する脳出血などに分類される。

（2）虚血性の脳血管障害である脳梗塞は、脳血管自体の動脈硬化性病変による脳塞栓症と、心臓や動脈壁の血栓が剥がれて脳血管を閉塞する脳血栓症に分類される。

（3）高血圧性脳症は、急激な血圧上昇が誘因となって、脳が腫脹《ちょう》する病気で、頭痛、悪心、嘔《おう》吐、意識障害、視力障害、けいれんなどの症状がみられる。

（4）虚血性心疾患は、心筋の一部分に可逆的な虚血が起こる狭心症と、不可逆的な心筋壊《え》死が起こる心筋梗塞とに大別される。

（5）運動負荷心電図検査は、虚血性心疾患の発見に有用である。

R5.4-17

92 解説

（1）**正しい。**出血性の脳血管障害は、**くも膜下出血**（脳表面のくも膜下腔に出血）、**脳出血**（脳実質内に出血）などに**分類**される。

（2）**誤り。**虚血性の脳血管障害である脳梗塞は、**脳血管自体の動脈硬化性病変による脳血栓症**と、**心臓、動脈壁の血栓などが剥がれて脳血管を閉塞する脳塞栓症**に分類される。

（3）**正しい。**高血圧性脳症は、急激な血圧上昇が誘因となって、脳が腫脹する病気で、頭痛、悪心、嘔吐、意識障害、視力障害、けいれん発作などの症状がみられる。

（4）**正しい。**虚血性心疾患には、**狭心症**（心筋の一部分に**可逆的虚血**が起こる）と、**心筋梗塞**（**不可逆的な心筋壊死**が起こる）などがある。

（5）**正しい。**運動負荷心電図検査（運動負荷を加えた状態で心電図の変化を見る検査）は、安静の状態で記録をした安静時心電図では診断が困難な、狭心症、虚血性心疾患などの発見に有用である。

正答（2）

6. 救急蘇生法　速 第4章 LESSON 1

★★
93 **一次救命処置に関する次の記述のうち、誤っているものはどれか。**

□□

（1）傷病者の肩を軽くたたきながら「大丈夫ですか？」と呼びかけて、反応がない場合は、その場で大声で叫んで周囲の注意を喚起し、応援を呼ぶ。

（2）反応はないが普段どおりの呼吸をしている傷病者は、回復体位をとらせて安静にして、経過を観察する。

（3）人工呼吸が可能な場合、心肺蘇《そ》生は、胸骨圧迫30回に人工呼吸２回を繰り返して行う。

（4）口対口人工呼吸は、傷病者の鼻をつまみ、１回の吹き込みに約３秒かけて傷病者の胸の盛り上がりが確認できる程度まで吹き込む。

（5）胸骨圧迫は、胸が約５cm沈む強さで、１分間に100～120回のテンポで行う。

R1.10-20

★★
94 **一次救命処置に関する次の記述のうち、誤っているものはどれか。**

□□

（1）傷病者に反応がある場合は、回復体位をとらせて安静にして、経過を観察する。

（2）一次救命処置は、できる限り単独で行うことは避ける。

（3）口対口人工呼吸は、傷病者の鼻をつまみ、１回の吹き込みに３秒以上かけて傷病者の胸の盛り上がりが見える程度まで吹き込む。

（4）胸骨圧迫は、胸が約５cm沈む強さで、１分間に100～120回のテンポで行う。

（5）AED（自動体外式除細動器）による心電図の自動解析の結果、「ショックは不要です」などのメッセージが流れた場合には、すぐに胸骨圧迫を再開し心肺蘇《そ》生を続ける。

R3.4-18、R2.4-16類、H30.4-14類

93 解説

（1）**正しい。**傷病者に反応がない場合は、大声で叫んで周囲の注意を喚起し、応援を呼ぶ。

（2）**正しい。**傷病者に**反応はない**が**普段どおりの呼吸**をしている場合は、**回復体位**をとらせて安静にして、経過を観察する。また、傷病者に**反応がある**場合は、**回復体位**をとらせて安静にして、経過を観察する。

（3）**正しい。**人工呼吸が可能な場合、**心肺蘇生**は、**胸骨圧迫 30 回に人工呼吸2回**を繰り返して行う。

（4）**誤り。**人工呼吸（口対口人工呼吸）は、１回の息の吹き込みに**約１秒**かけて、傷病者の胸の盛り上がりが見える程度で吹き込む。約３秒かけるのではない。

（5）**正しい。**胸骨圧迫は、胸が**約5cm** 沈む強さで、１分間に **100 ～ 120 回**のテンポで行う。

正答（4）

94 解説

（1）**正しい。**傷病者に**反応がある場合**は、**回復体位**をとらせて安静にして、**経過を観察**する。

回復体位

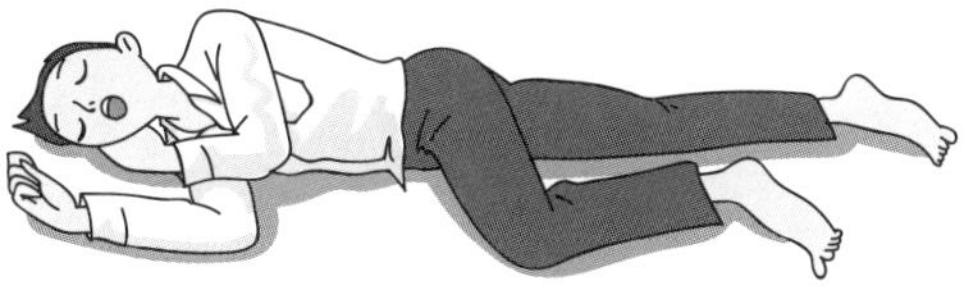

胃の内容物が逆流して気道をふさぐことなく、ひとりでに
口の外へ流れ出やすくなるよう、横向きの体位にする。

（2）**正しい。**一次救命処置は、できる限り**単独で行うことは避ける**。傷病者に反応がない場合は、大声で叫んで周囲の注意を喚起し、協力者を確保する。

（3）**誤り。**人工呼吸（口対口人工呼吸）は、１回の息の吹き込みに**約１秒**かけて、傷病者の胸の盛り上がりが見える程度で吹き込む。３秒以上かけるのではない。

（4）**正しい。**胸骨圧迫は、胸が**約5cm** 沈む強さで、１分間に **100 ～ 120 回**のテンポで行う。

（5）**正しい。**AEDを用いた場合、電気ショックを行った後や電気ショックは不要と判断されたときには、音声メッセージに従い、**胸骨圧迫を再開し心肺蘇生を続ける**。

正答（3）

7. さまざまな応急手当　速 第4章 LESSON 2

★★
95 **出血及び止血法に関する次の記述のうち、誤っているものはどれか。**

□□

（1）体内の全血液量は、体重の13分の1程度で、その約3分の1を短時間に失うと生命が危険な状態となる。

（2）動脈性出血は、鮮紅色を呈する拍動性の出血で、出血量が多いため、早急に、細いゴムひもなどを止血帯として用いて止血する。

（3）静脈性出血は、傷口からゆっくり持続的に湧き出るような出血で、通常、直接圧迫法で止血する。

（4）内出血は、胸腔、腹腔《くう》などの体腔内や皮下などの軟部組織への出血で、血液が体外に流出しないものである。

（5）間接圧迫法は、出血部位より心臓に近い部位の動脈を圧迫する方法で、それぞれの部位の止血点を指で骨に向けて強く圧迫するのがコツである。

R2.10-20

95 解説

（1）**正しい。**体内の全血液量は、**体重の 13 分の 1**（**約 8％**程度）で、その**約 3 分の 1** を短時間に失うと生命が危険な状態となる。

（2）**誤り。**動脈性出血は、鮮紅色を呈する拍動性の出血で、通常、**直接圧迫法**で止血する。なお、止血法には、直接圧迫法、間接圧迫法などがあるが、一般人が行う応急手当としては直接圧迫法が推奨されている。

（3）**正しい。静脈性出血**は、浅い切り傷のときにみられ、**傷口からゆっくり持続的に湧き出る**ような出血である。通常、直接圧迫法で止血する。

（4）**正しい。**内出血は、胸腔、腹腔などの体腔内や皮下などの軟部組織への出血で、血液が体外に流出しないものである。

（5）**正しい。**間接圧迫法は、出血部より心臓に近い部位の動脈を圧迫する方法である。止血のコツは、それぞれの部位の止血点を指で骨に向けて強く圧迫することである。

正答（2）

★★
96 出血及び止血法に関する次の記述のうち、誤っているものはどれか。

□□

（1）体内の全血液量は、体重の1/13程度で、その1/3を短時間に失うと生命が危険な状態となる。

（2）止血法には、直接圧迫法、間接圧迫法などがあるが、応急手当としては間接圧迫法が推奨されている。

（3）静脈性出血は、傷口からゆっくり持続的に湧き出るような出血で、通常、直接圧迫法で止血する。

（4）内出血は、胸腔《くう》、腹腔などの体腔内や皮下などの軟部組織への出血で、血液が体外に流出しないものである。

（5）止血を行うときは、処置者の感染防止のため、ビニール手袋を着用したりビニール袋を活用したりして、受傷者の血液に直接触れないようにする。

H27.10-20、H25.10-20

96 解説

（1）**正しい。**体内の**全血液量**は、**体重の 13 分の 1**（**約 8%**）程度で、その**約 3 分の 1** を短時間に失うと生命が危険な状態となる。

（2）**誤り。**止血法には、直接圧迫法、間接圧迫法などがあるが、応急手当としては**直接圧迫法**が推奨されている。間接圧迫法が推奨されているのではない。なお、間接圧迫法とは、出血部位より心臓に近い部位の動脈を圧迫する方法である。

（3）**正しい。静脈性出血**は、浅い切り傷のときにみられ、**傷口からゆっくり持続的に湧き出る**ような出血である。通常、直接圧迫法で止血する。

（4）**正しい。**内出血は、胸腔、腹腔などの体腔内や皮下などの軟部組織への出血で、血液が体外に流出しないものである。

（5）**正しい。**止血を行うときは、ビニール手袋を着用したりビニール袋を活用するようにする。

正答（2）

合格エッセンス 止血法

速 P.136

直接圧迫法

出血部にガーゼなどを当てて直接圧迫して止血する。

間接圧迫法

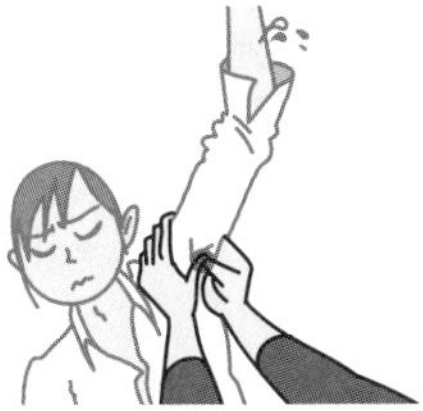

出血部よりも心臓に近い部位の動脈を指で強く圧迫して止血する。

★★
97 熱傷の救急処置などに関する次の記述のうち、誤っているものはどれか。

□□

（1）熱傷は、Ⅰ～Ⅲ度に分類され、水疱《ほう》ができる程度の熱傷は、Ⅱ度に分類される。

（2）水疱ができたときは、周囲に広がらないように水疱を破って清潔なガーゼや布で軽く覆う。

（3）熱傷面は、すぐに水をかけて十分冷やすことが応急手当のポイントであるが、熱傷の範囲が広い場合、全体を冷却し続けることは低体温となるおそれがあるので注意が必要である。

（4）衣類を脱がすときは、熱傷面に付着している衣類は残して、その周囲の部分だけを切りとる。

（5）45℃程度の熱源への長時間接触による低温熱傷は、一見、軽症にみえても熱傷深度は深く難治性の場合が多い。

H29.4-20

★★
98 熱傷の救急処置などに関する次の記述のうち、正しいものはどれか。

□□

（1）熱傷は、Ⅰ～Ⅲ度に分類され、Ⅰ度は水疱《ほう》ができる程度のもので、強い痛みと灼《しゃく》熱感を伴う。

（2）衣類を脱がすときは、熱傷面に付着している衣類は残して、その周囲の部分だけを切りとる。

（3）水疱ができたときは、周囲に広がらないように破って清潔なガーゼや布で軽く覆う。

（4）化学薬品がかかった場合は、直ちに中和剤により中和した後、水で洗浄する。

（5）高温のアスファルトやタールが皮膚に付着した場合は、水をかけて冷やしたりせず、早急に皮膚から取り除く。

H28.10-18

97 解説

（1）**正しい。**熱傷は、Ⅰ～Ⅲ度に分類され、**水疱ができる程度の熱傷**は、**Ⅱ度**に分類される。なお、Ⅰ度は最も軽症で、皮膚が赤くなり、ヒリヒリ痛みがある状態、Ⅲ度が最も重症で、皮膚は白っぽくなったり、ただれてくる状態である。

（2）**誤り。**水疱ができたときは、**水疱は破らない**。水泡は傷口を保護する効果を持っている。

（3）**正しい。**熱傷面は、すぐに水をかけて**十分冷やす**ことが応急手当のポイントである。ただし、幼少児や高齢者で熱傷範囲が広い場合、全体を冷却し続けると低体温となるおそれがあるため注意が必要である。

（4）**正しい。**衣類を脱がすときは、熱傷面に付着している衣類は残して、その周囲の取れる部分だけを切り取る。

（5）**正しい。**低温熱傷は、一見、軽症にみえても**熱傷深度は深く難治性**の場合が多い。なお、45℃程度の低温熱源への長時間（1時間程度）接触で組織が破壊される。

正答（2）

98 解説

（1）**誤り。**熱傷は、Ⅰ～Ⅲ度に分類され、**Ⅰ度**は**最も軽症**で、皮膚が赤くなり、ヒリヒリ痛みがある状態である。水疱ができる程度のもので、強い痛みと灼熱感をともなうのはⅡ度である。

（2）**正しい。**衣類を脱がすときは、熱傷面に付着している衣類は残して、その周囲の取れる部分だけを切りとる。

（3）**誤り。**水疱ができたときは、**水疱は破らない**。

（4）**誤り。**化学薬品がかかった場合は、直ちに薬品のかかった衣類を脱がせ、水で薬品を洗浄しながら冷やす。中和剤は用いない。

（5）**誤り。**高温のアスファルトやタールが皮膚に付着した場合は、無理に取り除かない。

正答（2）

合格エッセンス　熱傷の重症度

速 P.137

重症度	症　状
Ⅰ度	最も軽症で、皮膚が赤くなりヒリヒリ痛みがある状態
Ⅱ度	水疱ができる。強い痛みを伴う
Ⅲ度	傷は皮下組織まで達する。皮膚は白くなり、焦げ、痛みは感じなくなる

★★

99 熱傷の救急処置等に関する次の記述のうち、正しいものはどれか。

□□

（1）熱傷の分類では、Ⅰ度が最も重症で、皮膚は白っぽくなったり、ただれてくる。

（2）水疱《ほう》ができる程度の熱傷は、Ⅱ度に分類される。

（3）熱傷部位が広くショックに陥ったときは、寝かせて頭部を高くする体位をとらせる。

（4）着衣の上からの熱傷では、まず着衣を脱がす必要があり、着衣の一部が皮膚に付着している場合は、直ちにこれを取り除く。

（5）熱傷面は、受傷後速やかに氷水などで冷却するが、特に熱傷の範囲が広い場合には、30分以上かけて、十分に体温が低下するまで冷却する。

H26.10-18 改題

99 解説

（1）**誤り**。熱傷は、Ⅰ～Ⅲ度に分類され、**Ⅰ度**は**最も軽症**で、皮膚が赤くなり、ヒリヒリ痛みがある状態である。最も重症となるのは、Ⅲ度である。

（2）**正しい**。**水疱ができる程度**の熱傷は、**Ⅱ度**に分類される。

（3）**誤り**。熱傷部位が広くショックに陥ったときは、寝かせて、**足を高くする**体位をとらせる。頭部を高くするのではない。なお、ショックとは、急性に発生した全身性の循環器障害により、臓器や細胞の機能を維持するために必要な酸素や栄養素を供給できなくなり、結果として組織細胞が障害されるまでに至っている状態をいう。蒼白な冷たい皮膚、意識低下、冷汗、脈拍微弱、浅く速い呼吸、血圧低下といった症状がみられる。

（4）**誤り**。着衣の上からの熱傷では、無理に着衣を脱がさない。**着衣の一部が皮膚に付着している場合**は、**付着している部分は残して**、その周囲の取れる部分だけを切り取る。

（5）**誤り**。熱傷面は、速やかに**冷却**する。水道水による冷却が最もよく、痛みが消えるまで**通常10分前後行う**とよい。なお、幼少児や高齢者の広範囲熱傷では、全体を冷却し続けると低体温となるおそれがあるので注意が必要である。

正答（2）

★★
100 **骨折及びその救急処置に関する次の記述のうち、正しいものはどれか。**

□□

（1）骨にひびの入った状態を不完全骨折といい、骨が完全に折れている状態を完全骨折という。

（2）骨が１か所で折れている状態を単純骨折といい、骨が２か所以上で折れたり、砕けている部分のある状態を複雑骨折という。

（3）骨折部の固定のため副子を手や足に当てるときは、手先や足先が副子の先端から出るようにする。

（4）皮膚から突出している骨は、直ちに皮下に戻すようにする。

（5）脊髄損傷が疑われる負傷者を搬送させる必要があるときは、硬い板の上に乗せてはならない。

H30.10-18

★★
101 **骨折及びその救急処置に関する次の記述のうち、誤っているものはどれか。**

□□

（1）骨にひびの入った状態を不完全骨折といい、骨が完全に折れている状態を完全骨折という。

（2）骨が１か所で折れている状態を単純骨折といい、骨が２か所以上で折れたり、砕けている部分のある状態を複雑骨折という。

（3）骨折部が皮膚から露出した状態を開放骨折という。

（4）骨折部を副子で固定するときには、骨折した部分が変形していても、そのままの状態を保持して、直近の関節部を含めた広い範囲を固定する。

（5）脊髄損傷が疑われる傷病者を移動させる必要があるときには、硬い板などの上に載せる。

H29.10-18

100 解説

（1）**正しい。骨にひびの入った状態**を**不完全骨折**という。また、**骨が完全に折れている状態**を**完全骨折**という。

（2）**誤り。単純骨折**とは、**皮膚の下**で骨が折れているが、**皮膚に損傷がない**ものをいう。また、**複雑骨折**とは、骨折にともない皮膚、皮下組織などが損傷し、**骨折した骨が外に出ているもの**をいう。

（3）**誤り。**副子で固定するときには、**直近の関節部を含めた広い範囲を固定**する。手先や足先が副子の先端から出ないよう、十分な長さの副子を用いる。

（4）**誤り。**皮膚から突出している骨は皮下に戻さない。

（5）**誤り。**脊髄損傷が疑われる負傷者をやむを得ず搬送させる場合は、**硬い板の上にのせて搬送**する。

正答（1）

101 解説

（1）**正しい。骨にひびの入った状態**を**不完全骨折**という。また、**骨が完全に折れている状態**を**完全骨折**という。

（2）**誤り。単純骨折**とは、**皮膚の下**で骨が折れているが、**皮膚に損傷がない**ものをいう。骨が1か所で折れている状態ではない。また、**複雑骨折**とは、骨折にともない皮膚、皮下組織などが損傷し、**骨折した骨が外に出ているもの**をいう。骨が2か所以上で折れたり、砕けている部分のある状態ではない。

（3）**正しい。**骨折部が皮膚から露出した状態を**開放骨折**ともいう。複雑骨折のことである。

（4）**正しい。**骨折部を副子で固定するときには、骨折した部分が変形していても、そのままの状態を保持して固定する。また、**直近の関節部を含めた広い範囲を固定**する。

（5）**正しい。**脊髄損傷が疑われる負傷者をやむを得ず搬送させる場合は、**硬い板の上にのせて搬送**する。なお、脊髄損傷が疑われる場合は、動かさないことが原則である。

正答（2）

合格エッセンス　骨折の分類

速 P.138

単純骨折	皮膚に損傷がなく、皮膚の下で骨が折れている状態	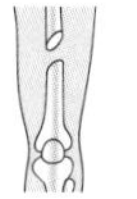
複雑骨折	骨折にともない皮膚、皮下組織などが損傷し、骨折した骨が外に出ている状態。開放骨折ともいう	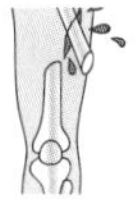

★★
102 **骨折及びその救急処置に関する次の記述のうち、正しいものはどれか。**
□□

（1）複雑骨折とは、骨が多数の骨片に破砕された状態をいう。
（2）皮膚から突出している骨は、直ちに皮下に戻すようにする。
（3）骨折が疑われる部位は、よく動かしてその程度を判断する必要がある。
（4）骨折部の固定のため副子を手や足に当てるときは、その先端が手先や足先から出ないようにする。
（5）損傷が皮膚にまで及ばない骨折のことを単純骨折という。

H28.4-17

★★
103 **骨折及びその救急処置に関する次の記述のうち、正しいものはどれか。**
□□

（1）骨にひびが入った状態は、単純骨折である。
（2）複雑骨折とは、骨が多数の骨片に破砕された状態をいう。
（3）開放骨折では、感染を防ぐため、骨折部を皮膚の下に戻してから副子で固定する。
（4）不完全骨折では、変形や骨折端どうしが擦れ合う軋轢《あつれき》音が認められる。
（5）脊髄損傷が疑われる負傷者を搬送するときには、柔らかいマットの上に乗せるようにする。

R1.10-18

102 解説

（1）**誤り。複雑骨折**とは、骨折にともない皮膚、皮下組織などが損傷し、**骨折した骨が外に出ているもの**をいう。骨が多数の骨片に破砕された状態ではない。

（2）**誤り。**皮膚から突出している骨は皮下に戻さない。

（3）**誤り。**骨折が疑われる部位は、できるだけ動かさないようにする。

（4）**誤り。**副子で固定するときには、**直近の関節部を含めた広い範囲を固定**する。手先や足先が副子の先端から出ないよう、十分な長さの副子を用いる。

（5）**正しい。皮膚の下**で骨が折れているが、**皮膚に損傷がない**ものを**単純骨折**という。

正答（5）

103 解説

（1）**正しい。単純骨折**とは、**皮膚の下**で骨が折れているが、**皮膚に損傷がない**ものをいう。骨にひびが入った状態で、皮膚に損傷がないものは単純骨折である。

（2）**誤り。複雑骨折**とは、骨折にともない皮膚、皮下組織などが損傷し、**骨折した骨が外に出ているもの**をいう。骨が多数の骨片に破砕された状態ではない。

（3）**誤り。**骨折した骨が外に出ているもの（複雑骨折）を**開放骨折**ともいう。開放骨折では、骨折部を皮膚の下に戻すことはしてはならない。なお、開放骨折（複雑骨折）では、感染がおこりやすい。

（4）**誤り。**骨折端どうしが擦れ合う軋轢《あつれき》音、変形などが認められるのは、**完全骨折**（の場合）である。不完全骨折ではない。

（5）**誤り。**脊髄損傷が疑われる負傷者をやむを得ず搬送させる場合は、**硬い板の上にのせて搬送**する。なお、脊髄損傷が疑われる場合は、動かさないことが原則である。

正答（1）

合格エッセンス　副子の当て方

速 P.139

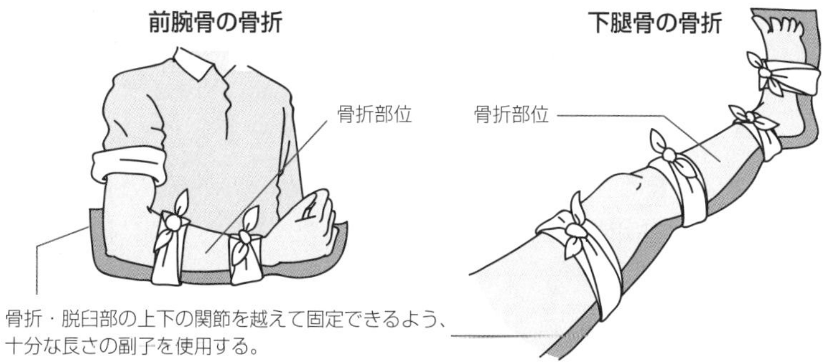

★★
104 労働衛生管理に用いられる統計に関する次の記述のうち、誤っているものはどれか。

□□

（1）生体から得られたある指標が正規分布である場合、そのバラツキの程度は、平均値及び最頻値によって表される。
（2）集団を比較する場合、調査の対象とした項目のデータの平均値が等しくても分散が異なっていれば、異なった特徴をもつ集団であると評価される。
（3）健康管理統計において、ある時点での検査における有所見者の出現割合を有所見率といい、一定期間に有所見とされた者の割合を発生率としている。
（4）ある事象と健康事象との間に、統計上、一方が多いと他方も多いというような相関関係が認められても、それらの間に因果関係がないこともある。
（5）健康診断における各検査において、スクリーニングレベルを高く設定すると偽陽性率は低くなるが、偽陰性率は高くなる。　H30.4-16

★★
105 労働衛生管理に用いられる統計に関する次の記述のうち、誤っているものはどれか。

□□

（1）生体から得られたある指標が正規分布である場合、そのばらつきの程度は、平均値及び中央値によって表される。
（2）集団を比較する場合、調査の対象とした項目のデータの平均値が等しくても分散が異なっていれば、異なった特徴をもつ集団であると評価される。
（3）健康管理統計において、ある時点での集団に関するデータを静態データといい、「有所見率」は静態データの一つである。
（4）ある事象と健康事象との間に、統計上、一方が多いと他方も多いというような相関関係が認められたとしても、それらの間に因果関係があるとは限らない。
（5）健康診断において、対象人数、受診者数などのデータを計数データといい、身長、体重などのデータを計量データという。　R5.4-16

104 解説

（1）**誤り。**生体から得られたある指標が正規分布である場合、そのバラツキの程度は、**分散**や**標準偏差**によって表される。

（2）**正しい。**集団を比較する場合、平均値が等しくても分散が異なっていれば、異なった特徴をもつ集団であると評価される。

（3）**正しい。**健康管理統計において、**ある時点**での検査における**有所見者の割合**を**有所見率**といい、**一定期間**に**有所見とされた者の割合**を**発生率**としている。なお、有所見とは、各種検査等において「基準範囲を超えたもの」を意味している。

（4）**正しい。**ある事象と健康事象との間に、相関関係（統計上、一方が増えると他方も増える現象）が認められても、それらの間に因果関係がないこともある。

（5）**正しい。**健康診断における各検査において、スクリーニングレベルを**高く**設定すると**偽陽性率**（正常〔疾病なし〕の人を陽性〔有所見〕と判定する率）**は低く**なるが、**偽陰性率**（有所見〔疾病あり〕の人を陰性〔正常〕と判定する率）**は高く**なる。なお、労働衛生管理では、種々の検査において、**偽陽性率が高く**なるように**スクリーニングレベルが低く設定**されている。再検査などを行うことで、病気の見逃しを防ぐことができるからである。

正答（1）

105 解説

（1）**誤り。**生体から得られたある指標が正規分布である場合、そのばらつきの程度は、**分散**や**標準偏差**によって表される。平均値や中央値によって表されるのではない。

（2）**正しい。**集団を比較する場合、調査の対象とした項目のデータの平均値が等しくても分散が異なっていれば、異なった特徴をもつ集団であると評価される。

（3）**正しい。**健康管理統計において、静態データとは、**ある時点**での集団に関するデータをいう。また、健康管理統計において、**ある時点**での検査における**有所見者の割合**を**有所見率**という。「有所見率」は静態データの一つである。

（4）**正しい。**ある事象と健康事象との間に、相関関係（統計上、一方が増えると他方も増える現象）が認められても、それらの間に因果関係がないこともある。

（5）**正しい。**健康診断において、対象人数、受診者数などのデータを**計数**データといい、身長、体重などのデータを**計量**データという。

正答（1）

★★

106 1,000 人を対象としたある疾病のスクリーニング検査の結果と精密検査結果によるその疾病の有無は下表のとおりであった。このスクリーニング検査の偽陽性率及び偽陰性率の近似値の組合せとして、適切なものは（1）～（5）のうちどれか。ただし、偽陽性率とは、疾病無しの者を陽性と判定する率をいい、偽陰性率とは、疾病有りの者を陰性と判定する率をいう。

□□

精密検査結果による疾病の有無	スクリーニング検査結果	
	陽性	陰性
疾病有り	30	10
疾病無し	170	790

	偽陽性率（%）	偽陰性率（%）
（1）	15.0	98.8
（2）	17.0	1.0
（3）	17.7	25.0
（4）	82.3	75.0
（5）	85.0	1.3

H30.10-13

106 解説

①**偽陽性率**とは、**疾病なしの者を陽性（有所見）と判定する率**をいう。以下のように、精密検査によって疾病なしと判定された者のうち、スクリーニング検査では陽性と判定されていた者の割合を求める。

$$\textbf{偽陽性率（\%）} = \frac{\textbf{精密検査は疾病なしと判定されたが スクリーニング検査では陽性と判定されていた者}}{\textbf{精密検査は疾病なしと判定された者}} \times 100$$

これを本問にあてはめると、

$$= \frac{170}{170 + 790} \times 100$$

$$= 17.70\cdots$$

$$\fallingdotseq 17.7$$

②**偽陰性率**とは、**疾病ありの者を陰性（正常）と判定する率**をいう。以下のように、精密検査によって疾病ありと判定された者のうち、スクリーニング検査では陰性と判定されていた者の割合を求める。

$$\textbf{偽陰性率（\%）} = \frac{\textbf{精密検査は疾病ありと判定されたが スクリーニング検査では陰性と判定されていた者}}{\textbf{精密検査は疾病ありと判定された者}} \times 100$$

これを本問にあてはめると、

$$= \frac{10}{30 + 10} \times 100$$

$$= 25.0$$

以上から、近似値の組合せとして正しいものは、偽陽性率（%）17.7、偽陰性率（%）25.0 となる。

したがって、選択肢（3）が正答となる。

正答（3）

★★
107 1,000 人を対象としたある疾病のスクリーニング検査の結果と精密検査結果によるその疾病の有無は下表のとおりであった。このスクリーニング検査の偽陽性率及び偽陰性率の近似値の組合せとして、適切なものは（1）〜（5）のうちどれか。

ただし、偽陽性率とは、疾病無しの者を陽性と判定する率をいい、偽陰性率とは、疾病有りの者を陰性と判定する率をいう。

精密検査結果による疾病の有無	スクリーニング検査結果	
	陽性	陰性
疾病有り	20	5
疾病無し	180	795

	偽陽性率（%）	偽陰性率（%）
（1）	18.5	0.5
（2）	18.5	20.0
（3）	80.0	0.5
（4）	80.0	20.0
（5）	90.0	0.6

H28.10-16

107 解説

①**偽陽性率**とは、**疾病なしの者を陽性（有所見）と判定する率**をいう。以下のように、精密検査によって疾病なしと判定された者のうち、スクリーニング検査では陽性と判定されていた者の割合を求める。

$$\text{偽陽性率（\%）} = \frac{\text{精密検査は疾病なしと判定されたが スクリーニング検査では陽性と判定されていた者}}{\text{精密検査は疾病なしと判定された者}} \times 100$$

これを本問にあてはめると、

$$= \frac{180}{180 + 795} \times 100$$

$$= 18.46\cdots$$

$$\fallingdotseq 18.5$$

②**偽陰性率**とは、**疾病ありの者を陰性（正常）と判定する率**をいう。以下のように、精密検査によって疾病ありと判定された者のうち、スクリーニング検査では陰性と判定されていた者の割合を求める。

$$\text{偽陰性率（\%）} = \frac{\text{精密検査は疾病ありと判定されたが スクリーニング検査では陰性と判定されていた者}}{\text{精密検査は疾病ありと判定された者}} \times 100$$

これを本問にあてはめると、

$$= \frac{5}{5 + 20} \times 100$$

$$= 20.0$$

以上から、近似値の組合せとして正しいものは、偽陽性率（%）18.5、偽陰性率（%）20.0となる。

したがって、選択肢（2）が正答となる。

正答（2）

★
108 □□ 在籍労働者数が 60 人の事業場において、在籍労働者の年間の延べ所定労働日数が 14,400 日、延べ実労働時間数が 101,300 時間であり、同期間の疾病休業件数が 23 件、疾病休業延べ日数が 240 日である。このときの疾病休業日数率及び病休件数年千人率の概算値の組合せとして、適切なものは次のうちどれか。

	疾病休業日数率	病休件数年千人率
（1）	0.10	227
（2）	1.67	227
（3）	1.67	383
（4）	2.37	103
（5）	2.37	383

H28.4-16

★
109 □□ 疾病休業日数率を表す次式中の □ 内に入れる A から C の語句又は数字の組合せとして、正しいものは（1）～（5）のうちどれか。

$$\text{疾病休業日数率} = \frac{\boxed{\text{A}}}{\text{在籍労働者の}\boxed{\text{B}}} \times \boxed{\text{C}}$$

	A	B	C
（1）	疾病休業延日数	延所定労働日数	100
（2）	疾病休業延日数	延所定労働日数	1,000
（3）	疾病休業件数	延所定労働日数	1,000
（4）	疾病休業延日数	延所定労働時間数	100
（5）	疾病休業件数	延所定労働時間数	1,000

H27.4-16

108 解説

①疾病休業日数率は、以下の公式から求める。

$$\text{疾病休業日数率} = \frac{\text{疾病休業延日数}}{\text{在籍労働者の延所定労働日数}} \times 100$$

これを本問にあてはめると

$$= \frac{240}{14{,}400} \times 100 = 1.666\cdots \fallingdotseq 1.67$$

②病休件数年千人率は、以下の公式から求める。

$$\text{病休件数年千人率} = \frac{\text{疾病休業件数}}{\text{在籍労働者数}} \times 1{,}000$$

これを本問にあてはめると

$$= \frac{23}{60} \times 1{,}000 = 383.3\cdots \fallingdotseq 383$$

以上から、概算値の組合せとして適切なものは、疾病休業日数率 1.67、病休件数年千人率 383 となる。

したがって、選択肢（3）が正答となる。

正答（3）

109 解説

疾病休業日数率は、以下の公式から求める。

$$\text{疾病休業日数率} = \frac{\text{疾病休業延日数}}{\text{在籍労働者の延所定労働日数}} \times 100$$

したがって、選択肢（1）が正答となる。

正答（1）

チェック！ ここが狙われる　労働衛生で使う疾病休業統計

速 P.151

$$\text{病休度数率} = \frac{\text{疾病休業件数}}{\text{在籍労働者の延実労働時間数}} \times 100\text{万}$$

$$\text{病休強度率} = \frac{\text{疾病休業延日数}}{\text{在籍労働者の延実労働時間数}} \times 1{,}000$$

$$\text{疾病休業日数率} = \frac{\text{疾病休業延日数}}{\text{在籍労働者の延所定労働日数}} \times 100$$

$$\text{病休件数年千人率} = \frac{\text{疾病休業件数}}{\text{在籍労働者数}} \times 1{,}000$$

9. 一般作業環境の改善　速 第6章 LESSON 5

★
110 □□ 厚生労働省の「事業者が講ずべき快適な職場環境の形成のための措置に関する指針」において、快適な職場環境の形成のための措置の実施に関し、考慮すべき事項とされていないものは次のうちどれか。

（1）継続的かつ計画的な取組
（2）快適な職場環境の基準値の達成
（3）労働者の意見の反映
（4）個人差への配慮
（5）潤いへの配慮

R4.10-15

★★
111 □□ 厚生労働省の「労働安全衛生マネジメントシステムに関する指針」に関する次の記述のうち、誤っているものはどれか。

（1）この指針は、労働安全衛生法の規定に基づき機械、設備、化学物質等による危険又は健康障害を防止するため事業者が講ずべき具体的な措置を定めるものではない。
（2）このシステムは、生産管理等事業実施に係る管理と一体となって運用されるものである。
（3）このシステムでは、事業者は、事業場における安全衛生水準の向上を図るための安全衛生に関する基本的考え方を示すものとして、安全衛生方針を表明し、労働者及び関係請負人その他の関係者に周知させる。
（4）このシステムでは、事業者は、安全衛生方針に基づき設定した安全衛生目標を達成するため、事業場における危険性又は有害性等の調査の結果等に基づき、一定の期間を限り、安全衛生計画を作成する。
（5）事業者は、このシステムに従って行う措置が適切に実施されているかどうかについて調査及び評価を行うため、外部の機関による監査を受けなければならない。

R4.4-17、R3.10-20

110 解説

「事業者が講ずべき快適な職場環境の形成のための措置に関する指針」において、快適な職場環境の形成のための措置の実施に関し、「快適な職場環境の基準値の達成」は考慮すべき事項とはされていない。

したがって、選択肢（2）が正答となる。

なお、「継続的かつ計画的な取組（1）」、「労働者の意見の反映（3）」、「個人差への配慮（4）」、「潤いへの配慮（5）」については、考慮すべき事項とされている。ここで、「潤いへの配慮」とは、職場が、仕事の場であるのと同時に、労働者が一定の時間を過ごしてそこで働くものであることから、生活の場としての潤いをもたせ、緊張をほぐすよう配慮することである。

正答（2）

111 解説

「労働安全衛生マネジメントシステムに関する指針」では以下のように示されている。

（1）**正しい。**この指針は、労働安全衛生法の規定に基づき機械、設備、化学物質等による危険または健康障害を防止するため事業者が講ずべき**具体的な措置を定めるものではない**。

（2）**正しい。**このシステム（労働安全衛生マネジメントシステム。以下同じ。）は、生産管理等事業実施に係る管理と一体となって運用されるものである。

（3）**正しい。**事業者は、事業場における安全衛生水準の向上を図るための安全衛生に関する基本的考え方を示すものとして、安全衛生方針を表明し、労働者および関係請負人その他の**関係者に周知**させる。

（4）**正しい。**事業者は、安全衛生方針に基づき設定した安全衛生目標を達成するため、事業場における危険性または有害性等の調査の結果等に基づき、一定の期間を限り、安全衛生計画を作成する。

（5）**誤り。事業者**は、このシステムに従って行う措置が適切に実施されているかどうかについて、安全衛生計画の期間を考慮して**自ら調査および評価を行う**。外部の機関による監査を受けなければならないと示されているのではない。

正答（5）

★★
112 □□ 厚生労働省の「情報機器作業における労働衛生管理のためのガイドライン」に基づく措置に関する次の記述のうち、適切でないものはどれか。

（1）ディスプレイとの視距離は、おおむね50cmとし、ディスプレイ画面の上端を眼の高さよりもやや下にしている。

（2）書類上及びキーボード上における照度を400ルクス程度とし、書類及びキーボード面における明るさと周辺の明るさの差はなるべく小さくしている。

（3）一連続作業時間が１時間を超えないようにし、次の連続作業までの間に５分の作業休止時間を設け、かつ、一連続作業時間内において２回の小休止を設けている。

（4）１日の情報機器作業の作業時間が４時間未満である労働者については、自覚症状を訴える者についてのみ、情報機器作業に係る定期健康診断の対象としている。

（5）情報機器作業に係る定期健康診断において、眼科学的検査と筋骨格系に関する検査のそれぞれの実施日が異なっている。

R5.10-13

112 解説

「情報機器作業における労働衛生管理のためのガイドライン」では、以下のように示されている。

（1）**適切**。下記の合格エッセンス「作業管理」参照。ディスプレイとの視距離をおおむね50cmとし、ディスプレイ画面の上端を眼の高さよりもやや下にしていることは適切である。

（2）**適切**。下記の合格エッセンス「作業環境管理」参照。また、ディスプレイ画面の明るさ、書類およびキーボード面における明るさと周辺の明るさの差はなるべく小さくすることとされている。したがって、書類上およびキーボード上における照度を400ルクス程度とし、書類およびキーボード面における明るさと周辺の明るさの差はなるべく小さくしていることは適切である。

（3）**不適切**。一連続作業時間が1時間を超えないようにし、次の連続作業までの間に**10 ～ 15分の作業休止時間**を設け、かつ、一連続作業時間内において1～2回程度の小休止を設けるようにするとされている。したがって、5分の作業休止時間では不適切である。

（4）**適切**。1日の情報機器作業の作業時間が4時間未満である労働者については、自覚症状を訴える者についてのみ、情報機器作業に係る定期健康診断の対象とされている。

（5）**適切**。下記の合格エッセンス「健康管理」参照。検査の各検査項目については、それぞれの実施日が異なっても差し支えないとされている。　**正答（3）**

合格エッセンス　「情報機器作業における労働衛生管理のためのガイドライン」に基づく措置

速 P.180、P.196

作業管理	●ディスプレイは、おおむね40cm以上の視距離が確保できるようにする ●画面の上端は、眼とほぼ同じ高さか、やや下になるようにする ●一連続作業時間が1時間を超えないようにし、次の連続作業までの間に10～15分の作業休止時間を設け、かつ、一連続作業時間内において1～2回程度の小休止を設けるようにする
作業環境管理	●ディスプレイを用いる場合の書類上およびキーボード上における照度は、300ルクス以上とする
健康管理（情報機器作業健康診断）	配置前および1年以内ごとに1回実施。なお、一般健康診断を実施する際に、併せて実施してもよい。 【検査項目】 ●既往歴および業務歴の調査 ●自覚症状の有無の調査 ●眼科学的検査（視力等） ●筋骨格系に関する検査（上肢の運動機能等）

★★ 113 □□ **厚生労働省の「情報機器作業における労働衛生管理のためのガイドライン」に関する次の記述のうち、適切でないものはどれか。**

（1）ディスプレイ画面の明るさと周辺の明るさの差をなるべく小さくしている。

（2）ディスプレイ画面の位置、前後の傾き、左右の向き等を調整してグレアを防止している。

（3）ディスプレイは、おおむね30cm以内の視距離が確保できるようにし、画面の上端を眼の高さよりもやや下になるように設置している。

（4）１日の情報機器作業の作業時間が４時間未満である労働者については、自覚症状を訴える者についてのみ、情報機器作業に係る定期健康診断の対象としている。

（5）情報機器作業に係る定期健康診断を、１年以内ごとに１回、定期に実施している。

R3.10-19 改題

★★★ 114 □□ **厚生労働省の「職場における腰痛予防対策指針」に基づく腰痛予防対策に関する次の記述のうち、正しいものはどれか。**

（1）腰部保護ベルトは、重量物取扱い作業に従事する労働者全員に使用させるようにする。

（2）重量物取扱い作業の場合、満18歳以上の男性労働者が人力のみで取り扱う物の重量は、体重のおおむね50％以下となるようにする。

（3）重量物取扱い作業に常時従事する労働者に対しては、当該作業に配置する際及びその後１年以内ごとに１回、定期に、医師による腰痛の健康診断を行う。

（4）立ち作業の場合は、身体を安定に保持するため、床面は弾力性のない硬い素材とし、クッション性のない作業靴を使用する。

（5）腰掛け作業の場合の作業姿勢は、椅子に深く腰を掛けて、背もたれで体幹を支え、履物の足裏全体が床に接する姿勢を基本とする。

R3.10-15

113 解説

「情報機器作業における労働衛生管理のためのガイドライン」では、以下のように示されている。

（1）**適切。**ディスプレイ画面の明るさ、書類およびキーボード面における明るさと周辺の明るさの差はなるべく小さくすることとされている。

（2）**適切。**ディスプレイを置く位置を工夫して、グレアが生じないようにする必要があるとされている。

（3）**不適切。**ディスプレイは、おおむね**40cm以上**の視距離が確保できるようにし、**画面の上端**が、**眼の高さとほぼ同じ高さ**か、**やや下**になる高さにすることが望ましいとされている。したがって、ディスプレイを、おおむね30cm以内の視距離が確保できるように設置していることは、適切ではない。

（4）**適切。**1日の情報機器作業の作業時間が**4時間未満**である労働者については、**自覚症状を訴える者についてのみ**、情報機器作業に係る定期健康診断の対象とされている。

（5）**適切。**情報機器作業健康診断は、**1年以内ごとに1回**、定期に行う。なお、一般健康診断を実施する際に、併せて実施してもよい。　**正答**（3）

114 解説

「職場における腰痛予防対策指針」では、以下のように規定されている。

（1）**誤り。**腰部保護ベルトについては、**一律に使用させるのではなく**、労働者ごとに効果を確認してから使用の適否を判断すること。全員に使用させるようにするのではない。

（2）**誤り。**満18歳以上の男子労働者が人力のみにより取り扱う物の重量は、体重のおおむね**40%以下**となるように努めること。50%以下ではない。

（3）**誤り。重量物取扱い作業**、介護・看護作業等**腰部に著しい負担のかかる作業に常時従事する労働者**に対しては、当該作業に配置する際およびその後**6カ月以内ごとに1回**、定期に、医師による腰痛の健康診断を実施すること。1年以内ごとに1回ではない。

（4）**誤り。**立ち作業において、床面が硬い場合は、立っているだけでも腰部への衝撃が大きいので、**クッション性のある**作業靴やマットを利用して、衝撃を緩和すること。床面は弾力性のない硬い素材とし、クッション性のない作業靴を使用するのではない。

（5）**正しい。**腰掛け作業の場合の作業姿勢は、椅子に深く腰を掛けて、背もたれで体幹を支え、履物の足裏全体が床に接する姿勢を基本とすること。**正答**（5）

★★★
115 厚生労働省の「職場における腰痛予防対策指針」に基づく、重量物取扱い作業における腰痛予防対策に関する次の記述のうち、誤っているものはどれか。

□□

（1）労働者全員に腰部保護ベルトを使用させる。

（2）取り扱う物の重量をできるだけ明示し、著しく重心の偏っている荷物は、その旨を明示する。

（3）重量物を取り扱うときは、急激な身体の移動をなくし、前屈やひねり等の不自然な姿勢はとらず、かつ、身体の重心の移動を少なくする等、できるだけ腰部に負担をかけない姿勢で行う。

（4）重量物を持ち上げるときには、できるだけ身体を対象物に近づけ、重心を低くするような姿勢をとる。

（5）重量物取扱い作業に常時従事する労働者に対しては、当該作業に配置する際及びその後６か月以内ごとに１回、定期に、医師による腰痛の健康診断を行う。

R3.4-20、R1.10-15 類

★★★
116 厚生労働省の「職場における腰痛予防対策指針」に基づく腰痛予防対策に関する次の記述のうち、正しいものはどれか。

□□

（1）作業動作、作業姿勢についての作業標準の策定は、その作業に従事する全ての労働者に一律な作業をさせることになり、個々の労働者の腰痛の発生要因の排除又は低減ができないため、腰痛の予防対策としては適切ではない。

（2）重量物取扱い作業の場合、満18歳以上の男性労働者が人力のみにより取り扱う物の重量は、体重のおおむね50%以下となるようにする。

（3）重量物取扱い作業の場合、満18歳以上の女性労働者が人力のみにより取り扱う物の重量は、男性が取り扱うことのできる重量の60%位までとする。

（4）重量物取扱い作業に常時従事する労働者に対しては、当該作業に配置する際及びその後１年以内ごとに１回、定期に、医師による腰痛の健康診断を行う。

（5）腰部保護ベルトは、重量物取扱い作業に従事する労働者全員に使用させるようにする。

R4.4-16

115 解説

「職場における腰痛予防対策指針」では、以下のように規定されている。

（1）**誤り。**腰部保護ベルトについては、**一律に使用させるのではなく**、労働者ごとに効果を確認してから使用の適否を判断すること。全員に使用させるのではない。

（2）**正しい。**取り扱う物の**重量**は、できるだけ**明示**すること。また、著しく重心の偏っている荷物は、その旨を明示すること。

（3）**正しい。**重量物を取り扱うときは、急激な身体の移動をなくし、前屈やひねり等の不自然な姿勢はとらず、かつ、身体の重心の移動を少なくする等できるだけ腰部に負担をかけない姿勢で行うこと。

（4）**正しい。**重量物を持ち上げたり、押したりする動作をするときは、できるだけ**身体を対象物に近づけ、重心を低く**するような姿勢を取ること。

（5）**正しい。**重量物取扱い作業、介護・看護作業等**腰部に著しい負担のかかる作業に常時従事する労働者**に対しては、当該作業に配置する際およびその後**6カ月以内ごとに1回**、定期に、医師による腰痛の健康診断を実施すること。

正答（1）

116 解説

「職場における腰痛予防対策指針」では、以下のように規定されている。

（1）**誤り。**腰痛の発生要因を排除又は低減できるよう、作業動作、作業姿勢、作業手順、作業時間等について、作業標準を策定することは、腰痛の予防対策として適切である。

（2）**誤り。**重量物取扱い作業の場合、満18歳以上の男子労働者が人力のみにより取り扱う物の重量は、**体重のおおむね40%以下**となるように努めること。50%以下ではない。

（3）**正しい。**重量物取扱い作業の場合、満18歳以上の女子労働者が人力のみにより取り扱う物の重量は、**男性が取り扱うことのできる重量の60%位まで**とする。

（4）**誤り。**重量物取扱い作業、介護・看護作業等腰部に著しい負担のかかる作業に常時従事する労働者に対しては、当該作業に配置する際およびその後**6カ月以内ごとに1回**、定期に、医師による腰痛の健康診断を実施すること。1年以内ごとに1回ではない、

（5）**誤り。**腰部保護ベルトについては、**一律に使用させるのではなく**、労働者ごとに効果を確認してから使用の適否を判断すること。全員に使用させるのではない。

正答（3）

11. 健康管理　速 第8章 LESSON 1

★
117 **健康診断における検査項目に関する次の記述のうち、誤っているものはどれか。**

□□

（1）ＨＤＬコレステロールは、善玉コレステロールとも呼ばれ、低値であることは動脈硬化の危険因子となる。

（2）γ-ＧＴＰは、正常な肝細胞に含まれている酵素で、肝細胞が障害を受けると血液中に流れ出し、特にアルコールの摂取で高値を示す特徴がある。

（3）ヘモグロビンＡ1cは、血液１μＬ中に含まれるヘモグロビンの数を表す値であり、貧血の有無を調べるために利用される。

（4）尿素窒素（ＢＵＮ）は、腎臓から排泄《せつ》される老廃物の一種で、腎臓の働きが低下すると尿中に排泄《せつ》されず、血液中の値が高くなる。

（5）血清トリグリセライド（中性脂肪）は、食後に値が上昇する脂質で、内臓脂肪が蓄積している者において、空腹時にも高値が持続することは動脈硬化の危険因子となる。

R5.10-14

★
118 **厚生労働省の「職場における腰痛予防対策指針」に基づき、腰部に著しい負担のかかる作業に常時従事する労働者に対して当該作業に配置する際に行う健康診断の項目として、適切でないものは次のうちどれか。**

□□

（1）既往歴及び業務歴の調査

（2）自覚症状の有無の検査

（3）負荷心電図検査

（4）神経学的検査

（5）脊柱の検査

R5.10-17

117 解説

（1）**正しい。**HDL コレステロールは、**善玉コレステロール**とも呼ばれ、**低値**であることは**動脈硬化の危険因子**となる。

（2）**正しい。**γ-GTP は、正常な肝細胞に含まれている酵素である。**肝細胞が障害**を受けると血液中に流れ出し、**高値**を示す。特にアルコールの摂取で高値を示す特徴がある。

（3）**誤り。**ヘモグロビン A1c は、過去２～３カ月の**平均的な血糖値**を示すものであり、**糖尿病**コントロールの経過を見るために利用される。

（4）**正しい。**尿素窒素（BUN）は、腎臓から排泄される老廃物の一種である。**腎臓の働きが低**下すると尿中に排泄されず、**血液中の値が高くなる**。

（5）**正しい。**血清トリグリセライド（中性脂肪）は、食後に値が上昇する脂質である。**空腹時にも高値が持続**することは**動脈硬化の危険因子**となる。

正答（3）

118 解説

「職場における腰痛予防対策指針」において「負荷心電図検査」は健康診断の項目として規定されていない。したがって、選択肢（3）が正答となる。

なお、「職場における腰痛予防対策指針」において定められている配置前の健康診断項目は次のとおりである。

- 既往歴（腰痛に関する病歴およびその経過）および業務歴の調査（1）
- 自覚症状（腰痛、下肢痛、下肢筋力減退、知覚障害等）の有無の検査（2）
- 脊柱の検査（姿勢異常、脊柱の変形等の検査）（5）
- 神経学的検査（神経伸展試験、深部腱反射等の検査）（4）
- 脊柱機能検査
- 画像診断と運動機能テスト等（医師が必要と認める者のみ実施）

正答（3）

★★★
119 □□ **厚生労働省の「労働者の心の健康の保持増進のための指針」において、心の健康づくり計画の実施に当たって推進すべきこととされている四つのメンタルヘルスケアに該当しないものは、次のうちどれか。**

（1）労働者自身がストレスや心の健康について理解し、自らのストレスの予防や対処を行うセルフケア
（2）職場の同僚がメンタルヘルス不調の労働者の早期発見、相談への対応を行うとともに管理監督者に情報提供を行う同僚によるケア
（3）管理監督者が、職場環境等の改善や労働者からの相談への対応を行うラインによるケア
（4）産業医、衛生管理者等が、心の健康づくり対策の提言や推進を行うとともに、労働者及び管理監督者に対する支援を行う事業場内産業保健スタッフ等によるケア
（5）メンタルヘルスケアに関する専門的な知識を有する事業場外の機関及び専門家を活用し支援を受ける事業場外資源によるケア

R1.10-14、H30.10-15、H29.10-15

★★★
120 □□ **厚生労働省の「労働者の心の健康の保持増進のための指針」に基づくメンタルヘルス対策に関する次のAからDの記述について、誤っているものの組合せは（1）～（5）のうちどれか。**

A　メンタルヘルスケアを中長期的視点に立って継続的かつ計画的に行うため策定する「心の健康づくり計画」は、各事業場における労働安全衛生に関する計画の中に位置付けることが望ましい。
B「心の健康づくり計画」の策定に当たっては、プライバシー保護の観点から、衛生委員会や安全衛生委員会での調査審議は避ける。
C「セルフケア」、「家族によるケア」、「ラインによるケア」及び「事業場外資源によるケア」の四つのケアを効果的に推進する。
D「セルフケア」とは、労働者自身がストレスや心の健康について理解し、自らのストレスを予防、軽減する、又はこれに対処することである。

（1）A，B　（2）A，C　（3）A，D　（4）B，C　（5）C，D

R5.4-14

119 解説

「労働者の心の健康の保持増進のための指針」において、心の健康づくり計画の実施に当たって推進すべきこととされている4つのメンタルヘルスケアは、「**セルフケア**」、「**ラインによるケア**」、「**事業場内産業保健スタッフ等によるケア**」、「**事業場外資源によるケア**」である。「同僚によるケア」は該当しない。

したがって、選択肢（2）が正答となる。

正答（2）

120 解説

A　**正しい。**メンタルヘルスケアを中長期的視点に立って継続的かつ計画的に行うため策定する「心の健康づくり計画」は、各事業場における**労働安全衛生に関する計画の中に位置付けることが望ましい**とされている。

B　**誤り。**衛生委員会または安全衛生委員会において**十分調査審議を行い**、「心の健康づくり計画」を策定・実施するとされている。

C　**誤り。**心の健康づくり計画の実施に当たって推進すべきこととされている4つのメンタルヘルスケアは、「**セルフケア**」、「**ラインによるケア**」、「**事業場内産業保健スタッフ等によるケア**」、「**事業場外資源によるケア**」である。「家族によるケア」は該当しない。

D　**正しい。**「**セルフケア**」とは、**労働者自身**がストレスや心の健康について理解し、自らのストレスを予防、軽減する、またはこれに対処することである。

したがって、選択肢（4）が正答となる。

正答（4）

★★★
121 □□ 厚生労働省の「労働者の心の健康の保持増進のための指針」に基づくメンタルヘルスケアの実施に関する次の記述のうち、適切でないものはどれか。

（1）心の健康については、客観的な測定方法が十分確立しておらず、また、心の健康問題の発生過程には個人差が大きく、そのプロセスの把握が難しいという特性がある。

（2）心の健康づくり計画の実施に当たっては、メンタルヘルス不調を早期に発見する「一次予防」、適切な措置を行う「二次予防」及びメンタルヘルス不調となった労働者の職場復帰支援を行う「三次予防」が円滑に行われるようにする必要がある。

（3）労働者の心の健康は、職場配置、人事異動、職場の組織などの要因によって影響を受けるため、メンタルヘルスケアは、人事労務管理と連携しなければ、適切に進まない場合が多いことに留意する。

（4）「セルフケア」、「ラインによるケア」、「事業場内産業保健スタッフ等によるケア」及び「事業場外資源によるケア」の四つのケアを継続的かつ計画的に行う。

（5）メンタルヘルスケアを推進するに当たって、労働者の個人情報を主治医等の医療職や家族から取得する際には、あらかじめこれらの情報を取得する目的を労働者に明らかにして承諾を得るとともに、これらの情報は労働者本人から提出を受けることが望ましい。

R2.10-14

121 解説

「労働者の心の健康の保持増進のための指針」では、以下のように規定されている。

（1）**適切**。心の健康については、**客観的な測定方法が十分確立しておらず**、その評価には労働者本人から心身の状況に関する情報を取得する必要があり、さらに、心の健康問題の発生過程には**個人差が大きく**、その**プロセスの把握が難しい**という特性がある。

（2）**不適切**。心の健康づくり計画の実施に当たっては、ストレスチェック制度の活用や職場環境等の改善を通じて、メンタルヘルス不調を**未然に防止する「一次予防」**、メンタルヘルス不調を**早期に発見**し、**適切な措置を行う「二次予防」**およびメンタルヘルス不調となった労働者の**職場復帰支援等を行う「三次予防」**が円滑に行われるようにする必要がある。メンタルヘルス不調を早期に発見するのは「二次予防」であり、一次予防ではない。

（3）**適切**。労働者の心の健康は、職場配置、人事異動、職場の組織等の人事労務管理と密接に関係する要因によって、大きな影響を受ける。メンタルヘルスケアは、人事労務管理と連携しなければ、適切に進まない場合が多いことに留意する。

（4）**適切**。「セルフケア」、「ラインによるケア」、「事業場内産業保健スタッフ等によるケア」および「事業場外資源によるケア」の4つのケアを継続的かつ計画的に実施することが基本である。

（5）**適切**。メンタルヘルスケアを推進するに当たって、**労働者の個人情報**を主治医等の医療職や家族から取得する際には、事業者は**あらかじめ**これらの情報を取得する**目的を労働者に明らかにして承諾を得る**とともに、これらの情報は**労働者本人から提出を受けることが望ましい**。

正答（2）

★★★

122 □□ **厚生労働省の「労働者の心の健康の保持増進のための指針」に基づくメンタルヘルスケアの実施に関する次の記述のうち、適切でないものはどれか。**

（1）心の健康については、客観的な測定方法が十分確立しておらず、また、心の健康問題の発生過程には個人差が大きく、そのプロセスの把握が難しいという特性がある。

（2）心の健康づくり計画の実施に当たっては、メンタルヘルス不調を早期に発見する「一次予防」、適切な措置を行う「二次予防」及びメンタルヘルス不調となった労働者の職場復帰支援を行う「三次予防」が円滑に行われるようにする必要がある。

（3）労働者の心の健康は、職場配置、人事異動、職場の組織などの要因によって影響を受けるため、メンタルヘルスケアは、人事労務管理と連携しなければ、適切に進まない場合が多いことに留意する。

（4）労働者の心の健康は、職場のストレス要因のみならず、家庭・個人生活などの職場外のストレス要因の影響を受けている場合も多いことに留意する。

（5）メンタルヘルスケアを推進するに当たって、労働者の個人情報を主治医等の医療職や家族から取得する際には、あらかじめこれらの情報を取得する目的を労働者に明らかにして承諾を得るとともに、これらの情報は労働者本人から提出を受けることが望ましい。

R3.4-14、R2.4-15

122 解説

「労働者の心の健康の保持増進のための指針」では、以下のように規定されている。

（1）**適切**。心の健康については、**客観的な測定方法が十分確立しておらず**、その評価には労働者本人から心身の状況に関する情報を取得する必要があり、さらに、心の健康問題の発生過程には**個人差が大きく**、その**プロセスの把握が難しい**という特性がある。

（2）**不適切**。心の健康づくり計画の実施に当たっては、ストレスチェック制度の活用や職場環境等の改善を通じて、メンタルヘルス不調を**未然に防止する「一次予防」**、メンタルヘルス不調を**早期に発見し、適切な措置を行う「二次予防」**およびメンタルヘルス不調となった労働者の**職場復帰支援等を行う「三次予防」**が円滑に行われるようにする必要がある。メンタルヘルス不調を早期に発見するのは「二次予防」であり、一次予防ではない。

（3）**適切**。労働者の心の健康は、職場配置、人事異動、職場の組織等の人事労務管理と密接に関係する要因によって、大きな影響を受ける。メンタルヘルスケアは、人事労務管理と連携しなければ、適切に進まない場合が多いことに留意する。

（4）**適切**。心の健康問題は、職場のストレス要因のみならず家庭・個人生活等の職場外のストレス要因の影響を受けている場合も多いことに留意する。

（5）**適切**。メンタルヘルスケアを推進するに当たって、**労働者の個人情報**を主治医等の医療職や家族から取得する際には、事業者は**あらかじめ**これらの情報を取得する**目的を労働者に明らかにして承諾を得る**とともに、これらの情報は**労働者本人から提出を受けることが望ましい**。

正答（2）

★★★
123 □□ **厚生労働省の「職場における受動喫煙防止のためのガイドライン」において、「喫煙専用室」を設置する場合に満たすべき事項として定められていないものは、次のうちどれか。**

（1）喫煙専用室の出入口において、室外から室内に流入する空気の気流が、0.2m/s 以上であること。
（2）喫煙専用室の出入口における室外から室内に流入する空気の気流について、6か月以内ごとに1回、定期に測定すること。
（3）喫煙専用室のたばこの煙が室内から室外に流出しないよう、喫煙専用室は、壁、天井等によって区画されていること。
（4）喫煙専用室のたばこの煙が屋外又は外部の場所に排気されていること。
（5）喫煙専用室の出入口の見やすい箇所に必要事項を記載した標識を掲示すること。

R5.4-15、R4.10-14 類、R4.4-14

★★★
124 □□ **厚生労働省の「職場における受動喫煙防止のためのガイドライン」に関する次のAからDの記述について、誤っているものの組合せは（1）～（5）のうちどれか。**

A　第一種施設とは、多数の者が利用する施設のうち、学校、病院、国や地方公共団体の行政機関の庁舎等をいい、「原則敷地内禁煙」とされている。
B　一般の事務所や工場は、第二種施設に含まれ、「原則屋内禁煙」とされている。
C　第二種施設においては、特定の時間を禁煙とする時間分煙が認められている。
D　たばこの煙の流出を防止するための技術的基準に適合した喫煙専用室においては、食事はしてはならないが、飲料を飲むことは認められている。

（1）A，B
（2）A，C
（3）B，C
（4）B，D
（5）C，D

R5.10-15

123 解説

（1）**定められている。**「喫煙専用室の出入口において、室外から室内に流入する空気の気流が、**0.2m/s 以上**であること」は、満たすべき事項として定められている。

（2）**定められていない。**「喫煙専用室の出入口における室外から室内に流入する空気の気流について、6か月以内ごとに1回、定期に測定すること」は、満たすべき事項として定められていない。

（3）**定められている。**「喫煙専用室のたばこの煙が室内から室外に流出しないよう、喫煙専用室は、**壁、天井等によって区画**されていること」は、満たすべき事項として定められている。

（4）**定められている。**「喫煙専用室のたばこの煙が**屋外又は外部の場所に排気**されていること」は、満たすべき事項として定められている。

（5）**定められている。**「喫煙専用室の出入口の見やすい箇所に必要事項を記載した**標識**を**掲示**すること」は、満たすべき事項として定められている。

正答（2）

124 解説

A　**正しい。**第一種施設とは、多数の者が利用する施設のうち、学校、病院、国や地方公共団体の行政機関の庁舎等をいう。第一種施設は健康増進法により「**原則敷地内禁煙**」とされている。

B　**正しい。**第二種施設とは、多数の者が利用する施設のうち、第一種施設および喫煙目的施設以外の施設（**一般の事務所や工場**、飲食店等も含まれる。）をいう。第二種施設は健康増進法により「**原則屋内禁煙**」とされている。

C　**誤り。**「職場における受動喫煙防止のためのガイドライン」では、特定の時間を禁煙とする時間分煙を認めるとする規定はない。

D　**誤り。**喫煙専用室は、専ら喫煙をする用途で使用されるものであることから、喫煙専用室内で**飲食等を行うことは認められない**とされています。

したがって、選択肢（5）が正答となる。

正答（5）

★★

125 □□ **厚生労働省の「事業場における労働者の健康保持増進のための指針」に基づく健康保持増進対策に関する次の記述のうち、適切でないものはどれか。**

（1）健康保持増進対策の推進に当たっては、事業者が労働者等の意見を聴きつつ事業場の実態に即した取組を行うため、労使、産業医、衛生管理者等で構成される衛生委員会等を活用する。

（2）健康測定の結果に基づき行う健康指導には、運動指導、メンタルヘルスケア、栄養指導、口腔《くう》保健指導、保健指導が含まれる。

（3）健康保持増進措置は、主に生活習慣上の課題を有する労働者の健康状態の改善を目指すために個々の労働者に対して実施するものと、事業場全体の健康状態の改善や健康増進に係る取組の活性化等、生活習慣上の課題の有無に関わらず労働者を集団として捉えて実施するものがある。

（4）健康保持増進に関する課題の把握や目標の設定等においては、労働者の健康状態等を客観的に把握できる数値を活用することが望ましい。

（5）健康測定とは、健康指導を行うために実施される調査、測定等のことをいい、疾病の早期発見に重点をおいた健康診断の各項目の結果を健康測定に活用することはできない。

R5.4-20

125 解説

（1）**適切。**健康保持増進対策の推進に当たっては、事業者が労働者等の意見を聴きつつ事業場の実態に即した取組を行うため、労使、産業医、衛生管理者等で構成される衛生委員会等を活用して健康保持増進方針の表明など一定の項目に取り組むとともに、各項目の内容について関係者に周知することが必要であるとされている。

（2）**適切。**労働者の健康状態の把握を踏まえ実施される労働者に対する健康指導については、運動指導、メンタルヘルスケア、栄養指導、口腔保健指導、保健指導が含まれるものとされている。なお、併せて、高年齢労働者に対しては、フレイル（健康な状態と要介護状態の中間の段階）やロコモティブシンドローム（運動器の障害で移動機能が低下すること）の予防を意識した健康づくり活動を実施することが重要であるとされている。

（3）**適切。**健康保持増進措置は、主に生活習慣上の課題を有する労働者の健康状態の改善を目指すために個々の労働者に対して実施するものと、事業場全体の健康状態の改善や健康保持増進に係る取組の活性化等、生活習慣上の課題の有無に関わらず労働者を集団として捉えて実施するものがあるとされている。

（4）**適切。**事業場における健康保持増進の問題点についての正確な把握や達成すべき目標の明確化等が可能となることから、課題の把握や目標の設定等においては、労働者の健康状態等を客観的に把握できる数値を活用することが望ましいとされている。

（5）**不適切。**健康測定とは、**健康指導を行うために実施される調査、測定**等のことをいい、**疾病の早期発見に重点をおいた健康診断を活用**しつつ、追加で生活状況調査や医学的検査等を実施するものであるとされている。なお、筋力や認知機能等の低下に伴う転倒等の労働災害を防止するため、体力の状況を客観的に把握し、自らの身体機能の維持向上に取り組めるよう、転倒等のリスクを確認する身体機能セルフチェック等の健康測定等を実施することが考えられるとされている。

正答（5）

★★
126 **メタボリックシンドローム診断基準に関する次の文中の［　　］内に入れるAからDの語句又は数値の組合せとして、正しいものは（1）～（5）のうちどれか。**

「日本人のメタボリックシンドローム診断基準で、腹部肥満（［A］脂肪の蓄積）とされるのは、腹囲が男性では［B］cm 以上、女性では［C］cm 以上の場合であり、この基準は、男女とも［A］脂肪面積が［D］cm^2 以上に相当する。」

	A	B	C	D
（1）	内臓	85	90	100
（2）	内臓	85	90	200
（3）	内臓	90	85	100
（4）	皮下	90	85	200
（5）	皮下	100	90	200

R4.4-18

★
127 **メタボリックシンドロームの診断基準に関する次の文中の［　　］内に入れるAからCの語句の組合せとして、正しいものは（1）～（5）のうちどれか。**

「日本では、内臓脂肪の蓄積があり、かつ、血中脂質（中性脂肪、ＨＤＬコレステロール）、［A］、［B］の三つのうち［C］が基準値から外れている場合にメタボリックシンドロームと診断される。」

	A	B	C
（1）	血圧	空腹時血糖	いずれか一つ
（2）	血圧	空腹時血糖	二つ以上
（3）	γ‐ＧＴＰ	空腹時血糖	二つ以上
（4）	γ‐ＧＴＰ	尿蛋《たん》白	いずれか一つ
（5）	γ‐ＧＴＰ	尿蛋《たん》白	二つ以上

R4.10-18

126 解説

「日本人のメタボリックシンドローム診断基準で、腹部肥満（ A **内臓** 脂肪の蓄積）とされるのは、腹囲が男性では B **85** cm 以上、女性では C **90** cm 以上の場合であり、この基準は、男女とも A **内臓** 脂肪面積が D **100** cm^2 以上に相当する。」

したがって、選択肢（1）が正答となる。

正答（1）

127 解説

「日本では、内臓脂肪の蓄積があり、かつ、血中脂質（中性脂肪、ＨＤＬコレステロール）、 A **血圧** 、 B **空腹時血糖** の三つのうち C **二つ以上** が基準値から外れている場合にメタボリックシンドロームと診断される。」

したがって、選択肢（2）が正答となる。

正答（2）

★
128 メタボリックシンドローム診断基準に関する次の文中の［　　］内に入れるAからCの語句又は数値の組合せとして、正しいものは（1）～（5）のうちどれか。

□□

「日本人のメタボリックシンドローム診断基準で、腹部肥満（［A］脂肪の蓄積）とされるのは、腹囲が男性では［B］cm 以上、女性では［C］cm 以上の場合である。」

	A	B	C
（1）	内臓	85	90
（2）	内臓	90	85
（3）	皮下	85	90
（4）	皮下	90	85
（5）	体	95	90

R2.10-15、R2.4-18、H30.10-20

★★
129 労働者の健康保持増進のために行う健康測定における運動機能検査の項目とその測定種目との組合せとして、誤っているものは次のうちどれか。

□□

（1）筋力 ……………… 握力
（2）柔軟性 …………… 上体起こし
（3）平衡性 …………… 閉眼（又は開眼）片足立ち
（4）敏しょう性 ……… 全身反応時間
（5）全身持久性 ……… 最大酸素摂取量

R3.4-15、R2.4-14、H31.4-20、H30.4-19

128 解説

「日本人のメタボリックシンドローム診断基準で、腹部肥満（ A **内臓** 脂肪の蓄積）とされるのは、腹囲が男性では B **85** cm 以上、女性では C **90** cm 以上の場合である。」

したがって、選択肢（1）が正答となる。

正答（1）

129 解説

運動機能検査の項目のうち、**柔軟性**を把握するために行う測定種目は、**体前屈（立位・座位）**である。上体起こしではない。

したがって、選択肢（2）が正答となる。

なお、上体起こしは、筋持久力を把握するために行う測定種目である。

正答（2）

関係法令

関係法令では、主に有害な環境や危険から労働者を守るために制定された、「労働安全衛生法」と「労働基準法」の2つの法律について出題されます。「労働安全衛生法」は職場における労働者の安全と健康を守ることを目的とし、「労働基準法」は労動者の立場を保護・強化することを目的としています。これを踏まえて学習すると理解しやすいでしょう。試験では非有害業務関連のみ10問出題されます。

★

130 □□ 労働安全衛生法の目的に関する次の文中の［　　］内に入れるAからCの語句の組合せとして、法令上、正しいものは（1）～（5）のうちどれか。

「この法律は、労働基準法と相まって、労働災害の防止のための危害防止基準の確立、［ A ］の明確化及び［ B ］の促進の措置を講ずる等その防止に関する総合的計画的な対策を推進することにより職場における労働者の安全と健康を確保するとともに、［ C ］の形成を促進することを目的とする。」

	A	B	C
（1）	責任体制	安全衛生管理	安全文化
（2）	責任体制	自主的活動	快適な職場環境
（3）	事業者責任	健康管理	快適な職場環境
（4）	管理体制	自主的活動	安全文化
（5）	管理体制	安全衛生管理	安全文化

H25.10-2

130 解説

労働安全衛生法は、労働基準法と相まって、労働災害の防止のための危害防止基準の確立、A　**責任体制** の明確化および B　**自主的活動** の促進の措置を講ずる等その防止に関する総合的計画的な対策を推進することにより職場における労働者の安全と健康を確保するとともに、C　**快適な職場環境** の形成を促進することを目的とする（安衛法第１条）。

したがって、選択肢（2）が正答となる。

正答（2）

★★★

131 常時使用する労働者数が300人で、次の業種に属する事業場のうち、法令上、総括安全衛生管理者の選任が義務付けられていない業種はどれか。

□□

（1）通信業

（2）各種商品小売業

（3）旅館業

（4）ゴルフ場業

（5）医療業

R3.10-2、R2.4-2、H31.4-2

★★★

132 総括安全衛生管理者に関する次の記述のうち、法令上、誤っているものはどれか。

□□

（1）総括安全衛生管理者は、事業場においてその事業の実施を統括管理する者又はこれに準ずる者を充てなければならない。

（2）都道府県労働局長は、労働災害を防止するため必要があると認めるときは、総括安全衛生管理者の業務の執行について事業者に勧告することができる。

（3）総括安全衛生管理者は、選任すべき事由が発生した日から14日以内に選任しなければならない。

（4）総括安全衛生管理者を選任したときは、遅滞なく、選任報告書を、所轄労働基準監督署長に提出しなければならない。

（5）危険性又は有害性等の調査及びその結果に基づき講ずる措置に関することは、総括安全衛生管理者が統括管理する業務のうちの一つである。

R4.10-2

131 解説

常時300人以上の労働者を使用する**通信業、各種商品小売業、旅館業、ゴルフ場業の事業場**では、法令上、総括安全衛生管理者の**選任**が**義務付けられている**。しかし、常時300人の労働者を使用する医療業の事業場は、法令上、総括安全衛生管理者の選任が義務付けられていない（安衛法第10条第1項、安衛令第2条）。

したがって、選択肢（5）が正答となる。

正答（5）

132 解説

（1）**誤り**。総括安全衛生管理者は、当該事業場においてその**事業の実施を統括管理する者**をもって充てなければならない（安衛法第10条第2項）。これに準ずる者を充てることはできない。

（2）**正しい**。都道府県労働局長は、労働災害を防止するため必要があると認めるときは、総括安全衛生管理者の業務の執行について事業者に**勧告**することができる（安衛法第10条第3項）。

（3）**正しい**。総括安全衛生管理者の選任は、**選任すべき事由が発生した日から14日以内**に行わなければならない（安衛法第10条第1項、安衛則第2条第1項）。

（4）**正しい**。総括安全衛生管理者を選任したときは、遅滞なく、選任報告書を、所轄労働基準監督署長に提出しなければならない（安衛法第10条第1項、安衛則第2条第2項）。

（5）**正しい**。危険性または有害性等の調査及びその結果に基づき講ずる措置に関することは、総括安全衛生管理者が統括管理する業務のうちの一つである（安衛法第10条第1項5号、安衛則第3条の2第2号）。

正答（1）

合格エッセンス 総括安全衛生管理者の選任条件

速 P.214

業種		事業場の規模（常時使用する労働者数）
第1号	林業、鉱業、建設業、運送業、清掃業	100人以上
第2号	製造業（物の加工業を含む）、各種商品卸売業、旅館業、通信業、ゴルフ場業など	300人以上
第3号	その他の業種（金融業、医療業など）	1,000人以上

★★★
133 総括安全衛生管理者又は産業医に関する次の記述のうち、法令上、誤っているものはどれか。

□□

ただし、産業医の選任の特例はないものとする。

（1）総括安全衛生管理者は、事業場においてその事業の実施を統括管理する者をもって充てなければならない。

（2）都道府県労働局長は、労働災害を防止するため必要があると認めるときは、総括安全衛生管理者の業務の執行について事業者に勧告することができる。

（3）総括安全衛生管理者が旅行、疾病、事故その他やむを得ない事由によって職務を行うことができないときは、代理者を選任しなければならない。

（4）産業医は、衛生委員会を開催した都度作成する議事概要を、毎月１回以上、事業者から提供されている場合には、作業場等の巡視の頻度を、毎月１回以上から２か月に１回以上にすることができる。

（5）事業者は、産業医から労働者の健康管理等について勧告を受けたときは、当該勧告の内容及び当該勧告を踏まえて講じた措置の内容（措置を講じない場合にあっては、その旨及びその理由）を記録し、これを３年間保存しなければならない。

R4.4-3

133 解説

（1）**正しい。**総括安全衛生管理者は、当該事業場においてその**事業の実施を統括管理する者**をもって充てなければならない（安衛法第10条第2項）。

（2）**正しい。都道府県労働局長**は、労働災害を防止するため必要があると認めるときは、総括安全衛生管理者の業務の執行について**事業者に勧告**することが**できる**（安衛法第10条第3項）。

（3）**正しい。**総括安全衛生管理者が旅行、疾病、事故その他やむを得ない事由によって職務を行なうことができないときは、**代理者**を**選任しなければならない**（安衛則第3条）。

（4）**誤り。**産業医は、**少なくとも毎月1回**作業場等を**巡視**し、作業方法または衛生状態に有害のおそれがあるときは、直ちに、労働者の健康障害を防止するため必要な措置を講じなければならない。ただし、産業医が、事業者から、**毎月1回以上、所定の情報の提供を受けている場合**であって、**事業者の同意を得ているとき**は、作業場等の巡視の頻度を**少なくとも2カ月に1回以上**とすることができる（安衛則第15条）。所定の情報とは、次の①と②である。

①**衛生管理者が行う巡視の結果**

②労働者の健康障害を防止し、または労働者の健康を保持するために必要な情報であって、衛生委員会における調査審議を経て事業者が産業医に提供することとしたもの

したがって「衛生委員会を開催した都度作成する議事概要」を提供しても巡視頻度を減らすことはできない。

（5）**正しい。**事業者は、産業医から労働者の健康管理等について勧告を受けたときは、①当該勧告の内容、②当該勧告を踏まえて講じた措置の内容（措置を講じない場合にあっては、その旨およびその理由）を記録し、これを**3年間保存**しなければならない（安衛則第14条の3第2項）。

正答（4）

★★★
134 **衛生管理者又は衛生推進者の選任について、法令に違反しているものは次のうちどれか。**
□□
ただし、衛生管理者の選任の特例はないものとする。

（1）常時 40 人の労働者を使用する金融業の事業場において、衛生管理者は選任していないが、衛生推進者を１人選任している。
（2）常時 100 人の労働者を使用する清掃業の事業場において、第二種衛生管理者免許を有する者のうちから衛生管理者を１人選任している。
（3）常時 200 人の労働者を使用する医療業の事業場において、衛生工学衛生管理者免許を有する者のうちから衛生管理者を１人選任している。
（4）常時 300 人の労働者を使用する各種商品卸売業の事業場において、第一種衛生管理者免許を有する者のうちから衛生管理者を２人選任している。
（5）常時 500 人の労働者を使用する製造業の事業場において、事業場に専属であって労働衛生コンサルタントの資格を有する者のうちから衛生管理者を２人選任している。

H30.10-1

134 解説

（1）**違反していない。常時 50 人以上**の労働者を使用する事業場の事業者は、衛生管理者を選任しなければならない（安衛法第 12 条第 1 項、安衛令第 4 条）。したがって、常時 40 人の労働者を使用する事業場において、衛生管理者は選任しなくてよい。また、常時 10 人以上 50 人未満の労働者を使用する事業場の事業者は、衛生推進者を選任しなければならない（安衛法第 12 条の 2、安衛則第 12 条の 2）。したがって、設問は法令に違反していない。

（2）**違反している。清掃業**の事業場においては、**第一種衛生管理者**免許または**衛生工学衛生管理者**免許を有する者などから衛生管理者を選任しなければならない（安衛則第 7 条第 1 項第 3 号）。したがって、設問において、第二種衛生管理者免許を有する者のうちから衛生管理者を選任している点で、法令に違反している。なお、衛生管理者の選任数に違反はない（安衛法第 12 条第 1 項、安衛則第 7 条第 1 項第 4 号）。

（3）**違反していない。常時**使用する労働者数が **50 人以上 200 人以下**の事業場では、衛生管理者を **1 人以上選任**しなければならない（安衛法第 12 条第 1 項、安衛則第 7 条第 1 項第 4 号）。また、**医療業**の事業場においては、**第一種衛生管理者**免許または**衛生工学衛生管理者**免許を有する者などから衛生管理者を選任しなければならない（安衛則第 7 条第 1 項第 3 号）。したがって、設問は法令に違反していない。

（4）**違反していない。常時**使用する労働者数が **200 人を超え 500 人以下**の事業場では、衛生管理者を **2 人以上選任**しなければならない（安衛法第 12 条第 1 項、安衛則第 7 条第 1 項第 4 号）。また、**各種商品卸売業**の事業場においては、**第一種衛生管理者**免許、**第二種衛生管理者**免許または**衛生工学衛生管理者**免許を有する者などから衛生管理者を選任しなければならない（安衛則第 7 条第 1 項第 3 号）。したがって、設問は法令に違反していない。

（5）**違反していない。常時**使用する労働者数が **200 人を超え 500 人以下**の事業場では、衛生管理者を **2 人以上選任**しなければならない（安衛法第 12 条第 1 項、安衛則第 7 条第 1 項第 4 号）。また、**2 人以上の衛生管理者を選任する場合**において、**衛生管理者の中に労働衛生コンサルタントがいるときは、1 人のみ専属でない労働衛生コンサルタントから選任**することが**できる**（安衛法第 12 条第 1 項、安衛則第 7 条第 1 項第 2 号）。設問では、事業場に専属であって、労働衛生コンサルタントの資格を有する者のうちから衛生管理者を 2 人選任しているため、法令に違反していない。

正答（2）

★★★
135 衛生管理者又は衛生推進者の選任について、法令に違反しているものは次のうちどれか。

□□

ただし、衛生管理者の選任の特例はないものとする。

（1）常時 40 人の労働者を使用する金融業の事業場において、衛生管理者は選任していないが、衛生推進者を１人選任している。

（2）常時 200 人の労働者を使用する医療業の事業場において、衛生工学衛生管理者免許を有する者のうちから衛生管理者を１人選任している。

（3）常時 300 人の労働者を使用する運送業の事業場において、第二種衛生管理者免許を有する者のうちから衛生管理者を２人選任している。

（4）常時 600 人の労働者を使用する各種商品小売業の事業場において、３人の衛生管理者のうち２人を事業場に専属で第一種衛生管理者免許を有する者のうちから選任し、他の１人を事業場に専属でない労働衛生コンサルタントから選任している。

（5）常時 1,200 人の労働者を使用する各種商品卸売業の事業場において、第二種衛生管理者免許を有する者のうちから衛生管理者を４人選任し、そのうち１人を専任の衛生管理者としているが、他の３人には他の業務を兼務させている。

H30.4-1

135 解説

（1）**違反していない。**常時40人の労働者を使用する事業場において、衛生管理者は選任しなくてよい（安衛法第12条第1項、安衛令第4条）。また、常時10人以上50人未満の労働者を使用する事業場の事業者は、衛生推進者を選任しなければならない（安衛法第12条の2、安衛則第12条の2）。したがって、設問は法令に違反していない。

（2）**違反していない。常時**使用する労働者数が**50人以上200人以下**の事業場では、衛生管理者を**1人以上選任**しなければならない（安衛法第12条第1項、安衛則第7条第1項第4号）。また、**医療業**の事業場においては、**第一種衛生管理者**免許または**衛生工学衛生管理者**免許を有する者などから衛生管理者を選任しなければならない（安衛則第7条第1項第3号）。したがって、設問は法令に違反していない。

（3）**違反している。運送業**の事業場においては、**第一種衛生管理者**免許または**衛生工学衛生管理者**免許を有する者などから衛生管理者を選任しなければならない（安衛則第7条第1項第3号）。したがって、設問において、第二種衛生管理者免許を有する者のうちから衛生管理者を選任している点で、法令に違反している。なお、衛生管理者の選任数に違反はない（安衛法第12条第1項、安衛則第7条第1項第4号）。

（4）**違反していない。常時**使用する労働者数が**500人を超え1,000人以下**の事業場では、衛生管理者を**3人以上選任**しなければならない（安衛法第12条第1項、安衛則第7条第1項第4号）。また、**2人以上の衛生管理者を選任する場合**において、**衛生管理者の中に労働衛生コンサルタントがいるとき**は、**1人のみ専属でない労働衛生コンサルタントから選任**することが**できる**（安衛法第12条第1項、安衛則第7条第1項第2号）。したがって、設問は法令に違反していない。

（5）**違反していない。常時**使用する労働者数が**1,000人を超え2,000人以下**の事業場では、衛生管理者を**4人以上選任**しなければならない（安衛法第12条第1項、安衛則第7条第1項第4号）。また、**常時1,000人を超える**労働者を使用する事業場にあっては、衛生管理者のうち少なくとも1人を**専任の衛生管理者**としなければならない（安衛法第12条第1項、安衛則第7条第1項第5号）。また、**各種商品卸売業**の事業場においては、**第一種衛生管理者**免許、**第二種衛生管理者**免許または**衛生工学衛生管理者**免許を有する者などから衛生管理者を選任しなければならない（安衛則第7条第1項第3号）。したがって、設問は法令に違反していない。

正答（3）

関係法令

★★★
136 衛生管理者の選任について、法令上、正しいものは次のうちどれか。

□□ ただし、衛生管理者の選任の特例はないものとする。

（1）衛生管理者は、選任すべき事由が発生してから30日以内に選任しなければならない。

（2）常時使用する労働者数が60人の旅館業の事業場では、第二種衛生管理者免許を有する者のうちから衛生管理者を選任することができる。

（3）常時使用する労働者数が1,000人を超え2,000人以下の事業場では、少なくとも3人の衛生管理者を選任しなければならない。

（4）常時使用する労働者数が3,000人を超える事業場では、6人の衛生管理者のうち2人まで、事業場に専属でない労働衛生コンサルタントのうちから選任することができる。

（5）常時使用する労働者数が2,000人以上の事業場では、専任の衛生管理者を2人以上選任しなければならない。

R1.10-1、H29.10-1、H27.10-1、H25.4-1

136 解説

（1）**誤り。**衛生管理者は、**選任すべき事由が発生した日から 14 日以内**に選任しなければならない（安衛法第 12 条第 1 項、安衛則第 7 条第 1 項第 1 号）。30 日以内ではない。

（2）**正しい。旅館業**の事業場においては、**第一種衛生管理者**免許、**第二種衛生管理者**免許または**衛生工学衛生管理者**免許を有する者などから衛生管理者を選任しなければならない（安衛則第 7 条第 1 項第 3 号）。

（3）**誤り。常時**使用する労働者数が **1,000 人を超え 2,000 人以下**の事業場では、衛生管理者を**4人以上選任**しなければならない（安衛法第 12 条第 1 項、安衛則第 7 条第 1 項第 4 号）。3 人ではない。

（4）**誤り。常時**使用する労働者数が **3,000 人を超える**事業場では、衛生管理者を**6人以上選任**しなければならない（安衛法第 12 条第 1 項、安衛則第 7 条第 1 項第 4 号）。また、**2人以上の衛生管理者を選任する場合**において、**衛生管理者の中に労働衛生コンサルタントがいるとき**は、**1人のみ専属でない労働衛生コンサルタントから選任**することが**できる**（安衛法第 12 条第 1 項、安衛則第 7 条第 1 項第 2 号）。2 人まで事業場に専属でない労働衛生コンサルタントのうちから選任することができるのではない。

（5）**誤り。**常時 1,000 人を超える労働者を使用する事業場にあっては、衛生管理者のうち少なくとも 1 人を**専任の衛生管理者**としなければならない（安衛法第 12 条第 1 項、安衛則第 7 条第 1 項第 5 号）。設問の常時使用する労働者数が 2,000 人以上の事業場においても、専任の衛生管理者は 1 人以上選任すればよい。2 人以上選任しなければならないのではない。

正答（2）

合格エッセンス　衛生管理者の選任

速 P.215

事業場の規模（常時使用する労働者数）	衛生管理者数
50 人以上　200 人以下	1人以上
200 人超　500 人以下	2人以上
500 人超　1,000 人以下	3人以上
1,000 人超　2,000 人以下	4人以上
2,000 人超　3,000 人以下	5人以上
3,000 人超	6人以上

★★★

137 □□

衛生管理者又は衛生推進者の選任について、法令に違反しているものは次のうちどれか。

ただし、衛生管理者の選任の特例はないものとする。

（1）常時 200 人の労働者を使用する医療業の事業場において、衛生工学衛生管理者免許を受けた者のうちから衛生管理者を 1 人選任している。

（2）常時 200 人の労働者を使用する旅館業の事業場において、第二種衛生管理者免許を有する者のうちから衛生管理者を 1 人選任している。

（3）常時 60 人の労働者を使用する電気業の事業場において、第二種衛生管理者免許を有する者のうちから衛生管理者を 1 人選任している。

（4）常時 600 人の労働者を使用する各種商品小売業の事業場において、3 人の衛生管理者のうち 2 人を事業場に専属で第一種衛生管理者免許を有する者のうちから選任し、他の 1 人を事業場に専属でない労働衛生コンサルタントから選任している。

（5）常時 1,200 人の労働者を使用する各種商品卸売業の事業場において、第二種衛生管理者免許を有する者のうちから、衛生管理者を 4 人選任し、そのうち 1 人を専任の衛生管理者としているが、他の 3 人には他の業務を兼務させている。

R5.4-1

137 解説

（1）**違反していない。常時**使用する労働者数が**50人以上200人以下**の事業場では、衛生管理者を**1人以上**選任しなければならない（安衛法第12条第1項、安衛則第7条第1項第4号）。また、**医療業**の事業場においては、**第一種衛生管理者免許**または**衛生工学衛生管理者**免許を有する者などから衛生管理者を選任しなければならない（安衛則第7条第1項第3号）。したがって、設問は法令に違反していない。

（2）**違反していない。常時**使用する労働者数が**50人以上200人以下**の事業場では、衛生管理者を**1人以上**選任しなければならない（安衛法第12条第1項、安衛則第7条第1項第4号）。また、旅館業の事業場においては、第一種衛生管理者免許、**第二種衛生管理者**免許または衛生工学衛生管理者免許を有する者などから衛生管理者を選任しなければならない（安衛則第7条第1項第3号）。したがって、設問は法令に違反していない。

（3）**違反している。電気業**の事業場においては、**第一種衛生管理者免許**または**衛生工学衛生管理者**免許を有する者などから衛生管理者を選任しなければならない（安衛則第7条第1項第3号）。したがって、第二種衛生管理者免許を有する者を選任している設問のケースは法令に違反している。なお、衛生管理者の選任数については、違反していない。

（4）**違反していない。常時**使用する労働者数が**500人を超え1,000人以下**の事業場では、衛生管理者を**3人以上**選任しなければならない（安衛法第12条第1項、安衛則第7条第1項第4号）。また、**2人以上の衛生管理者を選任する場合**において、衛生管理者の中に**労働衛生コンサルタントがいるとき**は、**1人のみ専属でない労働衛生コンサルタントから選任**することが**できる**（安衛法第12条第1項、安衛則第7条第1項第2号）。したがって、設問は法令に違反していない。

（5）**違反していない。常時**使用する労働者数が**1,000人を超え2,000人以下**の事業場では、衛生管理者を**4人以上**選任しなければならない（安衛法第12条第1項、安衛則第7条第1項第4号）。そして、**常時1,000人**を超える労働者を使用する事業場にあっては、衛生管理者のうち**少なくとも1人を専任**の衛生管理者としなければならない（安衛法第12条第1項、安衛則第7条第1項第5号）。また、各種商品卸売業の事業場においては、**第一種衛生管理者**免許、**第二種衛生管理者**免許または**衛生工学衛生管理者**免許を有する者などから衛生管理者を選任しなければならない（安衛則第7条第1項第3号）。したがって、設問は法令に違反していない。

正答（3）

★★★
138 事業場の衛生管理体制に関する次の記述のうち、法令上、正しいものはどれか。
□□ ただし、衛生管理者及び産業医の選任の特例はないものとする。

（1）衛生管理者を選任したときは、遅滞なく、所定の様式による報告書を、所轄労働基準監督署長に提出しなければならない。

（2）常時2,000人を超え3,000人以下の労働者を使用する事業場では、４人の衛生管理者を選任しなければならない。

（3）常時50人以上の労働者を使用する警備業の事業場では、第二種衛生管理者免許を有する者のうちから衛生管理者を選任することができない。

（4）常時800人以上の労働者を使用する事業場では、その事業場に専属の産業医を選任しなければならない。

（5）常時300人を超え500人未満の労働者を使用し、そのうち、深夜業を含む業務に常時100人以上の労働者を従事させる事業場では、衛生工学衛生管理者の免許を受けた者のうちから衛生管理者を選任しなければならない。

R3.10-1、R2.10-1、R2.4-1

138 解説

（1）**正しい**。衛生管理者を選任したときは、遅滞なく、所定の様式による**報告書**を、所轄労働基準監督署長（当該事業場の所在地を管轄する労働基準監督署長）に**提出しなければならない**（安衛法第10条第1項、安衛則第2条第2項）。

（2）**誤り**。**常時**使用する労働者数が**2,000人を超え3,000人以下**の事業場では、衛生管理者を**5人以上**選任しなければならない（安衛法第12条第1項、安衛則第7条第1項第4号）。4人の衛生管理者を選任しなければならないのではない。

（3）**誤り**。**警備業の事業場**においては、**第一種衛生管理者**免許、**第二種衛生管理者**免許または**衛生工学衛生管理者**免許を有する者などから衛生管理者を選任しなければならない（安衛則第7条第1項第3号）。第二種衛生管理者免許を有する者のうちから衛生管理者を選任することもできる。

（4）**誤り**。常時1,000人以上の労働者を使用する事業場または深夜業を含む有害業務に常時500人以上の労働者を従事させる事業場においては、専属の産業医を選任しなければならない（安衛法第13条第1項、安衛則第13条第1項第3号）。したがって、常時800人以上の労働者を使用する事業場では、必ずしもその事業場に専属の産業医を選任しなければならないのではない。

（5）**誤り**。常時500人を超える労働者を使用する事業場で、坑内労働または有害業務（労基則第18条に掲げる一部の業務）に常時30人以上の労働者を従事させる場合は、衛生管理者のうち1人を**衛生工学衛生管理者免許**を受けた者のうちから選任しなければならない（安衛法第12条第1項、安衛則第7条第1項第6号）。もっとも、深夜業を含む業務はこの有害業務に該当しない。したがって、設問では、衛生工学衛生管理者免許を受けた者のうちから衛生管理者を選任する必要はない。

正答（1）

関係法令

★★★
139 事業場の衛生管理体制に関する次の記述のうち、法令上、誤っているものはどれか。

□□

ただし、衛生管理者の選任の特例はないものとする。

（1）常時 200 人以上の労働者を使用する各種商品小売業の事業場では、総括安全衛生管理者を選任しなければならない。

（2）常時 1,000 人を超え 2,000 人以下の労働者を使用する事業場では、4 人以上の衛生管理者を選任しなければならない。

（3）常時 50 人以上の労働者を使用する燃料小売業の事業場では、第二種衛生管理者免許を受けた者のうちから衛生管理者を選任することができる。

（4）2 人以上の衛生管理者を選任する場合、そのうち 1 人についてはその事業場に専属でない労働衛生コンサルタントのうちから選任することができる。

（5）衛生管理者を選任したときは、遅滞なく、法定の様式による報告書を、所轄労働基準監督署長に提出しなければならない。

R4.10-1

139 解説

（1）**誤り。常時 300 人以上**の労働者を使用する**各種商品小売業**の事業場では、総括安全衛生管理者を選任しなければならない（安衛法第 10 条第 1 項、安衛令第 2 条）。したがって、常時 200 人以上の労働者を使用する各種商品小売業の事業場では、総括安全衛生管理者を選任する必要はない。

（2）**正しい。常時**使用する労働者数が **1,000 人を超え 2,000 人以下**の事業場では、衛生管理者を **4 人以上**選任しなければならない（安衛法第 12 条第 1 項、安衛則第 7 条第 1 項第 4 号）。

（3）**正しい。**燃料小売業の事業場においては、第一種衛生管理者免許、第二種衛生管理者免許または衛生工学衛生管理者免許を有する者などから衛生管理者を選任しなければならない（安衛則第 7 条第 1 項第 3 号ロ）。したがって、第二種衛生管理者免許を有する者のうちから衛生管理者を選任することができる。

（4）**正しい。2 人以上の衛生管理者を選任する場合**において、衛生管理者の中に**労働衛生コンサルタントがいるとき**は、**1 人のみ専属でない労働衛生コンサルタントから選任**することが**できる**（安衛法第 12 条第 1 項、安衛則第 7 条第 1 項第 2 号）。

（5）**正しい。**衛生管理者を選任したときは、遅滞なく、所定の様式による**報告書**を、所轄労働基準監督署長（当該事業場の所在地を管轄する労働基準監督署長）に**提出しなければならない**（安衛法第 10 条第 1 項、安衛則第 2 条第 2 項）。

正答（1）

合格エッセンス　業種の区分に応じた衛生管理者

速 P.216

試験によく出る業種	資　格
① **運送業**、**医療業**、**清掃業**、**製造業**など	**第一種衛生管理者**免許 **衛生工学衛生管理者**免許 医師または歯科医師 労働衛生コンサルタントなど
② ①以外の業務 （例　各種商品小売業、金融業、**旅館業**など）	第一種衛生管理者免許 **第二種衛生管理者**免許 衛生工学衛生管理者免許 医師または歯科医師 労働衛生コンサルタントなど

★★★

140 □□

事業場の衛生管理体制に関する次の記述のうち、法令上、誤っているものはどれか。

ただし、衛生管理者の選任の特例はないものとする。

（1）常時300人以上の労働者を使用する各種商品小売業の事業場では、総括安全衛生管理者を選任しなければならない。

（2）常時50人以上の労働者を使用する通信業の事業場では、第二種衛生管理者免許を受けた者のうちから衛生管理者を選任することができる。

（3）常時50人以上の労働者を使用する運送業の事業場では、第二種衛生管理者免許を受けた者のうちから衛生管理者を選任することができる。

（4）常時50人以上の労働者を使用するゴルフ場業の事業場では、第二種衛生管理者免許を有する者のうちから衛生管理者を選任することができる。

（5）常時50人以上の労働者を使用する旅館業の事業場では、第二種衛生管理者免許を有する者のうちから衛生管理者を選任することができる。

R5.10-1

140 解説

（1）**正しい。常時 300 人以上**の労働者を使用する**各種商品小売業**の事業場では、**総括安全衛生管理者**を**選任**しなければならない（安衛法第 10 条第 1 項、安衛令第 2 条）。

（2）**正しい。**通信業の事業場においては、第一種衛生管理者免許、第二種衛生管理者免許または衛生工学衛生管理者免許を有する者などから衛生管理者を選任しなければならない（安衛則第 7 条第 1 項第 3 号ロ）

（3）**誤り。運送業**の事業場においては、**第一種衛生管理者**免許または**衛生工学衛生管理者**免許を有する者などから衛生管理者を選任しなければならない（安衛則第 7 条第 1 項第 3 号イ）。したがって、第二種衛生管理者免許を有する者のうちから衛生管理者を選任することはできない。

（4）**正しい。**ゴルフ場業の事業場においては、第一種衛生管理者免許、第二種衛生管理者免許または衛生工学衛生管理者免許を有する者などから衛生管理者を選任しなければならない（安衛則第 7 条第 1 項第 3 号ロ）

（5）**正しい。旅館業**の事業場においては、第一種衛生管理者免許、第二種衛生管理者免許または衛生工学衛生管理者免許を有する者などから衛生管理者を選任しなければならない（安衛則第 7 条第 1 項第 3 号ロ）

正答（3）

★★★
141 事業者が衛生管理者に管理させるべき業務として、法令上、誤っているものは次のうちどれか。
□□
ただし、次のそれぞれの業務のうち衛生に係る技術的事項に限るものとする。

（1）安全衛生に関する方針の表明に関すること。
（2）事業者に対して行う労働者の健康管理等についての必要な勧告に関すること。
（3）安全衛生に関する計画の作成、実施、評価及び改善に関すること。
（4）労働災害の原因の調査及び再発防止対策に関すること。
（5）健康診断の実施その他健康の保持増進のための措置に関すること。

R2.10-2 類、R1.10-2、H30.10-2

★★★
142 事業者が衛生管理者に行わせるべき業務として、法令上、誤っているものは次のうちどれか。
□□

（1）安全衛生に関する方針の表明に関する業務のうち、衛生に係る技術的事項を管理すること。
（2）健康診断の実施その他健康の保持増進のための措置に関する業務のうち、衛生に係る技術的事項を管理すること。
（3）労働者の安全又は衛生のための教育の実施に関する業務のうち、衛生に係る技術的事項を管理すること。
（4）労働災害の原因の調査及び再発防止対策に関する業務のうち、衛生に係る技術的事項を管理すること。
（5）労働者の健康を確保するため必要があると認めるとき、事業者に対し、労働者の健康管理等について必要な勧告をすること。

H30.4-2、H29.10-2

141 解説

事業者は、衛生管理者を選任し、その者に次の業務のうち衛生に係る技術的事項を管理させなければならない（安衛法第12条第1項・第10条第1項、安衛則第3条の2）。

① 労働者の危険または健康障害を防止するための措置に関すること。
② 労働者の安全または衛生のための教育の実施に関すること。
③ **健康診断の実施その他健康の保持増進のための措置に関すること。**（5）
④ **労働災害の原因の調査および再発防止対策に関すること。**（4）
⑤ ①～④のほか、労働災害を防止するため必要な業務で、以下のもの。
i）**安全衛生に関する方針の表明に関すること。**（1）
ii）危険性または有害性等の調査およびその結果に基づき講ずる措置に関すること。
iii）**安全衛生に関する計画の作成、実施、評価および改善に関すること。**（3）

「事業者に対して行う労働者の健康管理等についての必要な勧告に関すること」は、事業者が衛生管理者に行わせるべき業務として、法令上、定められていない。

したがって、選択肢（2）が正答となる。

なお、法令上、産業医の職務として「事業者に対し、労働者の健康管理等について必要な勧告をすることができる」と定められている（安衛法第13条第5項）。

正答（2）

142 解説

事業者が衛生管理者に行わせるべき業務は、問141の解説で述べたとおりである。

「事業者に対して行う労働者の健康管理等についての必要な勧告に関すること」は、事業者が衛生管理者に行わせるべき業務として、法令上、定められていない。

したがって、選択肢（5）が正答となる。

正答（5）

★★★

143 事業者が衛生管理者に管理させるべき業務として、法令上、誤っているものは次のうちどれか。

□□

ただし、次のそれぞれの業務のうち衛生に係る技術的事項に限るものとする。

（1）衛生推進者の指揮に関すること。

（2）安全衛生に関する方針の表明に関すること。

（3）安全衛生に関する計画の作成、実施、評価及び改善に関すること。

（4）労働者の衛生のための教育の実施に関すること。

（5）労働災害の原因の調査及び再発防止対策に関すること。

H29.4-2

★★★

144 衛生管理者の職務に関する次の文中の［　　］内に入れるAからCの語句の組合せとして、法令上、正しいものは（1）～（5）のうちどれか。

□□

「常時50人以上の労働者を使用する事業場の事業者は、衛生管理者を選任し、その者に［ A ］が統括管理すべき業務のうち、衛生に係る技術的事項を管理させなければならない。衛生管理者は、少なくとも［ B ］作業場等を巡視し、設備、作業方法又は［ C ］に有害のおそれがあるときは、直ちに、労働者の健康障害を防止するため必要な措置を講じなければならない。」

	A	B	C
（1）	総括安全衛生管理者	毎週1回	衛生状態
（2）	総括安全衛生管理者	毎月1回	作業環境
（3）	総括安全衛生責任者	毎週1回	作業条件
（4）	産業医	毎週1回	作業環境
（5）	産業医	毎月1回	衛生状態

H28.10-2

143 解説

事業者は、衛生管理者を選任し、その者に次の業務のうち衛生に係る技術的事項を管理させなければならない（安衛法第12条第1項・第10条第1項、安衛則第3条の2）。

① 労働者の危険または健康障害を防止するための措置に関すること。
② **労働者の安全または衛生のための教育の実施に関すること。**（4）
③ 健康診断の実施その他健康の保持増進のための措置に関すること。
④ **労働災害の原因の調査および再発防止対策に関すること。**（5）
⑤ ①～④のほか、労働災害を防止するため必要な業務で、以下のもの。
　ⅰ）**安全衛生に関する方針の表明に関すること。**（2）
　ⅱ）危険性または有害性等の調査およびその結果に基づき講ずる措置に関すること。
　ⅲ）**安全衛生に関する計画の作成、実施、評価および改善に関すること。**（3）

「衛生推進者の指揮に関すること」は、事業者が衛生管理者に行わせるべき業務として、法令上、定められていない。

したがって、選択肢（1）が正答となる。

正答（1）

144 解説

常時50人以上の労働者を使用する事業場の事業者は、衛生管理者を選任し、その者に A **総括安全衛生管理者** が統括管理すべき業務のうち、衛生にかかわる技術的事項を管理させなければならない（安衛法第12条第1項、安衛令第4条）。衛生管理者は、少なくとも B **毎週1回** 作業場等を巡視し、設備、作業方法または C **衛生状態** に有害のおそれがあるときは、ただちに、労働者の健康障害を防止するため必要な措置を講じなければならない（安衛則第11条第1項）。

したがって、選択肢（1）が正答となる。

正答（1）

★★★
145 **衛生管理者に関する次の記述のうち、法令上、誤っているものはどれか。**

□□

（1）事業者は、衛生管理者に、労働者の危険又は健康障害を防止するための措置に関すること等の業務のうち衛生に係る技術的事項を管理させなければならない。

（2）事業者は、衛生管理者に対し、衛生に関する措置をなし得る権限を与えなければならない。

（3）衛生管理者は、少なくとも毎月１回作業場等を巡視し、設備、作業方法等に有害のおそれがあるときは、直ちに、労働者の健康障害を防止するため必要な措置を講じなければならない。

（4）事業者は、衛生管理者を選任すべき事由が発生した日から14日以内に選任しなければならない。

（5）所轄労働基準監督署長は、労働災害を防止するため必要があると認めるときは、事業者に対し、衛生管理者の増員又は解任を命ずることができる。

H28.4-2、H27.4-2

★★★
146 **産業医に関する次の記述のうち、法令上、誤っているものはどれか。ただし、産業医の選任の特例はないものとする。**

□□

（1）産業医を選任しなければならない事業場は、常時50人以上の労働者を使用する事業場である。

（2）産業医は、労働者の健康管理等を行うのに必要な医学に関する知識について一定の要件を備えた医師のうちから選任しなければならない。

（3）事業者は、選任した産業医に、労働者の健康管理等を行わせなければならない。

（4）常時3,000人を超える労働者を使用する事業場では、２人以上の産業医を選任しなければならない。

（5）産業医は、選任すべき事由が発生した日から30日以内に選任しなければならない。

H30.10-3

145 解説

（1）**正しい。**事業者は、衛生管理者に、**労働者の危険または健康障害を防止するための措置に関すること**等の業務のうち**衛生に係る技術的事項**を管理させなければならない（安衛法第12条第1項・第10条第1項）。

（2）**正しい。**事業者は、衛生管理者に対し、衛生に関する措置をなし得る権限を与えなければならない（安衛則第11条第2項）。

（3）**誤り。衛生管理者**は、少なくとも**毎週1回**作業場等を**巡視**し、設備、作業方法等に有害のおそれがあるときは、直ちに、労働者の健康障害を防止するため必要な措置を講じなければならない(安衛則第11条第1項)。毎月1回ではない。

（4）**正しい。**事業者は、衛生管理者を**選任すべき事由が発生した日から14日以内**に選任しなければならない（安衛則第7条第1項第1号）。

（5）**正しい。**所轄労働基準監督署長は、労働災害を防止するため必要があると認めるときは、事業者に対し、衛生管理者の増員または解任を命ずることができる（安衛法第12条第2項・第11条第2項）。

正答（3）

146 解説

（1）**正しい。**産業医を選任しなければならない事業場は、**常時50人以上**の労働者を使用する事業場である（安衛法第13条第1項、安衛令第5条）。

（2）**正しい。**産業医は、労働者の健康管理等を行うのに必要な医学に関する知識について一定の要件を備えた医師のうちから選任しなければならない（安衛法第13条第2項）。

（3）**正しい。**事業者は、選任した産業医に、**労働者の健康管理等**を行わせなければならない（安衛法第13条第1項）。

（4）**正しい。常時3,000人を超える**労働者を使用する事業場では、**2人以上**の産業医を選任しなければならない（安衛則第13条第1項第4号）。

（5）**誤り。**産業医は、**選任すべき事由が発生した日から14日以内**に選任しなければならない（安衛則第13条第1項第1号）。30日以内ではない。

正答（5）

合格エッセンス 産業医の選任

速 P.220

事業場の規模（常時使用する労働者数）	産業医数
50人以上	1人以上
3,000人を超える場合	2人以上

★★★
147 **産業医に関する次の記述のうち、法令上、誤っているものはどれか。**

□□

（1）産業医を選任した事業者は、産業医に対し、労働者の業務に関する情報であって産業医が労働者の健康管理等を適切に行うために必要と認めるものを提供しなければならない。

（2）産業医を選任した事業者は、その事業場における産業医の業務の具体的な内容、産業医に対する健康相談の申出の方法、産業医による労働者の心身の状態に関する情報の取扱いの方法を、常時各作業場の見やすい場所に掲示し、又は備え付ける等の方法により、労働者に周知させなければならない。

（3）産業医は、衛生委員会に対して労働者の健康を確保する観点から必要な調査審議を求めることができる。

（4）産業医は、衛生委員会を開催した都度作成する議事概要を、毎月１回以上、事業者から提供されている場合には、作業場等の巡視の頻度を、毎月１回以上から２か月に１回以上にすることができる。

（5）事業者は、産業医から労働者の健康管理等について勧告を受けたときは、当該勧告の内容及び当該勧告を踏まえて講じた措置の内容（措置を講じない場合にあっては、その旨及びその理由）を記録し、これを３年間保存しなければならない。

R3.10-3

147 解説

（1）**正しい。**産業医を選任した事業者は、産業医に対し、労働者の業務に関する情報であって産業医が労働者の健康管理等を適切に行うために必要と認めるものを提供しなければならない（安衛法第13条第4項、安衛則第14条の2第1項第3号）。

（2）**正しい。**産業医を選任した事業者は、その事業場における産業医の業務の具体的な内容、産業医に対する健康相談の申出の方法、産業医による労働者の心身の状態に関する情報の取扱いの方法を、常時各作業場の見やすい場所に掲示し、または備え付けることその他の厚生労働省令で定める方法により、労働者に周知させなければならない（安衛法第101条第2項、安衛則第98条の2第2項）。

（3）**正しい。**産業医は、衛生委員会に対して労働者の健康を確保する観点から必要な調査審議を求めることができる（安衛則第23条第5項）。

（4）**誤り。**産業医は、**少なくとも毎月1回**作業場等を**巡視**し、作業方法または衛生状態に有害のおそれがあるときは、直ちに、労働者の健康障害を防止するため必要な措置を講じなければならない。ただし、産業医が、事業者から、**毎月1回以上、所定の情報の提供を受けている場合**であって、**事業者の同意を得ているときは**、作業場等の巡視の頻度を**少なくとも2カ月に1回以上**とすることができる（安衛則第15条）。そして、所定の情報とは、次の①～②である。

①**衛生管理者が行う巡視の結果**

②労働者の健康障害を防止し、または労働者の健康を保持するために必要な情報であって、衛生委員会における調査審議を経て事業者が産業医に提供することとしたもの

したがって、「衛生委員会を開催した都度作成する議事概要」を提供しても巡視頻度を減らすことはできない。

（5）**正しい。**事業者は、産業医から労働者の健康管理等について勧告を受けたときは、①当該勧告の内容、②当該勧告を踏まえて講じた措置の内容（措置を講じない場合にあっては、その旨およびその理由）を記録し、これを**3年間保存**しなければならない（安衛則第14条の3第2項）。

正答（4）

★★★
148 **産業医に関する次の記述のうち、法令上、誤っているものはどれか。**
□□ **ただし、産業医の選任の特例はないものとする。**

（1）常時使用する労働者数が50人以上の事業場において、厚生労働大臣の指定する者が行う産業医研修の修了者等の所定の要件を備えた医師であっても、当該事業場においてその事業を統括管理する者は、産業医として選任することはできない。

（2）産業医が、事業者から、毎月1回以上、所定の情報の提供を受けている場合であって、事業者の同意を得ているときは、産業医の作業場等の巡視の頻度を、毎月1回以上から2か月に1回以上にすることができる。

（3）事業者は、産業医が辞任したとき又は産業医を解任したときは、遅滞なく、その旨及びその理由を衛生委員会又は安全衛生委員会に報告しなければならない。

（4）事業者は、専属の産業医が旅行、疾病、事故その他やむを得ない事由によって職務を行うことができないときは、代理者を選任しなければならない。

（5）事業者が産業医に付与すべき権限には、労働者の健康管理等を実施するために必要な情報を労働者から収集することが含まれる。

R4.10-3、R3.4-3

★★★
149 **産業医に関する次の記述のうち、法令上、誤っているものはどれか。**
□□ **ただし、産業医の選任の特例はないものとする。**

（1）産業医を選任しなければならない事業場は、常時50人以上の労働者を使用する事業場である。

（2）常時使用する労働者数が2,000人を超える事業場では、産業医を2人以上選任しなければならない。

（3）重量物の取扱い等重激な業務に常時500人以上の労働者を従事させる事業場では、その事業場に専属の産業医を選任しなければならない。

（4）産業医が、事業者から、毎月1回以上、所定の情報の提供を受けている場合であって、事業者の同意を得ているときは、産業医の作業場等の巡視の頻度を、毎月1回以上から2か月に1回以上にすることができる。

（5）産業医は、労働者に対する衛生教育に関することであって、医学に関する専門的知識を必要とする事項について、総括安全衛生管理者に対して勧告することができる。

R5.10-2

148 解説

（1）**正しい。**常時使用する労働者数が**50人以上**の事業場においては、産業医を選任しなければならないが、当該事業場においてその事業を統括管理する者は、産業医として選任することはできない（安衛法第13条第1項、安衛則第13条第1項第2号）。

（2）**正しい。**産業医が、事業者から、**毎月1回以上、所定の情報の提供を受けている場合**であって、**事業者の同意を得ているとき**は、作業場等の巡視の頻度を**少なくとも2カ月に1回以上**とすることができる（安衛則第15条）。

（3）**正しい。**事業者は、産業医が**辞任**したときまたは産業医を**解任**したときは、遅滞なく、その旨およびその理由を**衛生委員会または安全衛生委員会に報告**しなければならない（安衛則第13条第4項）。

（4）**誤り。**産業医については、代理者を選任しなければならないとする規定はない（安衛則第20条参照）。

（5）**正しい。**事業者が産業医に付与すべき権限には、労働者の健康管理等を実施するために必要な情報を労働者から収集することが含まれる（安衛則第14条の4第2項第2号）。

正答（4）

149 解説

（1）**正しい。**産業医を選任しなければならない事業場は、**常時50人以上**の労働者を使用する事業場である（安衛法第13条第1項、安衛令第5条）。

（2）**誤り。常時3,000人を超える**労働者を使用する事業場では、**2人以上**の産業医を選任しなければならない（安衛則第13条第1項第4号）。常時使用する労働者数が2,000人を超える事業場ではない。

（3）**正しい。**常時1,000人以上の労働者を使用する事業場または深夜業を含む有害業務に常時500人以上の労働者を従事させる事業場においては、専属の産業医を選任しなければならない（安衛則第13条第1項第3号）。設問の重量物の取扱い等重激な業務は、この一定の業務に該当する。したがって、専属の産業医を選任しなければならない。

（4）**正しい。**産業医は、事業者から、**毎月1回以上、所定の情報の提供を受けている場合**であって、**事業者の同意を得ているとき**は、作業場等の巡視の頻度を**少なくとも2カ月に1回以上**とすることができる（安衛則第15条）。

（5）**正しい。**産業医は、労働者に対する衛生教育に関することであって、医学に関する専門的知識を必要とする事項について、総括安全衛生管理者に対して勧告することができる（安衛則第14条第3項・第1項第8号）。

正答（2）

★★
150 産業医の職務として法令で定められた事項に関する次の文中の ［　　］ 内に入れるAからCの語句の組合せとして、正しいものは（1）～（5）のうちどれか。

□□

「事業者は、産業医に、次の事項を含む労働者の健康管理等に関する事項で、医学に関する専門的知識を必要とするものを行わせなければならない。

・健康診断及び ［ A ］ 等の実施並びにこれらの結果に基づく労働者の健康を保持するための措置に関すること

・ ［ B ］ の維持管理に関すること

・ ［ C ］ に関すること」

	A	B	C
（1）	健康測定	作業環境	衛生推進者の選任
（2）	面接指導	作業環境	作業の管理
（3）	健康測定	化学物質管理システム	安全衛生に関する方針の表明
（4）	面接指導	安全衛生マネジメントシステム	安全衛生に関する方針の表明
（5）	健康測定	安全衛生マネジメントシステム	衛生推進者の選任

H26.4-2

★★★
151 衛生委員会に関する次の記述のうち、法令上、正しいものはどれか。

□□

（1）衛生委員会の議長は、衛生管理者である委員のうちから、事業者が指名しなければならない。

（2）衛生委員会の議長を除く全委員は、事業場に労働者の過半数で組織する労働組合がないときは、労働者の過半数を代表する者の推薦に基づき指名しなければならない。

（3）衛生管理者として選任しているが事業場に専属ではない労働衛生コンサルタントを、衛生委員会の委員として指名することはできない。

（4）当該事業場の労働者で、衛生に関し経験を有するものを衛生委員会の委員として指名することができる。

（5）作業環境測定を作業環境測定機関に委託している場合、衛生委員会の委員として、当該機関に所属する作業環境測定士を指名しなければならない。

R2.10-4

150 解説

事業者は、産業医に、次の事項を含む労働者の健康管理等に関する事項で、医学に関する専門的知識を必要とするものを行わせなければならない（安衛法第13条第1項、安衛則第14条第1項）。

・健康診断および［A　**面接指導**］等の実施ならびにこれらの結果に基づく労働者の健康を保持するための措置に関すること

・［B　**作業環境**］の維持管理に関すること

・［C　**作業の管理**］に関すること

したがって、選択肢（2）が正答となる。

正答（2）

151 解説

（1）**誤り。**衛生委員会の議長は、**総括安全衛生管理者**または**総括安全衛生管理者以外の者で当該事業場においてその事業の実施を統括管理するもの**もしくは**これに準ずる者**のうちから事業者が指名した者がなる（安衛法第18条第4項・第17条第3項)。衛生管理者である委員のうちから指名するのではない。

（2）**誤り。**衛生委員会の**議長を除く委員の半数**については、事業場に労働者の過半数で組織する労働組合があるときはその労働組合、その労働組合がないときは労働者の過半数を代表する者の推薦に基づき指名しなければならない（安衛法第18条第4項・第17条第4項)。議長を除く全委員ではない。

（3）**誤り。衛生管理者のうちから事業者が指名した者**は、衛生委員会の委員となる（安衛法第18条第2項第2号)。したがって、衛生管理者として選任しているが事業場に専属ではない労働衛生コンサルタントを、衛生委員会の委員として指名することができる。

（4）**正しい。当該事業場の労働者で、衛生に関し経験を有するもののうちから事業者が指名した者**は、衛生委員会の委員となる（安衛法第18条第2項第4号)。したがって、当該事業場の労働者で、衛生に関し経験を有するものを衛生委員会の委員として指名することができる。

（5）**誤り。当該事業場の労働者で、作業環境測定を実施している作業環境測定士であるもの**を衛生委員会の委員として**指名**することが**できる**（安衛法第18条第3項)。指名することができるのであって、指名しなければならないのではない。

正答（4）

★★★
152 **衛生委員会に関する次の記述のうち、法令上、誤っているものはどれか。**

□□

（1）衛生委員会の議長を除く委員の半数については、事業場に労働者の過半数で組織する労働組合がないときは、労働者の過半数を代表する者の推薦に基づき指名しなければならない。

（2）衛生委員会の議長は、原則として、総括安全衛生管理者又は総括安全衛生管理者以外の者で事業場においてその事業の実施を統括管理するもの若しくはこれに準ずる者のうちから事業者が指名した委員がなるものとする。

（3）事業場に専属ではないが、衛生管理者として選任している労働衛生コンサルタントを、衛生委員会の委員として指名することができる。

（4）作業環境測定を外部の作業環境測定機関に委託して実施している場合、当該作業環境測定を実施している作業環境測定士を、衛生委員会の委員として指名することができる。

（5）衛生委員会の付議事項には、長時間にわたる労働による労働者の健康障害の防止を図るための対策の樹立に関することが含まれる。

R5.10-3

152 解説

（1）**正しい。**衛生委員会の**議長を除く委員の半数**については、事業場に労働者の過半数で組織する労働組合があるときはその労働組合、その労働組合がないときは労働者の過半数を代表する者の推薦に基づき指名しなければならない（安衛法第18条第4項・第17条第4項）。

（2）**正しい。**衛生委員会の議長は、**総括安全衛生管理者**または**総括安全衛生管理者以外の者で当該事業場においてその事業の実施を統括管理するもの**もしくは**これに準ずる者**のうちから事業者が指名した者がなる（安衛法第18条第4項・第17条第3項）。

（3）**正しい。衛生管理者のうちから事業者が指名した者**は、衛生委員会の委員となる（安衛法第18条第2項第2号）。したがって、事業場に専属ではないが、衛生管理者として選任している労働衛生コンサルタントを、衛生委員会の委員として指名することができる。

（4）**誤り。当該事業場の労働者で、作業環境測定を実施している作業環境測定士であるもの**を衛生委員会の委員として**指名**することが**できる**（安衛法第18条第3項）。したがって、設問のように作業環境測定を外部の作業環境測定機関に委託して実施している場合は、当該作業環境測定を実施している作業環境測定士を衛生委員会の委員として指名することがでない。

（5）**正しい。**衛生委員会の付議事項には、長時間にわたる労働による労働者の健康障害の防止を図るための対策の樹立に関することが含まれる（安衛法第18条第1項第4号、安衛則第22条第9号）。

正答（4）

★★★

153 衛生委員会に関する次の記述のうち、法令上、正しいものはどれか。

□□

（1）衛生委員会は、工業的業種の事業場では常時50人以上、非工業的業種の事業場では常時80人以上の労働者を使用する事業場において設置しなければならない。

（2）衛生委員会及び安全委員会の設置に代えて安全衛生委員会を設置することはできない。

（3）事業場で選任している衛生管理者は、すべて衛生委員会の委員としなければならない。

（4）衛生委員会の議長となる委員は、原則として、衛生管理者のうちから事業者が指名した者である。

（5）衛生委員会の委員として指名する産業医は、その事業場に専属の者でなくてもよい。

H27.10-3

153 解説

（1）**誤り。常時 50 人以上**の労働者を使用する事業場では、衛生委員会を設けなければならない（安衛法第 18 条第 1 項、安衛令第 4 条）。したがって、**業種を問わず、使用する労働者の人数が常時 50 人以上**である事業場は一律に衛生委員会を設置しなければならない。

（2）**誤り。**安全委員会および衛生委員会を設けなければならないときは、**それぞれの委員会の設置に代えて、安全衛生委員会を設置**することが**できる**（安衛法第 19 条第 1 項）。したがって、衛生委員会と安全委員会を兼ねて安全衛生委員会として設置することができる。

（3）**誤り。衛生管理者のうちから事業者が指名した者**は、衛生委員会の委員となる（安衛法第 18 条第 2 項第 2 号）。したがって、事業場で選任している衛生管理者を、すべて衛生委員会の委員とする必要はない。

（4）**誤り。**衛生委員会の議長は、**総括安全衛生管理者**または**総括安全衛生管理者以外の者で当該事業場においてその事業の実施を統括管理するもの**もしくは**これに準ずる者**のうちから事業者が指名した者がなる（安衛法第 18 条第 4 項・第 17 条第 3 項）。衛生管理者のうちから指名するのではない。

（5）**正しい。産業医のうちから事業者が指名した者**は、衛生委員会の委員となる（安衛法第 18 条第 2 項第 3 号）。つまり、産業医であれば、専属の産業医でなくても指名できる。したがって、事業場に**専属でない産業医**を衛生委員会の委員として指名することができる。

正答 （5）

★★★
154
□□

労働安全衛生規則に基づく次のAからEの定期健康診断項目のうち、厚生労働大臣が定める基準に基づき、医師が必要でないと認めるときは、省略することができる項目に該当しないものの組合せは（1）～（5）のうちどれか。

A　尿検査
B　血圧の測定
C　肝機能検査
D　心電図検査
E　血中脂質検査

（1）A，B
（2）A，C
（3）B，D
（4）C，E
（5）D，E

H30.10-4

154 解説

事業者は、常時使用する労働者に対し、1年以内ごとに1回、定期に、以下の項目について医師による健康診断を行わなければならない（安衛法第66条第1項、安衛則第44条第1項）。

① **既往歴および業務歴の調査**
② **自覚症状および他覚症状の有無の検査**
③ 身長、体重、腹囲、視力および聴力（1,000ヘルツおよび4,000ヘルツの音に係る聴力をいう）の検査
④ 胸部エックス線検査および喀痰《かくたん》検査
⑤ **血圧の測定**
⑥ 貧血検査（血色素量および赤血球数の検査）
⑦ 肝機能検査（GOT、GPTおよびγ - GTPの検査）
⑧ 血中脂質検査（LDLコレステロール、HDLコレステロールおよび血清トリグリセライドの量の検査）
⑨ 血糖検査
⑩ **尿検査（尿中の糖および蛋《たん》白の有無の検査）**
⑪ 心電図検査

このうち、①**既往歴および業務歴の調査**、②**自覚症状および他覚症状の有無の検査**、⑤**血圧の測定**、⑩**尿検査（尿中の糖および蛋白の有無の検査）**については、医師が必要でないと認めるときは、省略することができる項目に該当しない（安衛則第44条第2項）。つまり、この4つの項目については、**検査を省略**することは**できない**。

したがって、尿検査（A）と血圧（B）の測定が省略することができる項目に該当せず、選択肢（1）が正答となる。

正答（1）

チェック! ここが狙われる 省略できない検査項目　4つ

速 P.241

- 既往歴および業務歴の調査
- 自覚症状および他覚症状の有無の検査
- 血圧の測定
- 尿検査（尿中の糖および蛋白の有無の検査）

★★★
155 労働安全衛生規則に基づく次の定期健康診断の項目のうち、厚生労働大臣が定める基準に基づき、医師が必要でないと認めるときに省略することができる項目に該当しないものはどれか。

□□

（1）身長の検査
（2）肝機能検査
（3）尿検査
（4）心電図検査
（5）血中脂質検査

H29.10-4

★★★
156 労働安全衛生規則に基づく次の定期健康診断項目のうち、厚生労働大臣が定める基準に基づき、医師が必要でないと認めるときは省略することができる項目に該当しないものはどれか。

□□

（1）腹囲の検査
（2）心電図検査
（3）肝機能検査
（4）血中脂質検査
（5）自覚症状及び他覚症状の有無の検査

H26.4-4、H25.10-5

★★★
157 労働安全衛生規則に基づく次の定期健康診断項目のうち、厚生労働大臣が定める基準に基づき、医師が必要でないと認めるときは、省略することができる項目に該当しないものはどれか。

□□

（1）自覚症状の有無の検査
（2）腹囲の検査
（3）胸部エックス線検査
（4）心電図検査
（5）血中脂質検査

R4.10-4

155 解説

定期健康診断の項目のうち、**既往歴および業務歴の調査、自覚症状および他覚症状の有無の検査、血圧の測定、尿検査**については、医師が必要でないと認めるときは、省略することができる項目に該当しない（安衛則第 44 条第２項）。

したがって、選択肢（3）が正答となる。

正答（3）

156 解説

定期健康診断の項目のうち、**既往歴および業務歴の調査、自覚症状および他覚症状の有無の検査、血圧の測定、尿検査**については、医師が必要でないと認めるときは、省略することができる項目に該当しない（安衛則第 44 条第２項）。

したがって、選択肢（5）が正答となる。

正答（5）

157 解説

定期健康診断の項目のうち、**既往歴および業務歴の調査、自覚症状および他覚症状の有無の検査、血圧の測定、尿検査**については、医師が必要でないと認めるときは、省略することができる項目に該当しない（安衛則第 44 条第２項）。

したがって、選択肢（1）が正答となる。

正答（1）

★★★

158 **労働安全衛生規則に基づく医師による健康診断に関する次の記述のうち、誤っているものはどれか。**

□□

（1）深夜業を含む業務に常時従事する労働者に対し、６か月以内ごとに１回、定期に、健康診断を行わなければならないが、胸部エックス線検査については、１年以内ごとに１回、定期に、行うことができる。

（2）雇入時の健康診断の項目のうち、聴力の検査は、1,000Hz 及び 4,000Hz の音について行わなければならない。

（3）雇入時の健康診断において、医師による健康診断を受けた後３か月を経過しない者が、その健康診断結果を証明する書面を提出したときは、その健康診断の項目に相当する項目を省略することができる。

（4）定期健康診断を受けた労働者に対し、健康診断を実施した日から３か月以内に、当該健康診断の結果を通知しなければならない。

（5）定期健康診断の結果に基づき健康診断個人票を作成して、これを５年間保存しなければならない。

R5.10-4 類、R5.4-4

158 解説

（1）**正しい。**深夜業を含む業務に常時従事する労働者に対し、6カ月以内ごとに1回、定期に、健康診断を行わなければならないが、胸部エックス線検査については、1年以内ごとに1回、定期に、行うことができる。深夜業など一定の業務に常時従事する労働者に対し、当該業務への配置替えの際および**6カ月以内ごとに1回**、定期に、医師による健康診断を行わなければならない。この場合において、**胸部エックス線検査**については、**1年以内ごとに1回**、定期に、行えば足りる（安衛則第45条第1項・第44条第1項各号）。

（2）**正しい。**雇入れ時の健康診断における聴力の検査は、**1,000ヘルツおよび4,000ヘルツ**の音に係る聴力について行わなければならない（安衛則第43条第3号）。

（3）**正しい。**常時使用する労働者を雇い入れるときは、当該労働者に対し、一定の項目について医師による健康診断を行わなければならない。ただし、医師による健康診断を受けた後、**3カ月を経過しない者**を雇い入れる場合において、その者がその**健康診断の結果を証明する書面を提出したとき**は、その**健康診断の項目に相当する項目**については**省略**することが**できる**（安衛則第43条）。

（4）**誤り。**定期健康診断を受けた労働者に対し、**遅滞なく**、当該健康診断の結果を通知しなければならない（安衛則第51条の4・第44条）。健康診断を実施した日から3カ月以内ではない。

（5）**正しい。**定期健康診断の結果に基づき健康診断個人票を作成して、これを**5年間**保存しなければならない（安衛則第51条・第44条）。　**正答**（4）

チェック！ ここが狙われる　定期健康診断と雇入れ時の健康診断の比較

速 P.240～P.241

	定期健康診断	雇入れ時の健康診断
健診項目について医師による省略基準	あり	なし
健康診断個人票の保存期間	5年	5年
健康診断結果報告書の提出	常時50人以上の労働者を使用する事業者にあり	なし

関係法令

★★★
159 **労働安全衛生規則に基づく医師による雇入時の健康診断に関する次の記述のうち、誤っているものはどれか。**

□□

（1）医師による健康診断を受けた後３か月を経過しない者を雇い入れる場合、その健康診断の結果を証明する書面の提出があったときは、その健康診断の項目に相当する雇入時の健康診断の項目は省略することができる。

（2）雇入時の健康診断では、40 歳未満の者について医師が必要でないと認めるときは、貧血検査、肝機能検査等一定の検査項目を省略することができる。

（3）事業場において実施した雇入時の健康診断の項目に異常の所見があると診断された労働者については、その結果に基づき、健康を保持するために必要な措置について、健康診断が行われた日から３か月以内に、医師の意見を聴かなければならない。

（4）雇入時の健康診断の結果に基づき、健康診断個人票を作成して、これを５年間保存しなければならない。

（5）常時 50 人以上の労働者を使用する事業場であっても、雇入時の健康診断の結果については、所轄労働基準監督署長に報告する必要はない。

R4.4-4、H28.10-4

159 解説

（1）**正しい。**常時使用する労働者を雇い入れるときは、当該労働者に対し、一定の項目について医師による健康診断を行わなければならない。ただし、医師による健康診断を受けた後、**3カ月を経過しない者を雇い入れる場合**において、その者がその**健康診断の結果を証明する書面を提出**したときは、その**健康診断の項目に相当する項目**については**省略**することが**できる**（安衛則第43条）。

（2）**誤り。**常時使用する労働者を雇い入れるときは、当該労働者に対し、一定の項目について医師による健康診断を行わなければならない（安衛則第43条本文）。この雇入れ時の健康診断の検査項目に、**医師の判断による省略基準はない**。

（3）**正しい。**健康診断の結果に基づく医師または歯科医師からの意見聴取は、**健康診断が行われた日から3カ月以内**に行わなければならない（安衛法第66条の4、安衛則第51条の2第1号）。

（4）**正しい。**雇入れ時の健康診断の結果に基づいて作成した健康診断個人票は、**5年間保存**しなければならない（安衛則第51条・第43条）。

（5）**正しい。雇入れ時の健康診断の結果**については、対象労働者数および事業場の規模にかかわらず、所轄労働基準監督署長に**報告する義務はない**（安衛則第52条参照）。したがって、常時50人以上の労働者を使用する事業場であっても、雇入れ時の健康診断の結果については、所轄労働基準監督署長に報告する必要はない。

正答（2）

★★★
160 労働安全衛生規則に規定されている医師による健康診断について、法令に違反しているものは次のうちどれか。

□□

（１）雇入時の健康診断において、35 歳未満の者については、医師の意見を聴いて、貧血検査及び心電図検査を省略している。

（２）深夜業を含む業務に常時従事する労働者に対し、６か月以内ごとに１回、定期に、健康診断を行っているが、胸部エックス線検査については、１年以内ごとに１回、定期に、行っている。

（３）海外に６か月以上派遣して帰国した労働者について、国内の業務に就かせるとき、一時的な就業の場合を除いて、海外派遣労働者健康診断を行っている。

（４）事業場において実施した雇入時の健康診断の項目に異常の所見があると診断された労働者については、その結果に基づき、健康を保持するために必要な措置について、健康診断実施日から３か月以内に、医師の意見を聴いている。

（５）常時 40 人の労働者を使用する事業場において、定期健康診断の結果について、所轄労働基準監督署長に報告を行っていない。

H30.4-7

160 解説

（1）**違反している。**常時使用する労働者を雇い入れるときは、当該労働者に対し、一定の項目について医師による健康診断を行わなければならない（安衛則第43条本文）。この雇入れ時の健康診断の検査項目に、**医師の判断による省略基準はない**。したがって、雇入れ時の健康診断において、医師の意見を聴いて、貧血検査および心電図検査を省略していることは、法令に違反している。

（2）**違反していない。深夜業など一定の業務**に常時従事する労働者に対し、当該業務への配置替えの際および**6カ月以内ごとに1回**、定期に、医師による**健康診断**を行わなければならない。この場合において、**胸部エックス線検査**については、**1年以内ごとに1回**、定期に、行えば**足りる**（安衛則第45条第1項・第44条各号）。したがって、深夜業を含む業務に常時従事する労働者に対し、6カ月以内ごとに1回、定期に、健康診断を行っているが、胸部エックス線検査については、1年以内ごとに1回、定期に、行っていることは、法令に違反していない。

（3）**違反していない。**海外に6カ月以上派遣した労働者を国内における業務に就かせるとき（**一時的に就かせるときを除く**）は、その労働者に対し、医師による健康診断を行わなければならない（安衛則第45条の2第2項）。したがって、海外に6カ月以上派遣して帰国した労働者について、国内の業務に就かせるとき、一時的な就業の場合を除いて、海外派遣労働者健康診断を行っていることは、法令に違反していない。

（4）**違反していない。**健康診断の結果に基づく医師または歯科医師からの意見聴取は、**健康診断が行われた日から3カ月以内**に行わなければならない（安衛法第66条の4、安衛則第51条の2第1号）。したがって、事業場において実施した雇入時の健康診断の項目に異常の所見があると診断された労働者については、その結果に基づき、健康を保持するために必要な措置について、健康診断実施日から3カ月以内に、医師の意見を聴いていることは、法令に違反していない。

（5）**違反していない。常時50人以上の労働者を使用する事業者**は、**定期健康診断**、特定業務従事者の健康診断（定期のものに限る）を行ったときは、遅滞なく、定期健康診断結果報告書を所轄労働基準監督署長に提出しなければならない（安衛則第52条）。したがって、常時40人の労働者を使用する事業場において、定期健康診断の結果について、所轄労働基準監督署長に報告を行っていないことは、法令に違反していない。

正答（1）

関係法令

★★★

161 □□ **労働安全衛生規則に規定されている医師による健康診断について、法令に違反しているものは次のうちどれか。**

（1）雇入時の健康診断において、35歳未満の者については、医師の意見を聴いて、貧血検査及び心電図検査を省略している。

（2）深夜業を含む業務に常時従事する労働者に対し、6か月以内ごとに1回、定期に健康診断を行っているが、胸部エックス線検査については、1年以内ごとに1回しか行っていない。

（3）海外に6か月以上派遣して帰国した労働者について、国内の業務に就かせるとき、一時的な就業の場合を除いて、海外派遣労働者健康診断を行っている。

（4）常時50人の労働者を使用する事業場において、雇入時の健康診断の結果について、所轄労働基準監督署長に報告を行っていない。

（5）常時40人の労働者を使用する事業場において、定期健康診断の結果について、所轄労働基準監督署長に報告を行っていない。

H27.10-4、H26.10-4

161 解説

（1）**違反している。**常時使用する労働者を雇い入れるときは、当該労働者に対し、一定の項目について医師による健康診断を行わなければならない（安衛則第43条本文）。この雇入れ時の健康診断の検査項目に、**医師の判断による省略基準はない**。したがって、雇入れ時の健康診断において、医師の意見を聴いて、貧血検査および心電図検査を省略していることは、法令に違反している。

（2）**違反していない。深夜業など一定の業務**に常時従事する労働者に対し、当該業務への配置替えの際および**6カ月以内ごとに1回**、定期に、医師による**健康診断**を行わなければならない。この場合において、**胸部エックス線検査**については、**1年以内ごとに1回**、定期に、行えば**足りる**（安衛則第45条第1項・第44条各号）。したがって、深夜業を含む業務に常時従事する労働者に対し、6カ月以内ごとに1回、定期に健康診断を行っているが、胸部エックス線検査については、1年以内ごとに1回しか行っていないことは、法令に違反していない。

（3）**違反していない。**海外に6カ月以上派遣した労働者を国内における業務に就かせるとき（**一時的に就かせるときを除く**）は、その労働者に対し、医師による健康診断を行わなければならない（安衛則第45条の2第2項）。したがって、海外に6カ月以上派遣して帰国した労働者について、国内の業務に就かせるとき、一時的な就業の場合を除いて、海外派遣労働者健康診断を行っていることは、法令に違反していない。

（4）**違反していない。雇入れ時の健康診断の結果**については、対象労働者数および事業場の規模にかかわらず、所轄労働基準監督署長に**報告する義務はない**（安衛則第52条参照）。したがって、常時50人の労働者を使用する事業場において、雇入れ時の健康診断の結果について、所轄労働基準監督署長に報告を行っていないことは、法令に違反していない。

（5）**違反していない。常時50人以上の労働者を使用する事業者**は、**定期健康診断**、特定業務従事者の健康診断（定期のものに限る）を行ったときは、遅滞なく、定期健康診断結果報告書を所轄労働基準監督署長に提出しなければならない（安衛則第52条）。したがって、常時40人の労働者を使用する事業場において、定期健康診断の結果について、所轄労働基準監督署長に報告を行っていないことは、法令に違反していない。

正答 （1）

★★

162 □□ **労働時間の状況等が一定の要件に該当する労働者に対して、法令により実施することが義務付けられている医師による面接指導に関する次の記述のうち、正しいものはどれか。**

ただし、新たな技術、商品又は役務の研究開発に係る業務に従事する者及び高度プロフェッショナル制度の対象者はいないものとする。

（1）面接指導の対象となる労働者の要件は、原則として、休憩時間を除き1週間当たり40時間を超えて労働させた場合におけるその超えた時間が1か月当たり80時間を超え、かつ、疲労の蓄積が認められる者であることとする。

（2）事業者は、面接指導を実施するため、タイムカードによる記録等の客観的な方法その他の適切な方法により、監督又は管理の地位にある者を除き、労働者の労働時間の状況を把握しなければならない。

（3）面接指導を行う医師として事業者が指定することのできる医師は、当該事業場の産業医に限られる。

（4）事業者は、面接指導の対象となる労働者の要件に該当する労働者から面接指導を受ける旨の申出があったときは、申出の日から3か月以内に、面接指導を行わなければならない。

（5）事業者は、面接指導の結果に基づき、当該面接指導の結果の記録を作成して、これを3年間保存しなければならない。

R5.4-5

162 解説

（1）**正しい。**面接指導の対象となる労働者の要件は、原則として、**休憩時間を除き1週間当たり40時間を超え**て労働させた場合におけるその超えた時間が**1カ月当たり80時間を超え**、かつ、**疲労の蓄積が認められる者**であることとする（安衛法第66条の8、安衛則第52条の2）。

（2）**誤り。**事業者は、面接指導を実施するため、タイムカードによる記録、パーソナルコンピュータ等の電子計算機の使用時間の記録等の客観的な方法その他の適切な方法により、労働者の労働時間の状況を把握しなければならない（安衛法第66条の8の3・4、安衛則第52条の7の3）が、その対象から監督または管理の地位にある者は除かれていない。

（3）**誤り。**面接指導を行う医師として指名するものは、**「医師」**であればよく、当該事業場の産業医を指名しなければならないのではない（安衛則第66条の8第1項）。

（4）**誤り。**事業者は、面接指導の結果に基づき、当該労働者の健康を保持するために必要な措置について、**面接指導が行われた後遅滞なく**、医師の意見を聴かなければならない（安衛法第66条の8第4項、安衛則第52条の7）。面接指導が行われた日から3カ月以内ではない。

（5）**誤り。**事業者は、面接指導の結果の記録を作成して、これを**5年間**保存しなければならない（安衛法第66条の8第3項、安衛則第52条の6）。3年間ではない。

正答（1）

★
163 労働時間の状況等が一定の要件に該当する労働者に対して、法令により実施することとされている医師による面接指導の結果に基づく記録に記載しなければならない事項として定められていないものは、次のうちどれか。

□□

（1）面接指導を行った医師の氏名
（2）面接指導を受けた労働者の氏名
（3）面接指導を受けた労働者の家族の状況
（4）面接指導を受けた労働者の疲労の蓄積の状況
（5）面接指導の結果に基づき、労働者の健康を保持するために必要な措置について医師から聴取した意見

H31.4-5

★★
164 労働安全衛生法に基づく心理的な負担の程度を把握するための検査について、医師及び保健師以外の検査の実施者として、次のAからDの者のうち正しいものの組合せは（1）～（5）のうちどれか。
ただし、実施者は、法定の研修を修了した者とする。

□□

A　公認心理師
B　歯科医師
C　衛生管理者
D　産業カウンセラー

（1）A，B
（2）A，D
（3）B，C
（4）B，D
（5）C，D

R5.4-7

163 解説

面接指導を受けた労働者の家族の状況は、医師による面接指導の結果に基づく記録に記載しなければならない事項として定められていない。したがって、選択肢（3）が正答となる。

なお、事業者は、原則として、休憩時間を除き**1週間当たり40時間を超え**て労働させた場合における**その超えた時間が1カ月当たり80時間を超え、かつ、疲労の蓄積が認められる**労働者から申出があったときは、医師による面接指導を行わなければならず、以下の事項を記載した記録を作成しなければならない（安衛法第66条の8、安衛則第52条の5・52条の6第2項）。

① 実施年月日
② 面接指導を受けた**労働者の氏名**
③ 面接指導を行った**医師の氏名**
④ 面接指導を受けた労働者の**疲労の蓄積の状況**
⑤ ①～④のほか、当該労働者の**心身の状況**
⑥ **面接指導の結果に基づき、労働者の健康を保持するために必要な措置について医師から聴取した意見**

正答（3）

164 解説

労働安全衛生法に基づく心理的な負担の程度を把握するための検査について、医師および保健師以外の検査の実施者として、検査を行うために必要な知識についての研修であって厚生労働大臣が定めるものを修了した**歯科医師**（B）、看護師、精神保健福祉士または**公認心理師**（A）がある（安衛則第52条の10第1項）。

したがって、選択肢（1）が正答となる。

正答（1）

★★

165 □□ **労働安全衛生法に基づく労働者の心理的な負担の程度を把握するための検査（以下「ストレスチェック」という。）及びその結果等に応じて実施される医師による面接指導に関する次の記述のうち、法令上、正しいものはどれか。**

（1）ストレスチェックを受ける労働者について解雇、昇進又は異動に関して直接の権限を持つ監督的地位にある者は、ストレスチェックの実施の事務に従事してはならない。

（2）事業者は、ストレスチェックの結果が、衛生管理者及びストレスチェックを受けた労働者に通知されるようにしなければならない。

（3）面接指導を行う医師として事業者が指名できる医師は、当該事業場の産業医に限られる。

（4）面接指導の結果は、健康診断個人票に記載しなければならない。

（5）事業者は、面接指導の結果に基づき、当該労働者の健康を保持するため必要な措置について、面接指導が行われた日から３か月以内に、医師の意見を聴かなければならない。

R5.10-7

165 解説

（1）**正しい。**心理的な負担の程度を把握するための検査（以下、ストレスチェックという）を受ける労働者について解雇、昇進または異動に関して直接の権限を持つ監督的地位にある者は、検査の実施の事務に従事してはならない（安衛法第66条の10第1項、安衛則第52条の10第2項）。

（2）**誤り。**事業者は、**ストレスチェックを受けた労働者に対し**、ストレスチェックを行った医師等からストレスチェックの**結果が通知**されるようにしなければならない（安衛法第66条の10第2項）。ストレスチェックの結果は、衛生管理者に対しては、通知されない。

（3）**誤り。**面接指導は**当該事業場の産業医等が実施することが望ましい**とされている（心理的な負担の程度を把握するための検査及び面接指導の実施並びに面接指導結果に基づき事業者が講ずべき措置に関する指針）。したがって、面接指導を行う医師として指名するものは、「医師」であればよく、当該事業場の産業医に限られない。

（4）**誤り。**事業者は、面接指導の結果に基づき、当該**面接指導の結果の記録を作成**して、これを**5年間保存**しなければならない（安衛則第52条の18第1項）。健康診断個人票に記載しなければならないのではない。

（5）**誤り。**面接指導の結果に基づき、医師からの意見聴取は、**面接指導が行われた後、遅滞なく**行わなければならない（安衛法第66条の10第5項、安衛則第52条の19）。面接指導が行われた日から3か月以内に、医師の意見を聴かなければならないのではない。

正答（1）

★★

166 □□ **労働安全衛生法に基づく心理的な負担の程度を把握するための検査（以下「ストレスチェック」という。）の結果に基づき実施する面接指導に関する次の記述のうち、正しいものはどれか。**

（1）面接指導を行う医師として、当該事業場の産業医を指名しなければならない。

（2）面接指導の結果は、健康診断個人票に記載しなければならない。

（3）労働者に対するストレスチェックの事項は、「職場における当該労働者の心理的な負担の原因」、「当該労働者の心理的な負担による心身の自覚症状」及び「職場における他の労働者による当該労働者への支援」に関する項目である。

（4）面接指導の対象となる要件に該当する労働者から申出があったときは、申出の日から３か月以内に、面接指導を行わなければならない。

（5）ストレスチェックと面接指導の実施状況について、面接指導を受けた労働者数が50人以上の場合に限り、労働基準監督署長へ報告しなければならない。

R2.10-5

166 解説

（1）**誤り**。面接指導は**当該事業場の産業医等が実施することが望ましい**とされている（心理的な負担の程度を把握するための検査及び面接指導の実施並びに面接指導結果に基づき事業者が講ずべき措置に関する指針）。したがって、面接指導を行う医師として指名するものは、「医師」であればよく、当該事業場の産業医を指名しなければならないのではない。

（2）**誤り**。事業者は、面接指導の結果に基づき、**当該面接指導の結果の記録を作成**して、これを**5年間保存**しなければならない（安衛則第52条の18第1項）。健康診断個人票に記載しなければならないのではない。

（3）**正しい**。労働者に対するストレスチェック事項は、①職場における当該労働者の心理的な負担の原因に関する項目、②当該労働者の心理的な負担による心身の自覚症状に関する項目、③職場における他の労働者による当該労働者への支援に関する項目である（安衛則第52条の9）。

（4）**誤り**。面接指導の対象となる要件に該当する労働者から**申出があったとき**は、**遅滞なく**、面接指導を行わなければならない（安衛則第52条の16第2項）。申出の日から3カ月以内に行わなければならないのではない。

（5）**誤り**。常時50人以上の労働者を使用する事業者は、1年以内ごとに1回、定期に、ストレスチェック結果等報告書を所轄労働基準監督署長に提出しなければならない（安衛則第52条の21）。面接指導を受けた労働者数が50人以上の場合に限り報告義務があるのではない。

正答（3）

★★

167 □□

労働安全衛生法に基づく労働者の心理的な負担の程度を把握するための検査（以下「ストレスチェック」という。）及びその結果等に応じて実施される医師による面接指導に関する次の記述のうち、法令上、正しいものはどれか。

（1）常時50人以上の労働者を使用する事業場においては、6か月以内ごとに1回、定期に、ストレスチェックを行わなければならない。

（2）事業者は、ストレスチェックの結果が、衛生管理者及びストレスチェックを受けた労働者に通知されるようにしなければならない。

（3）労働者に対して行うストレスチェックの事項は、「職場における当該労働者の心理的な負担の原因」、「当該労働者の心理的な負担による心身の自覚症状」及び「職場における他の労働者による当該労働者への支援」に関する項目である。

（4）事業者は、ストレスチェックの結果、心理的な負担の程度が高い労働者全員に対し、医師による面接指導を行わなければならない。

（5）事業者は、医師による面接指導の結果に基づき、当該面接指導の結果の記録を作成して、これを3年間保存しなければならない。

R4.4-7、R3.10-5

167 解説

（1）**誤り**。事業者は、常時使用する労働者に対し、**1年以内ごとに1回**、定期に、心理的な負担の程度を把握するための検査（以下「ストレスチェック」という）を行わなければならない（安衛法第66条の10第1項、安衛則第52条の9）。6カ月以内ごとに1回ではない。なお、常時使用する労働者数が50人未満の小規模事業場においては、当分の間、ストレスチェックの実施は努力義務とされている。

（2）**誤り**。事業者は、**ストレスチェックを受けた労働者**に対し、ストレスチェックを行った医師等からストレスチェックの**結果が通知**されるようにしなければならない（安衛法第66条の10第2項）。ストレスチェックの結果は、衛生管理者に対しては、通知されない。

（3）**正しい**。労働者に対して行うストレスチェックの事項は、①職場における当該労働者の心理的な負担の原因に関する項目、②当該労働者の心理的な負担による心身の自覚症状に関する項目、③職場における他の労働者による当該労働者への支援に関する項目である（安衛則第52条の9）。

（4）**誤り**。事業者は、ストレスチェックの結果、心理的な負担の程度が高い者であって、**面接指導を受ける必要があるとストレスチェックを行った医師等が認めたもの**が、医師による面接指導を受けることを希望する旨を**申し出たとき**は、その申出をした労働者に対し、医師による面接指導を行わなければならない（安衛法第66条の10第3項、安衛則第52条の15）。心理的な負担の程度が高い労働者全員に対し面接指導を行わなければならないのではない。

（5）**誤り**。事業者は、面接指導の結果に基づき、その**面接指導の結果の記録を作成**して、これを**5年間保存**しなければならない（安衛則第52条の18第1項）。3年間ではない。

正答（3）

4. 衛生基準関係法令　速 第10章 LESSON 6

★★
168 □□ ある屋内作業場の床面から4mをこえない部分の容積が150m^3であり、かつ、このうちの設備の占める分の容積が55m^3であるとき、法令上、常時就業させることのできる最大の労働者数は次のうちどれか。

（1） 4人
（2） 9人
（3） 10人
（4） 15人
（5） 19人

R4.10-8、R3.4-7

★★★
169 □□ 事業場の建築物、施設等に関する措置について、労働安全衛生規則の衛生基準に違反していないものは次のうちどれか。

（1） 事業場に附属する炊事場の入口には、土足のまま立ち入ることができるように、洗浄剤を含浸させたマットを設置している。
（2） 常時、男性20人、女性25人の労働者を使用している事業場で、休憩の設備を設けているが、労働者が臥《が》床することのできる休養室又は休養所を男女別に設けていない。
（3） 事業場に附属する食堂の炊事従業員について、専用の便所を設けているが、休憩室は一般従業員と共用のもののみを設けている。
（4） 60人の労働者を常時就業させている屋内作業場の気積が、設備の占める容積及び床面から4mを超える高さにある空間を除き500m^3となっている。
（5） 日常行う清掃のほか、1年ごとに1回、定期に、大掃除を行っている。

H30.10-7

168 解説

事業者は、労働者を常時就業させる屋内作業場の気積を、**設備の占める容積**および**床面から4mを超える高さにある空間を除き**、労働者1人について、**10m^{3}以上**としなければならない（安衛則第600条）。設問の屋内作業場では、床面から4mを超えない部分の容積（150m^3）から設備の占める容積（55m^3）を除いた容積は、95m^{3}であり、当該作業場で法令上、常時就業させることのできる最大の労働者数は、9人となる。したがって、選択肢（2）が正答となる。 **正答**（2）

169 解説

（1）**違反している**。事業場に附属する炊事場には、炊事場専用の履物を備え、**土足のまま立ち入らせないこと**とされている（安衛則第630条第15号）。したがって、事業場に附属する炊事場の入口に、土足のまま立ち入ることができるように、洗浄剤を含浸させたマットを設置していることは、衛生基準に違反している。

（2）**違反していない**。**常時50人以上または常時女性30人以上**の労働者を使用するときは、労働者が臥床することのできる休養室または休養所を、**男性用と女性用に区別**して設けなければならない（安衛則第618条）。設問の常時、男性20人、女性25人の労働者を使用している事業場は、常時50人以上を使用する場合にも、常時女性30人以上を使用する場合にも当たらない。したがって、労働者が臥床することのできる休養室または休養所を男女別に設けていないことは、衛生基準に違反していない。

（3）**違反している**。事業場に附属する食堂については、炊事従業員**専用の休憩室および便所を設けること**とされている（安衛則第630条第11号）。便所だけでなく、休憩室についても専用のものを設けなければならない。したがって、休憩室を一般従業員と共用のもののみを設けていることは、衛生基準に違反している。

（4）**違反している**。事業者は、労働者を常時就業させる屋内作業場の気積を、**設備の占める容積**および**床面から4mを超える高さにある空間を除き**、労働者1人について、**10m^{3}以上**としなければならない（安衛則第600条）。設問の常時60人の労働者を就業させている屋内作業場では、設備の占める容積および床面から4mを超える高さにある空間を除き、600m^{3}以上としなければならない。したがって、500m^{3}となっていることは、衛生基準に違反している。

（5）**違反している**。日常行う清掃のほか、大掃除を、**6カ月以内ごとに1回**、定期に、**統一的に行う**こととされている（安衛則第619条第1号）。したがって、日常行う清掃のほか、1年ごとに1回、定期に、大掃除を行っていることは、衛生基準に違反している。 **正答**（2）

★★★

170 □□ **事業場の建築物、施設等に関する措置について、労働安全衛生規則の衛生基準に違反していないものは次のうちどれか。**

（1）常時男性５人及び女性 35 人の労働者を使用している事業場で、男女共用の休憩室のほかに、女性用の臥《が》床することのできる休養室を設けているが、男性用の休養室や休養所は設けていない。

（2）60 人の労働者を常時就業させている屋内作業場の気積を、設備の占める容積及び床面から３m を超える高さにある空間を除き $600m^3$ としている。

（3）労働衛生上の有害業務を有しない事業場において、窓その他の開口部の直接外気に向かって開放することができる部分の面積が、常時床面積の 25 分の１である屋内作業場に、換気設備を設けていない。

（4）事業場に附属する食堂の床面積を、食事の際の１人について、$0.8m^2$ としている。

（5）日常行う清掃のほか、１年以内ごとに１回、定期に、統一的に大掃除を行っている。

R5.4-8

170 解説

（1）**違反している。常時 50 人以上または常時女性 30 人以上**の労働者を使用するときは、労働者が臥床することのできる休養室または休養所を、**男性用と女性用に区別**して設けなければならない（安衛則第 618 条）。設問では、常時女性 35 人の労働者を使用しているため、労働者が臥床することのできる休養室または休養所を男性用と女性用に区別して設けなければならない。したがって、男女共用の休憩室を設けていることは、衛生基準に違反している。

（2）**違反していない。**事業者は、労働者を常時就業させる屋内作業場の気積を、**設備の占める容積**および**床面から 4 m を超える高さにある空間を除き**、労働者 1 人について、**$10m^3$ 以上**としなければならない（安衛則第 600 条）。設問の常時 60 人の労働者を就業させている屋内作業場の気積は、設備の占める容積および床面から 4 m を超える高さにある空間を除き $600m^3$ 以上としなければならない。したがって、設備の占める容積および床面から 3 m を超える高さにある空間を除き $600m^3$ としている衛生基準に違反していない。

（3）**違反している。**労働者を常時就業させる屋内作業場においては、**換気が十分行われる性能を有する設備を設けたときを除き**、窓その他の開口部の直接外気に向って開放することができる部分の面積が、**常時床面積の 20 分の 1 以上**になるようにしなければならない（安衛則第 601 条第 1 項）。設問の窓その他の開口部の面積が、常時床面積の 25 分の 1 である屋内作業場は、常時床面積の 20 分の 1 以上としなければならないとする衛生基準を満たしていない。また、設問では、換気設備を設けていない。したがって、衛生基準に違反している。

（4）**違反している。**事業場に附属する食堂の床面積は、食事の際の 1 人について、**$1m^2$ 以上**とすることとされている（安衛則第 630 条第 2 号）。したがって、衛生基準に違反している。

（5）**違反している。**日常行う清掃のほか、大掃除を、**6 カ月以内ごとに 1 回**、定期に、**統一的に行う**こととされている（安衛則第 619 条第 1 号）。したがって、衛生基準に違反している。

正答（2）

★★★

171 □□ **事業場の建築物、施設等に関する措置について、労働安全衛生規則の衛生基準に違反していないものは次のうちどれか。**

（1）日常行う清掃のほか、1年に1回、定期に、統一的に大掃除を行っている。

（2）男性25人、女性25人の労働者を常時使用している事業場で、労働者が臥《が》床することのできる休養室又は休養所を男性用と女性用に区別して設けていない。

（3）坑内等特殊な作業場以外の作業場において、男性用小便所の箇所数は、同時に就業する男性労働者50人以内ごとに1個以上としている。

（4）事業場に附属する食堂の床面積を、食事の際の1人について、$0.8m^2$としている。

（5）労働衛生上の有害業務を有しない事業場において、窓その他の開口部の直接外気に向かって開放することができる部分の面積が、常時床面積の15分の1である屋内作業場に、換気設備を設けていない。

R3.10-7

171 解説

（1）**違反している。**日常行う清掃のほか、大掃除を、**6カ月以内ごとに1回**、定期に、**統一的に行う**こととされている（安衛則第619条第1号）。したがって、衛生基準に違反している。

（2）**違反している。常時50人以上または常時女性30人以上**の労働者を使用するときは、労働者が臥床することのできる休養室または休養所を、**男性用と女性用に区別**して設けなければならない（安衛則第618条）。設問の常時男性25人、女性25人の労働者を使用している事業場は、常時50人以上を使用する場合に該当する。したがって、衛生基準に違反している。

（3）**違反している。**坑内等特殊な作業場以外の作業場において、男性用小便所の箇所数は、原則として、同時に就業する男性労働者**30人以内ごとに1個以上**としなければならない（安衛則第628条第1項第3号）。50人以内ごとに1個以上とすることは、衛生基準を満たしていない。したがって、衛生基準に違反している。

（4）**違反している。**事業場に附属する食堂の床面積は、食事の際の1人について、**1m^2以上**とすることとされている（安衛則第630条第2号）。したがって、衛生基準に違反している。

（5）**違反していない。**労働者を常時就業させる屋内作業場においては、**換気が十分行われる性能を有する設備を設けたときを除き**、窓その他の開口部の直接外気に向って開放することができる部分の面積が、**常時床面積の20分の1以上**になるようにしなければならない（安衛則第601条第1項）。設問の窓その他の開口部の面積が、常時床面積の15分の1である屋内作業場は、常時床面積の20分の1以上としなければならないとする衛生基準を満たしている。したがって、換気設備を設けていないことは、衛生基準に違反していない。

正答（5）

関係法令

★★★

172 □□

事業場の建築物、施設等に関する措置について、労働安全衛生規則の衛生基準に違反していないものは次のうちどれか。

（1）常時50人の労働者を就業させている屋内作業場の気積が、設備の占める容積及び床面から4mを超える高さにある空間を除き400m^3となっている。

（2）日常行う清掃のほか、1年に1回、定期に大掃除を行っている。

（3）常時男性5人、女性30人の労働者を使用している事業場で、労働者が臥《が》床することのできる休養室又は休養所を男女別に設けていない。

（4）事業場に附属する食堂の炊事従業員について、専用の便所を設けているほか、一般従業員と共用の休憩室を設けている。

（5）労働者を常時就業させる場所の作業面の照度を、精密な作業については350ルクス、粗な作業については150ルクスとしている。

H29.4-4

172 解説

（1）**違反している。**事業者は、労働者を常時就業させる屋内作業場の気積を、**設備の占める容積**および**床面から4mを超える高さにある空間を除き**、労働者1人について、**10m^3以上**としなければならない（安衛則第600条）。設問の常時50人の労働者を就業させている屋内作業場の気積は、設備の占める容積および床面から4mを超える高さにある空間を除き、500m^3以上としなければならない。したがって、400m^3となっていることは、衛生基準に違反している。

（2）**違反している。**日常行う清掃のほか、大掃除を、**6カ月以内ごとに1回**、定期に、**統一的に行う**こととされている（安衛則第619条第1号）。したがって、日常行う清掃のほか、1年に1回、定期に大掃除を行っていることは、衛生基準に違反している。

（3）**違反している。**事業者は、**常時50人以上または常時女性30人以上**の労働者を使用するときは、労働者が臥床することのできる休養室または休養所を、**男性用と女性用に区別**して設けなければならない（安衛則第618条）。したがって、設問の常時女性30人の労働者を使用している事業場で、労働者が臥床することのできる休養室または休養所を男女別に設けていないことは、衛生基準に違反している。

（4）**違反している。**事業場に附属する食堂については、炊事従業員**専用の休憩室および便所を設けること**とされている（安衛則第630条第11号）。便所だけでなく、休憩室についても専用のものを設けなければならない。したがって、一般従業員と共用の休憩室を設けていることは、衛生基準に違反している。

（5）**違反していない。**常時**精密な作業**をする場所の作業面の照度は、**300ルクス以上**、**粗な作業**をする場所の作業面の照度は、**70ルクス以上**としなければならない（安衛則第604条）。したがって、作業面の照度を、精密な作業については350ルクス、粗な作業については150ルクスとしていることは、衛生基準に違反していない。

正答（5）

★★★
173 事務室の設備の定期的な点検等に関する次の記述のうち、法令上、正しいものはどれか。
□□

（1）機械による換気のための設備については、3か月以内ごとに1回、定期に、異常の有無を点検しなければならない。

（2）燃焼器具を使用するときは、発熱量が著しく少ないものを除き、1か月以内ごとに1回、定期に、異常の有無を点検しなければならない。

（3）空気調和設備内に設けられた排水受けについては、原則として、2か月以内ごとに1回、定期に、その汚れ及び閉塞の状況を点検しなければならない。

（4）空気調和設備の加湿装置については、原則として、2か月以内ごとに1回、定期に、その汚れの状況を点検しなければならない。

（5）空気調和設備の冷却塔及び冷却水については、原則として、1か月以内ごとに1回、定期に、その汚れの状況を点検し、必要に応じ、その清掃及び換水等を行わなければならない。

R5.4-6

★★★
174 事務室の空気環境の調整に関する次の文中の［　　］内に入れるA及びBの数値の組合せとして、法令上、正しいものは（1）～（5）のうちどれか。
□□

「空気調和設備又は機械換気設備を設けている場合は、室に供給される空気が、次に適合するように当該設備を調整しなければならない。

① 1気圧、温度25℃とした場合の当該空気1 m^3 中に含まれる浮遊粉じん量が［ A ］mg以下であること。

② 1気圧、温度25 ℃とした場合の当該空気1 m^3 中に含まれるホルムアルデヒドの量が［ B ］mg以下であること。」

	A	B
（1）	0.15	0.1
（2）	0.15	0.3
（3）	0.5	0.1
（4）	0.5	0.3
（5）	0.5	0.5

R3.10-8

173 解説

（1）**誤り。**事務室において使用する機械による換気のための設備については、**2カ月以内ごとに1回**、定期に、**異常の有無を点検**しなければならない（事務所則第9条）。3カ月以内ごとに1回ではない。

（2）**誤り。**燃焼器具を使用するときは、発熱量が著しく少ないものを除き、**毎日**、**異常の有無を点検**しなければならない（事務所則第6条第2項）。1カ月以内ごとに1回ではない。

（3）**誤り。**空気調和設備内に設けられた排水受けについては、原則として、**1カ月以内ごとに1回**、定期に、その**汚れおよび閉塞の状況を点検**し、必要に応じ、その**清掃**等を行わなければならない（事務所則第9条の2第4号）。2カ月以内ごとに1回ではない。

（4）**誤り。**空気調和設備の加湿装置については、原則として、**1カ月以内ごとに1回**、定期に、その**汚れの状況を点検**し、必要に応じ、その**清掃**等を行わなければならない（事務所則第9条の2第3号）。2カ月以内ごとに1回ではない。

（5）**正しい。**空気調和設備の冷却塔および冷却水については、原則として、**1カ月以内ごとに1回**、定期に、その**汚れの状況を点検**し、必要に応じ、その**清掃および換水**等を行わなければならない（事務所則第9条の2第2号）。

正答（5）

174 解説

空気調和設備または機械換気設備を設けている場合は、室に供給される空気が、次に適合するように当該設備を調整しなければならない（事務所則第5条第1項第1・3号）。

① 1気圧、温度25 ℃とした場合の当該空気1 m^3 中に含まれる浮遊粉じん量が［A **0.15**］mg以下であること。

② 1気圧、温度25 ℃とした場合の当該空気1 m^3 中に含まれるホルムアルデヒドの量が［B **0.1**］mg以下であること。

したがって、選択肢（1）が正答となる。 **正答**（1）

★★★
175 **事務室の設備の定期的な点検に関する次の記述のうち、法令上、誤っているものはどれか。**

□□

（1）事務室の照明設備については、６か月以内ごとに１回、定期に、点検しなければならない。

（2）機械による換気のための設備については、２か月以内ごとに１回、定期に、異常の有無を点検しなければならない。

（3）燃焼器具を使用するときは、発熱量が著しく少ないものを除き、毎日、異常の有無を点検しなければならない。

（4）空気調和設備内に設けられた排水受けについては、原則として、２か月以内ごとに１回、定期に、その汚れ及び閉塞の状況を点検し、必要に応じ、その清掃等を行わなければならない。

（5）空気調和設備の加湿装置については、原則として、１か月以内ごとに１回、定期に、その汚れの状況を点検し、必要に応じ、その清掃等を行わなければならない。

R1.10-8 類、H29.10-8

★★★
176 **事務室の空気環境の調整に関する次の文中の［　　］内に入れるＡ及びＢの数値の組合せとして、法令上、正しいものは（1）～（5）のうちどれか。**

□□

「①　空気調和設備又は機械換気設備を設けている場合は、室に供給される空気が、１気圧、温度25℃とした場合の当該空気中に占める二酸化炭素の含有率が100万分の［ A ］以下となるように、当該設備を調整しなければならない。

②　①の設備により室に流入する空気が、特定の労働者に直接、継続して及ばないようにし、かつ、室の気流を［ B ］m/s以下としなければならない。」

	A	B
（1）	1,000	0.3
（2）	1,000	0.5
（3）	2,000	0.3
（4）	2,000	0.5
（5）	2,000	1

R5.10-8、R2.4-5 類、H31.4-8、H29.4-8

175 解説

（1）**正しい。**事務室の照明設備については、**6カ月以内ごとに1回**、定期に、**点検**しなければならない（事務所則第10条第3項）。

（2）**正しい。**事務室において使用する機械による換気のための設備については、**2カ月以内ごとに1回**、定期に、**異常の有無を点検**しなければならない（事務所則第9条）。

（3）**正しい。**燃焼器具を使用するときは、発熱量が著しく少ないものを除き、**毎日**、**異常の有無を点検**しなければならない（事務所則第6条第2項）。

（4）**誤り。**空気調和設備内に設けられた排水受けについては、原則として、**1カ月以内ごとに1回**、定期に、その**汚れおよび閉塞の状況を点検**し、必要に応じ、その**清掃等**を行わなければならない（事務所則第9条の2第4号）。2カ月以内ごとに1回ではない。

（5）**正しい。**空気調和設備の加湿装置については、原則として、**1カ月以内ごとに1回**、定期に、その**汚れの状況を点検**し、必要に応じ、その**清掃**等を行わなければならない（事務所則第9条の2第3号）。

正答（4）

176 解説

① 空気調和設備または機械換気設備を設けている場合は、室に供給される空気が、1気圧、温度25℃とした場合の当該空気中に占める二酸化炭素の含有率が100万分の［A 1,000］以下となるように、当該設備を調整しなければならない（事務所則第5条第1項第2号）。

② ①の設備により室に流入する空気が、特定の労働者に直接、継続して及ばないようにし、かつ、室の気流を［B 0.5］m/s以下としなければならない（事務所則第5条第2項）。

したがって、選択肢（2）が正答となる。

正答（2）

★
177 労働者死傷病報告に関する次の文中の □ 内に入れるA及びBの語句の組合せとして、法令上、正しいものは（1）～（5）のうちどれか。

□□

「派遣労働者が派遣中に労働災害により休業した場合の労働者死傷病報告書の提出義務者は［ A ］の事業者であり、その提出先は［ B ］である。」

	A	B
（1）	派遣元及び派遣先双方	それぞれの所轄労働基準監督署長
（2）	派遣元及び派遣先双方	それぞれの所轄都道府県労働局長
（3）	派遣元	所轄労働基準監督署長
（4）	派遣元	所轄都道府県労働局長
（5）	派遣元	所轄労働基準監督署長及び所轄都道府県労働局長

H29.10-6、H27.10-6 類

177 解説

派遣労働者が派遣中に労働災害により休業した場合の労働者死傷病報告書の提出義務者は A **派遣元及び派遣先双方** の事業者であり、その提出先は B **それぞれの所轄労働基準監督署長** である（安衛則第 97 条、平 19. 8. 14 基安安発第 0814001 号）。

したがって、選択肢（1）が正答となる。

正答（1）

★★
178 労働基準法における労働時間等に関する次の記述のうち、正しいものはどれか。

□□

（1）１日８時間を超えて労働させることができるのは、時間外労働の協定を締結し、これを所轄労働基準監督署長に届け出た場合に限られている。

（2）労働時間が８時間を超える場合においては、少なくとも45分の休憩時間を労働時間の途中に与えなければならない。

（3）機密の事務を取り扱う労働者に対する労働時間に関する規定の適用の除外については、所轄労働基準監督署長の許可を受けなければならない。

（4）フレックスタイム制の清算期間は、３か月以内の期間に限られる。

（5）満20歳未満の者については、時間外･休日労働をさせることはできない。

R5.4-9

178 解説

（1）**誤り。災害その他避けることのできない事由**によって、**臨時の必要がある場合**においては、使用者は、行政官庁（**所轄労働基準監督署長**）の**許可を受けて**、その必要の限度において労働時間を延長し、または休日に労働させることができる（労基法第36条）。また、**公務のために臨時の必要がある場合**においても労働時間を延長し、または休日に労働させることができる（労基法第33条第1項・第3項）。したがって、1日8時間を超えて労働させることができるのは、時間外労働の労使協定を締結し、届け出た場合に限られているのではない。

（2）**誤り。**労働時間が6時間を超える場合においては少なくとも45分、**8時間を超える場合**においては**少なくとも1時間**の休憩時間を労働時間の途中に与えなければならない（労基法第34条第1項）。少なくとも45分ではない。

（3）**誤り。**労働時間に関する規定は、①農業または水産業に従事する者、②**監督もしくは管理の地位にある者**または**機密の事務を取り扱う者**、③監視または断続的労働に従事する者で、使用者が行政官庁の許可を受けたものについては適用しない（労基法第41条）。機密の事務を取り扱う労働者については、所轄労働基準監督署長の許可を受けなくても当然に、労働時間に関する規定の適用が除外される。

（4）**正しい。**フレックスタイム制の清算期間は、**3カ月以内**の期間に限るものとする（労基法第32条の3第1項第2号）。

（5）**誤り。満18歳未満の者**については、労使協定による時間外・休日労働をさせることはできない（労基法第60条第1項）。満20歳未満の者ではない。

正答（4）

★★★

179 労働基準法における労働時間等に関する次の記述のうち、正しいものはどれか。

□□ ただし、労使協定とは、「労働者の過半数で組織する労働組合（その労働組合がない場合は労働者の過半数を代表する者）と使用者との書面による協定」をいうものとする。

（1）１日８時間を超えて労働させることができるのは、時間外労働の労使協定を締結し、これを所轄労働基準監督署長に届け出た場合に限られている。

（2）労働時間に関する規定の適用については、事業場を異にする場合は労働時間を通算しない。

（3）所定労働時間が７時間30分である事業場において、延長する労働時間が１時間であるときは、少なくとも45分の休憩時間を労働時間の途中に与えなければならない。

（4）監視又は断続的労働に従事する労働者であって、所轄労働基準監督署長の許可を受けたものについては、労働時間、休憩及び休日に関する規定は適用されない。

（5）フレックスタイム制の清算期間は、６か月以内の期間に限られる。

R3.4-9、R2.10-9

179 解説

（1）**誤り。災害その他避けることのできない事由**によって、**臨時の必要がある場合**においては、使用者は、行政官庁（**所轄労働基準監督署長**）の**許可を受けて、**その必要の限度において労働時間を延長し、または休日に労働させることができる（労基法第36条）。また、**公務のために臨時の必要がある場合**においても労働時間を延長し、または休日に労働させることができる（労基法第33条第1項・第3項）。したがって、1日8時間を超えて労働させることができるのは、時間外労働の労使協定を締結し、届け出た場合に限られているのではない。

（2）**誤り。**労働時間は、**事業場を異にする場合**においても、**労働時間**に関する規定の適用については**通算する**（労基法第38条第1項）。

（3）**誤り。**労働時間が**6時間を超える場合**においては**少なくとも45分、8時間を超える場合**においては**少なくとも1時間**の休憩時間を**労働時間の途中**に与えなければならない（労基法第34条第1項）。したがって、所定労働時間が7時間30分である事業場において、延長する労働時間が1時間であるときは、少なくとも1時間の休憩時間を与えなければならない。少なくとも45分ではない。

（4）**正しい。労働時間**、**休憩**および**休日**に関する規定は、①農業または水産業に従事する者、②**監督もしくは管理の地位にある者**または**機密の事務を取り扱う者**、③**監視または断続的労働に従事する者で、**使用者が**行政官庁（所轄労働基準監督署長）の許可を受けたもの**については**適用しない**（労基法第41条）。

（5）**誤り。**フレックスタイム制の清算期間は、**3カ月以内**の期間に限るものとする(労基法第32条の3第1項第2号)。6カ月以内の期間に限られるのではない。

正答（4）

★★
180
□□

労働基準法に基づくフレックスタイム制に関する次の記述のうち、誤っているものはどれか。
ただし、常時使用する労働者数が10人以上の規模の事業場におけるフレックスタイム制とし、以下の文中において労使協定とは、「労働者の過半数で組織する労働組合（その労働組合がない場合は労働者の過半数を代表する者）と使用者との書面による協定」をいう。

（1）フレックスタイム制を採用するためには、就業規則により始業及び就業の時刻を労働者の決定に委ねる旨を定め、かつ、労使協定により対象となる労働者の範囲、清算期間、清算期間における総労働時間等を定める必要がある。
（2）フレックスタイム制を採用した場合には、清算期間を平均し1週間当たりの労働時間が40時間を超えない範囲において、1日8時間又は1週40時間を超えて労働させることができる。
（3）フレックスタイム制に係る労使協定は、清算期間が1か月以内のものであるときは、所轄労働基準監督署長に届け出る必要はない。
（4）フレックスタイム制の清算期間は、3か月以内の期間に限るものとする。
（5）妊娠中又は産後1年を経過しない女性については、フレックスタイム制による労働をさせることはできない。

H30.4-10 改題

180 解説

（1）**正しい。**フレックスタイム制を採用するためには、**就業規則**により**始業および就業の時刻を労働者の決定に委ねる**旨を定め、かつ、**労使協定**により**対象となる労働者の範囲、清算期間、清算期間における総労働時間等**を定める必要がある（労基法第32条の3第1項）。

（2）**正しい。**フレックスタイム制を採用した場合には、清算期間として定められた期間を平均し1週間当たりの労働時間が40時間を超えない範囲内において、1日8時間または1週40時間を超えて労働させることができる（労基法第32条の3第1項）。

（3）**正しい。**フレックスタイム制に係る労使協定は、**清算期間が1カ月以内のものであるときは**、所轄労働基準監督署長に**届け出る必要はない**（労基法第32条の3第4項、労基則第12条の3第2項）。

（4）**正しい。**フレックスタイム制の清算期間は、**3カ月以内**の期間に限るものとする（労基法第32条の3第1項第2号）。

（5）**誤り。妊娠中または産後1年を経過しない女性**について、**フレックスタイム制による労働をさせることができる**（労基法第66条第1項参照）。

正答（5）

関係法令

★★
181 1か月単位の変形労働時間制に関する次の記述のうち、労働基準法上、誤っているものはどれか。

□□

ただし、常時使用する労働者数が10人以上の規模の事業場の場合とし、「労使協定」とは、「労働者の過半数で組織する労働組合（その労働組合がない場合は労働者の過半数を代表する者）と使用者との書面による協定」をいう。

（1）この制度を採用する場合には、労使協定又は就業規則により、1か月以内の一定の期間を平均し1週間当たりの労働時間が40時間を超えないこと等、この制度に関する定めをする必要がある。

（2）この制度を採用した場合には、この制度に関する定めにより特定された週又は日において1週40時間又は1日8時間を超えて労働させることができる。

（3）この制度に関する定めをした労使協定は所轄労働基準監督署長に届け出る必要はないが、就業規則は届け出る必要がある。

（4）この制度を採用した場合であっても、妊娠中又は産後1年を経過しない女性が請求した場合には、監督又は管理の地位にある者等労働時間に関する規定の適用除外者を除き、当該女性に対して法定労働時間を超えて労働させることはできない。

（5）この制度で労働させる場合には、育児を行う者等特別な配慮を要する者に対して、これらの者が育児等に必要な時間を確保できるような配慮をしなければならない。

H28.4-9

181 解説

（1）**正しい。**1カ月単位の変形労働時間制を採用する場合には、労使協定または就業規則により、1カ月以内の一定の期間を平均し1週間当たりの労働時間が40時間を超えないこと等、この制度に関する定めをする必要がある（労基法第32条の2第1項）。

（2）**正しい。**1カ月単位の変形労働時間制を採用した場合には、特定された週または日において1週40時間または1日8時間を超えて労働させることができる（労基法第32条の2第1項）。

（3）**誤り。**使用者は、1カ月単位の変形労働時間制に関する定めをした**労使協定**を行政官庁に**届け出なければならない**（労基法第32条の2第2項）。なお、設問は、**常時使用する労働者数が10人以上**の規模の事業場であり、**就業規則**を行政官庁に**届け出なければならない**とする点は、正しい（労基法第89条）。

（4）**正しい。**1カ月単位の変形労働時間制を採用した場合であっても、妊娠中または産後1年を経過しない女性が請求した場合には、当該女性に対して法定労働時間を超えて労働させることはできない（労基法第66条第1項）。また、労働時間に関する規定は、①農業または水産業に従事する者、②**監督もしくは管理の地位にある者**または**機密の事務を取り扱う者**、③**監視または断続的労働に従事する者で**、使用者が**行政官庁の許可を受けたもの**については**適用しない**（労基法第41条）。したがって、1カ月単位の変形労働時間制を採用した場合であっても、妊娠中または産後1年を経過しない女性が請求した場合には、監督または管理の地位にある者等労働時間に関する規定の適用除外者を除き、当該女性に対して法定労働時間を超えて労働させることはできない。

（5）**正しい。**1カ月単位の変形労働時間制で労働させる場合には、育児を行う者等特別な配慮を要する者に対して、これらの者が育児等に必要な時間を確保できるような配慮をしなければならない（労基則第12条の6）。

正答（3）

★★★

182 年次有給休暇（以下「休暇」という。）に関する次の記述のうち、労働基準法上、正しいものはどれか。

□□

（1）法令に基づく育児休業又は介護休業で休業した期間は、出勤率の算定に当たっては、全労働日から除外して算出することができる。

（2）休暇の期間については、原則として、最低賃金又は平均賃金の100分の60の額の手当を支払わなければならない。

（3）労働者の過半数で組織する労働組合（その労働組合がない場合は労働者の過半数を代表する者）と使用者との書面による協定により休暇を与える時季に関する定めをした場合は、休暇のうち３日を超える部分については、その定めにより休暇を与えることができる。

（4）休暇の請求権は、これを１年間行使しなければ時効によって消滅する。

（5）一週間の所定労働時間が25時間で、一週間の所定労働日数が４日である労働者であって、雇入れの日から起算して３年６か月間継続勤務し、直近の１年間に、全労働日の８割以上出勤したものには、継続し、又は分割した10労働日の休暇を新たに与えなければならない。

H30.10-10

182 解説

（1）**誤り。**①労働者が業務上負傷し、または疾病にかかり療養のために休業した期間、②**法令に基づく育児休業または介護休業をした期間**、③産前産後の女性が休業した期間は、出勤率の算定に当たっては、これを**出勤したものとみなす**（労基法第 39 条第 10 項）。全労働日から除外して算出するのではない。

（2）**誤り。**年次有給休暇の期間または年次有給休暇の時間については、原則として、**平均賃金**もしくは**所定労働時間労働した場合に支払われる通常の賃金**またはこれらの額を基準として厚生労働省令で定めるところにより算定した額の賃金を支払わなければならない（労基法第 39 条第 9 項）。最低賃金または平均賃金の 100 分の 60 の額ではない。

（3）**誤り。**使用者は、労働者の過半数で組織する労働組合（その労働組合がない場合においては労働者の過半数を代表する者）との書面による協定により、年次有給休暇を与える時季に関する定めをしたときは、年次有給休暇の日数のうち**５日を超える部分**については、その定めにより年次有給休暇を与えることができる（労基法第 39 条第 6 項）。3 日を超える部分ではない。

（4）**誤り。**年次有給休暇の請求権は、**２年間**行使しないときは、**時効によって消滅**する（労基法第 115 条）。1 年間ではない。

（5）**正しい。所定労働時間が週 30 時間未満**で、かつ、**週所定労働日数が４日以下**または年間の所定労働日数が 216 日以下の所定労働日数が少ない労働者については、年次有給休暇の日数は所定労働日数に応じて比例付与される。設問の雇入れの日から起算して**３年６カ月間継続勤務**し、直近の 1 年間に、全労働日の 8 割以上出勤したものには、継続し、または分割した **10 労働日**の休暇を新たに与えなければならない（労基法第 39 条第 3 項、労基則第 24 条の 3）。

正答（5）

合格エッセンス 年次有給休暇の付与日数〔短時間労働者（比例付与による日数）〕

速 P.308

週所定労働日数	1 年間の所定労働日数	雇入れの日から起算した継続勤務期間						
		6 カ月	1 年 6 カ月	2 年 6 カ月	3 年 6 カ月	4 年 6 カ月	5 年 6 カ月	6 年 6 カ月以上
4 日	169 日～216 日まで	7 日	8 日	9 日	10 日	12 日	13 日	15 日
3 日	121 日～168 日まで	5 日	6 日	6 日	8 日	9 日	10 日	11 日
2 日	73 日～120 日まで	3 日	4 日	4 日	5 日	6 日	6 日	7 日
1 日	48 日～ 72 日まで	1 日	2 日	2 日	2 日	3 日	3 日	3 日

★★★
183 週所定労働時間が30時間以上の労働者の年次有給休暇に関する次の記述のうち、労働基準法上、正しいものはどれか。

□□

ただし、労使協定とは、「労働者の過半数で組織する労働組合（その労働組合がない場合は労働者の過半数を代表する者）と使用者との書面による協定」をいう。

（1）6年6か月継続勤務し、直近の1年間に、全労働日の8割以上出勤した労働者に新たに与えなければならない年次有給休暇の日数は、18日である。

（2）労使協定により、時間単位で年次有給休暇を与える対象労働者の範囲、その日数（5日以内に限る。）等を定めた場合において、対象労働者が請求したときは、年次有給休暇の日数のうち当該協定で定める日数について時間単位で与えることができる。

（3）法令に基づく育児休業又は介護休業で休業した期間は、出勤率の算定に当たっては、出勤しなかったものとして算出することができる。

（4）年次有給休暇の請求権は、これを1年間行使しなければ時効によって消滅する。

（5）年次有給休暇の期間については、原則として、最低賃金又は平均賃金の100分の60の額の手当を支払わなければならない。

H29.10-9

183 解説

（1）**誤り。週所定労働時間が30時間以上**の労働者は比例付与の対象とならないため、雇入れの日から起算して**6年6カ月以上継続勤務**し、**直近の1年間**に、**全労働日の8割以上出勤**したときには、短時間労働者以外の労働者と同様に「**20日**」の年次有給休暇を新たに与えなければならない（労基法第39条第2項、労基則第24条の3）。18日ではない。

（2）**正しい。**年次有給休暇は、原則として1日を単位として付与されるが、使用者は、労使協定により、①時間を単位として年次有給休暇を与えることができることとされる労働者の範囲、②時間を単位として与えることができることとされる年次有給休暇の日数（5日以内に限る）等を定めた場合において、対象労働者が年次有給休暇を時間を単位として請求したときは、年次有給休暇の日数のうち当該協定で定める日数については、時間を単位として与えることができる（労基法第39条第4項）。

（3）**誤り。**①労働者が業務上負傷し、または疾病にかかり療養のために休業した期間、②**法令に基づく育児休業または介護休業をした期間**、③産前産後の女性が休業した期間は、出勤率の算定に当たっては、これを**出勤したものとみなす**（労基法第39条第10項）。出勤しなかったものとして算出するのではない。

（4）**誤り。**年次有給休暇の請求権は、**2年間**行使しないときは、**時効によって消滅**する（労基法第115条）。1年間ではない。

（5）**誤り。**年次有給休暇の期間または年次有給休暇の時間については、原則として、**平均賃金**もしくは**所定労働時間労働した場合に支払われる通常の賃金**またはこれらの額を基準として厚生労働省令で定めるところにより算定した額の賃金を支払わなければならない（労基法第39条第9項）。最低賃金または平均賃金の100分の60の額ではない。

正答（2）

合格エッセンス　年次有給休暇の付与日数〔短時間労働者以外〕

速 P.307

継続勤務年数	6カ月	1年6カ月	2年6カ月	3年6カ月	4年6カ月	5年6カ月	6年6カ月以上
付与日数	10日	11日	12日	14日	16日	18日	20日

★★★
184 □□ 週所定労働時間が32時間で、週所定労働日数が4日である労働者であって、雇入れの日から起算して3年6か月継続勤務した労働者に対して、その後1年間に新たに与えなければならない年次有給休暇日数として、法令上、正しいものは（1）～（5）のうちどれか。
ただし、その労働者はその直前の1年間に全労働日の8割以上出勤したものとする。

（1）10日　（2）11日　（3）12日　（4）13日　（5）14日

H29.4-9

★★★
185 □□ 週所定労働時間が25時間、週所定労働日数が4日である労働者であって、雇入れの日から起算して4年6か月継続勤務したものに対して、その後1年間に新たに与えなければならない年次有給休暇日数として、法令上、正しいものは次のうちどれか。
ただし、その労働者はその直前の1年間に全労働日の8割以上出勤したものとする。

（1）9日　（2）10日　（3）11日　（4）12日　（5）13日

R5.4-10

★★★
186 □□ 週所定労働時間が25時間、週所定労働日数が4日である労働者であって、雇入れの日から起算して5年6か月継続勤務したものに対して、その後1年間に新たに与えなければならない年次有給休暇日数として、法令上、正しいものは次のうちどれか。
ただし、その労働者はその直前の1年間に全労働日の8割以上出勤したものとする。

（1）12日　（2）13日　（3）14日　（4）15日　（5）16日

R5.10-10

184 解説

週所定労働時間が 32 時間で、**週所定労働日数が４日**である労働者は比例付与の対象とならない。設問の雇入れの日から起算して**３年６カ月継続勤務**し、直前の１年間に全労働日の８割以上出勤した場合には、法令上、短時間労働者以外の労働者と同様に **14 日**の年次有給休暇を与えなければならない（労基法第 39 条第２項、労基則第 24 条の３）。

したがって、選択肢（5）が正答となる。

正答（5）

185 解説

週所定労働時間が 25 時間で、**週所定労働日数が４日**である労働者は比例付与の対象となるため、雇入れの日から起算して**４年６カ月継続勤務**し、直前の１年間に全労働日の８割以上出勤した場合には、法令上、**12 日**の年次有給休暇を与えなければならない（労基法第 39 条第３項、労基則第 24 条の３）。

したがって、選択肢（4）が正答となる。

正答（4）

186 解説

所定労働時間が**週 30 時間未満**で、**かつ**、**週所定労働日数が４日以下**または年間の所定労働日数が 216 日以下の所定労働日数が少ない労働者については、年次有給休暇の日数は所定労働日数に応じて比例付与される。設問の雇入れの日から起算して**５年６カ月継続勤務**し、直近の１年間に、全労働日の８割以上出勤したものには、継続し、または分割した **13 日**の年次有給休暇を与えなければならない（労基法第 39 条第３項、労基則第 24 条の３）。

したがって、選択肢（2）が正答となる。

正答（2）

★
187 労働基準法に基づく労使協定による時間外・休日労働に関する次の記述のうち、誤っているものはどれか。

□□

ただし、「労使協定」とは、「労働者の過半数で組織する労働組合（その労働組合がない場合は労働者の過半数を代表する者）と使用者との書面による協定」をいう。

（1）時間外・休日労働に関する労使協定には、時間外・休日労働をさせることができる労働者の範囲などについて、定めなければならない。

（2）時間外・休日労働に関する労使協定には、労働協約による場合を除き、有効期間の定めをする必要がある。

（3）時間外・休日労働に関する労使協定の内容は、厚生労働大臣が定める指針に適合したものとなるようにしなければならない。

（4）労使協定による時間外・休日労働をさせる場合、満18歳未満の者については、休日労働はさせることはできないが、満15歳以上の者であれば時間外労働を1日2時間を超えない範囲内でさせることができる。

（5）労使協定による時間外・休日労働をさせる場合、妊娠中又は産後1年を経過しない女性が請求したときには、監督又は管理の地位にある者等労働時間等に関する規定の適用除外者を除き、当該女性に対して時間外・休日労働をさせることはできない。

H27.4-10 改題

187 解説

（1）**正しい。**時間外・休日労働に関する労使協定には、以下の事項を定めるとされている（労基法第36条第2項）。

① 労働時間を延長し、または休日に労働させることができることとされる**労働者の範囲**
② 対象期間（1年間に限るものとする）
③ 労働時間を延長し、または休日に労働させることができる場合
④ 対象期間における1日、1カ月および1年のそれぞれの期間について労働時間を延長して労働させることができる時間または労働させることができる休日の日数
⑤ 労働時間の延長および休日の労働を適正なものとするために必要な事項として厚生労働省令で定める事項 （例）労使協定の有効期間の定めなど

（2）**正しい。**時間外・休日労働に関する労使協定には、有効期間の定めをする必要がある（労基法第36条第1項、労基則第17条第1項第1号）。

（3）**正しい。**時間外・休日労働に関する労使協定の内容は、厚生労働大臣が定める指針に適合したものとなるようにしなければならない（労基法第36条第8項）。

（4）**誤り。**満18歳未満の者については、労使協定による時間外・休日労働をさせることはできない（労基法第60条第1項）。

（5）**正しい。**労使協定による時間外・休日労働をさせる場合、妊娠中または産後1年を経過しない女性が請求した場合には、当該女性に対して法定労働時間を超えて労働させることはできない（労基法第66条第1項）。また、労働時間に関する規定は、①農業または水産業に従事する者、②**監督もしくは管理の地位にある者**または**機密の事務を取り扱う者**、③**監視または断続的労働に従事する者で**、使用者が**行政官庁の許可を受けたもの**については**適用しない**（労基法第41条）。したがって、労使協定による時間外・休日労働をさせる場合、妊娠中または産後1年を経過しない女性が請求したときには、監督または管理の地位にある者等労働時間等に関する規定の適用除外者を除き、当該女性に対して時間外・休日労働をさせることはできない。

正答（4）

★★★

188 労働基準法に基づく産前産後の休業に関する次の文中の[　　] 内に入れるAからDの数字の組合せとして、正しいものは（1）～（5）のうちどれか。

□□

「使用者は、[A] 週間（多胎妊娠の場合にあっては、[B] 週間）以内に出産する予定の女性が休業を請求した場合においては、その者を就業させてはならない。

使用者は、産後 [C] 週間を経過しない女性を就業させてはならない。ただし、産後 [D] 週間を経過した女性が請求した場合において、その者について医師が支障がないと認めた業務に就かせることは、差し支えない。」

	A	B	C	D
（1）	6	10	6	5
（2）	6	14	8	6
（3）	8	10	6	5
（4）	8	10	8	6
（5）	8	14	8	5

H27.4-9、H25.10-10 類

188 解説

使用者は、[A 6]週間（多胎妊娠の場合にあっては、[B 14]週間）以内に出産する予定の女性が休業を請求した場合においては、その者を就業させてはならない。また、使用者は、産後[C 8]週間を経過しない女性を就業させてはならない。ただし、産後[D 6]週間を経過した女性が請求した場合において、その者について医師が支障がないと認めた業務に就かせることは、差し支えない（労基法第65条第1項・第2項）。

したがって、選択肢（2）が正答となる。

正答（2）

★★★
189 労働基準法に定める妊産婦等に関する次の記述のうち、法令上、誤っているものはどれか。

□□

ただし、労使協定とは、「労働者の過半数で組織する労働組合（その労働組合がない場合は労働者の過半数を代表する者）と使用者との書面による協定」をいい、また、管理監督者等とは、「監督又は管理の地位にある者等、労働時間、休憩及び休日に関する規定の適用除外者」をいう。

（1）時間外・休日労働に関する労使協定を締結し、これを所轄労働基準監督署長に届け出ている場合であっても、妊産婦が請求した場合には、管理監督者等の場合を除き、時間外・休日労働をさせてはならない。

（2）１か月単位の変形労働時間制を採用している場合であっても、妊産婦が請求した場合には、管理監督者等の場合を除き、１週40時間、１日８時間を超えて労働させてはならない。

（3）１年単位の変形労働時間制を採用している場合であっても、妊産婦が請求した場合には、管理監督者等の場合を除き、１週40時間、１日８時間を超えて労働させてはならない。

（4）妊産婦が請求した場合には、管理監督者等の場合を除き、深夜業をさせてはならない。

（5）生理日の就業が著しく困難な女性が休暇を請求したときは、その者を生理日に就業させてはならない。

R1.10-9、H30.10-9

189 解説

（1）**正しい。**労使協定による**時間外・休日労働**をさせる場合、**妊娠中または産後1年を経過しない女性が請求した場合には、**当該女性に対して法定労働時間を超えて労働させることはできない（労基法第66条第1項）。また、管理監督者等には、労働時間、休憩および休日に関する規定は適用されない（労基法第41条）。したがって、時間外・休日労働に関する労使協定を締結し、これを所轄労働基準監督署長に届け出ている場合であっても、妊産婦が請求した場合には、**管理監督者等の場合を除き、時間外・休日労働をさせてはならない。**

（2）**正しい。1カ月単位の変形労働時間制**を採用している場合、**妊娠中または産後1年を経過しない女性が請求した場合には、**当該女性に対して法定労働時間を超えて労働させることはできない（労基法第66条第1項）。また、管理監督者等には、労働時間、休憩および休日に関する規定は適用されない（労基法第41条）。したがって、1カ月単位の変形労働時間制を採用している場合であっても、妊産婦が請求した場合には、**管理監督者等の場合を除き、1週40時間および1日8時間を超えて労働させてはならない。**

（3）**正しい。1年単位の変形労働時間制**を採用している場合、**妊娠中または産後1年を経過しない女性が請求した場合には、**当該女性に対して法定労働時間を超えて労働させることはできない（労基法第66条第1項）。また、管理監督者等には、労働時間、休憩および休日に関する規定は適用されない（労基法第41条）。したがって、1年単位の変形労働時間制を採用している場合であっても、妊産婦が請求した場合には、**管理監督者等の場合を除き、1週40時間および1日8時間を超えて労働させてはならない。**

（4）**誤り。妊産婦が請求した場合には、管理監督者等の場合であっても、深夜業をさせてはならない**（労基法第66条第3項）。

（5）**正しい。**生理日の就業が著しく困難な女性が休暇を請求したときは、その者を生理日に就業させてはならない（労基法第68条）。

正答（4）

★★★
190 □□ **労働基準法に定める妊産婦等に関する次の記述のうち、法令上、誤っているものはどれか。**

ただし、常時使用する労働者数が 10 人以上の規模の事業場の場合とし、管理監督者等とは、「監督又は管理の地位にある者等、労働時間、休憩及び休日に関する規定の適用除外者」をいうものとする。

（1）妊産婦とは、妊娠中の女性及び産後1年を経過しない女性をいう。

（2）妊娠中の女性が請求した場合においては、他の軽易な業務に転換させなければならない。

（3）1年単位の変形労働時間制を採用している場合であっても、妊産婦が請求した場合には、管理監督者等の場合を除き、1週40時間、1日8時間を超えて労働させてはならない。

（4）フレックスタイム制を採用している場合であっても、妊産婦が請求した場合には、管理監督者等の場合を除き、1週40時間、1日8時間を超えて労働させてはならない。

（5）生理日の就業が著しく困難な女性が休暇を請求したときは、その者を生理日に就業させてはならない。 R4.4-10

★★★
191 □□ **労働基準法に定める妊産婦等に関する次の記述のうち、法令上、誤っているものはどれか。**

ただし、常時使用する労働者数が 10 人以上の規模の事業場の場合とし、管理監督者等とは、「監督又は管理の地位にある者等、労働時間、休憩及び休日に関する規定の適用除外者」をいうものとする。

（1）時間外・休日労働に関する協定を締結し、これを所轄労働基準監督署長に届け出ている場合であっても、妊産婦が請求した場合には、管理監督者等の場合を除き、時間外・休日労働をさせてはならない。

（2）フレックスタイム制を採用している場合であっても、妊産婦が請求した場合には、管理監督者等の場合を除き、1週40時間、1日8時間を超えて労働させてはならない。

（3）妊産婦が請求した場合には、深夜業をさせてはならない。

（4）妊娠中の女性が請求した場合においては、他の軽易な業務に転換させなければならない。

（5）原則として、産後8週間を経過しない女性を就業させてはならない。

R5.10-9

190 解説

（1）**正しい。** 妊産婦とは、**妊娠中**の女性および**産後1年を経過しない**女性をいう（労基法第64条の3第1項）。

（2）**正しい。** 妊娠中の女性が**請求**した場合においては、他の軽易な業務に転換させなければならない（労基法第65条第3項）。

（3）**正しい。** **1年単位の変形労働時間制**を採用している場合、**妊産婦が請求**した場合には、当該女性に対して**法定労働時間を超えて労働させることはできない**（労基法第66条第1項）。また、**管理監督者等**には、**労働時間**、**休憩**および**休日に関する規定は適用されない**（労基法第41条）。したがって、設問の場合であっても、妊産婦が請求したときには、管理監督者等の場合を除き、1週40時間および1日8時間を超えて労働させてはならない。

（4）**誤り。** 妊産婦が請求した場合に、フレックスタイム制による労働をさせてはならないとする規定はない（労基法第66条第1項参照）。したがって、妊産婦について、**フレックスタイム制**による**労働**を**させることができる**。

（5）**正しい。** 生理日の就業が著しく困難な女性が休暇を**請求**したときは、その者を生理日に就業させてはならない（労基法第68条）。

正答（4）

191 解説

（1）**正しい。** 労使協定による時間外・休日労働をさせる場合、妊娠中または産後1年を経過しない女性が**請求**した場合には、当該女性に対して法定労働時間を超えて労働させることはできない（労基法第66条第1項）。また、**管理監督者等には、労働時間、休憩および休日に関する規定は適用されない**（労基法第41条）。したがって、設問の場合であっても、妊産婦が請求したときには、管理監督者等の場合を除き、時間外・休日労働をさせてはならない。

（2）**誤り。** 妊産婦が請求した場合に、フレックスタイム制による労働をさせてはならないとする規定はない（労基法第66条第1項参照）。

（3）**正しい。** 妊産婦が**請求**した場合においては、**深夜業をさせてはならない**（労基法第66条第3項）。

（4）**正しい。** 妊娠中の女性が**請求**した場合においては、他の軽易な業務に転換させなければならない（労基法第65条第3項）。

（5）**正しい。** 原則として、産後8週間を経過しない女性を就業させてはならない（労基法第65条第2項本文）。なお、産後6週間を経過した女性が**請求**した場合において、その者について医師が支障がないと認めた業務に就かせることは、差し支えない（労基法第65条第2項但書）。

正答（2）

関係法令

★★
192 労働基準法に定める育児時間に関する次の記述のうち、誤っているものはどれか。

□□

（1）生後満１年を超え、満２年に達しない生児を育てる女性労働者は、育児時間を請求することができる。

（2）育児時間は、必ずしも有給としなくてもよい。

（3）育児時間は、１日２回、１回当たり少なくとも30分の時間を請求することができる。

（4）育児時間を請求しない女性労働者に対しては、育児時間を与えなくてもよい。

（5）育児時間は、育児時間を請求することができる女性労働者が請求する時間に与えなければならない。

R3.4-10、R2.4-9、H31.4-10、H30.4-9

★★
193 労働基準法に定める育児時間に関する次の記述のうち、誤っているものはどれか。

□□

（1）生後満１年を超え、満２年に達しない生児を育てる女性労働者は、育児時間を請求することができる。

（2）育児時間は、必ずしも有給としなくてもよい。

（3）育児時間は、１日２回、１回当たり少なくとも30分の時間を請求することができる。

（4）育児時間を請求しない女性労働者に対しては、育児時間を与えなくてもよい。

（5）育児時間中は、育児時間を請求した女性労働者を使用してはならない。

R2.10-10

192 解説

生後**満1年に達しない生児**を育てる女性は、**休憩時間のほか、1日2回**各々少なくとも30分、その生児を育てるための時間を**請求**することが**できる**（労基法第67条第1項）。

（1）**誤り。**上記のとおり、生後満1年を超えた生児は、育児時間の対象となる生児に該当しない。したがって、生後満1年を超え、満2年に達しない生児を育てる女性労働者は、育児時間を請求できない。

（2）**正しい。**育児時間中の賃金を有給とするか無給とするかは、労使当事者の自由に委ねられるため、必ずしも有給としなくてもよい（昭33.6.25基収4317号）。

（3）**正しい。**上記のとおり、育児時間は、1日2回、1回当たり少なくとも30分の時間を請求できる。

（4）**正しい。**上記のとおり、生後満1年に達しない生児を育てる女性は、育児時間を**請求することができる**。したがって、育児時間を請求しない女性労働者に対しては、育児時間を与えなくてもよい。

（5）**正しい。**育児時間は、育児時間を請求できる女性労働者が請求した時間に与えなければならない（昭33.6.25基収4317号）。

正答（1）

193 解説

生後**満1年に達しない生児**を育てる女性は、**休憩時間のほか、1日2回**各々少なくとも30分、その生児を育てるための時間を**請求**することが**できる**（労基法第67条第1項）。

（1）**誤り。**上記のとおり、生後満1年を超えた生児は、育児時間の対象となる生児に該当しない。したがって、生後満1年を超え、満2年に達しない生児を育てる女性労働者は、育児時間を請求できない。

（2）**正しい。**育児時間中の賃金を有給とするか無給とするかは、労使当事者の自由に委ねられるため、必ずしも有給としなくてもよい（昭33.6.25基収4317号）。

（3）**正しい。**上記のとおり、育児時間は、1日2回、1回当たり少なくとも30分の時間を請求できる。

（4）**正しい。**上記のとおり、生後満1年に達しない生児を育てる女性は、育児時間を**請求することができる**。したがって、育児時間を請求しない女性労働者に対しては、育児時間を与えなくてもよい。

（5）**正しい。**使用者は、育児時間中は、その女性を使用してはならない（労基法第67条第2項）。

正答（1）

★
194 **労働基準法により作成が義務付けられている就業規則に関する次の記述のうち、誤っているものはどれか。**

□□

（1）就業規則の作成又は変更の手続きとして、事業場の労働者の過半数で組織する労働組合（その労働組合がない場合は労働者の過半数を代表する者）の同意が必要である。

（2）退職に関する事項（解雇の事由を含む。）については、必ず就業規則に定めておく必要がある。

（3）休日及び休暇に関する事項については、必ず就業規則に定めておく必要がある。

（4）安全及び衛生に関する事項については、これに関する定めをする場合には就業規則に定めておく必要がある。

（5）就業規則は、常時作業場の見やすい場所へ掲示すること、各労働者に書面を交付すること等の一定の方法によって、労働者に周知させなければならない。

H28.10-10、H27.10-9

194 解説

（1）**誤り。**就業規則の作成または変更については、当該事業場の労働者の過半数で組織する労働組合（その労働組合がない場合は労働者の過半数を代表する者）の**意見を聴かなければならない**（労基法第 90 条第 1 項）。同意までは必要ない。

（2）**正しい。退職**に関する事項（解雇の事由を含む）については、**必ず**就業規則に**定めておく必要がある**（労基法第 89 条第 3 号）。

（3）**正しい。休日および休暇**に関する事項については、**必ず**就業規則に**定めておく必要がある**（労基法第 89 条第 1 号）。

（4）**正しい。安全および衛生**に関する事項については、これに関する**定めをする場合**には就業規則に**定めておく必要がある**（労基法第 89 条第 5 号）。

（5）**正しい。**就業規則は、常時作業場の見やすい場所へ掲示すること、各労働者に書面を交付すること等の一定の方法によって、労働者に周知させなければならない（労基法第 106 条第 1 項）。

正答（1）

★★
195 **労働基準法により作成が義務付けられている就業規則に関する次の記述のうち、誤っているものはどれか。**

□□

（1）始業及び終業の時刻、休憩時間、休日並びに休暇に関する事項については、必ず就業規則に定めておかなければならない。

（2）退職に関する事項（解雇の事由を含む。）については、必ず就業規則に定めておかなければならない。

（3）安全及び衛生に関する事項については、必ず就業規則に定めておかなければならない。

（4）就業規則は、常時作業場の見やすい場所へ掲示すること、労働者に書面を交付すること等の一定の方法によって、労働者に周知させなければならない。

（5）就業規則の作成又は変更の手続きとして、事業場の労働者の過半数で組織する労働組合（その労働組合がない場合は労働者の過半数を代表する者）の意見を聴かなければならない。

H25.10-9

195 解説

（1）**正しい。始業および終業の時刻、休憩時間、休日ならびに休暇**に関する事項については、**必ず**就業規則に**定めておく必要がある**（労基法第89条第1号）。

（2）**正しい。退職**に関する事項（解雇の事由を含む）については、**必ず**就業規則に**定めておく必要がある**（労基法第89条第3号）。

（3）**誤り。安全および衛生**に関する事項については、これに関する**定めをする場合**には就業規則に**定めておく必要がある**（労基法第89条第5号）。必ず定めておかなければならないのではない。

（4）**正しい。**就業規則は、常時作業場の見やすい場所へ掲示すること、各労働者に書面を交付すること等の一定の方法によって、労働者に周知させなければならない（労基法第106条第1項）。

（5）**正しい。**就業規則の作成または変更については、当該事業場の労働者の過半数で組織する労働組合（その労働組合がない場合は労働者の過半数を代表する者）の**意見を聴かなければならない**（労基法第90条第1項）。

正答（3）

チェック！ ここが狙われる

よく出る就業規則の記載事項

速 P.321

必ず就業規則に定める	定めをする場合には就業規則に定める
• 退職に関する事項（解雇の事由を含む） • 賃金（臨時の賃金等を除く）の決定、昇給に関する事項 • 始業および終業の時刻、休憩時間、休日ならびに休暇に関する事項　等	• 安全および衛生に関する事項　等

過去問題
[令和６年４月公表試験問題]

論点別問題での学習を終えたら、実際の過去問題で実力確認をしましょう。演習する際には、時間を計り、別冊 P.33 の解答用紙を利用するなど、実際に受験する要領で行うようにしましょう。

第二種衛生管理者試験は、各科目で 40％以上、合計得点 60％以上で合格となります。

「解答・解説」は別冊に収録しています。

科　目	問題数	試験時間
関係法令	10 問	3時間※
労働衛生	10 問	
労働生理	10 問	

※船員法による科目免除者については２時間 15 分となる

〔関係法令〕

問１　衛生管理者又は衛生推進者の選任について、法令に違反しているものは次のうちどれか。

ただし、衛生管理者の選任の特例はないものとする。

（１）常時 40 人の労働者を使用する飲食店の事業場において、衛生管理者は選任していないが、衛生推進者を１人選任している。

（２）常時 100 人の労働者を使用する水道業の事業場において、第二種衛生管理者免許を有する者のうちから、衛生管理者を１人選任している。

（３）常時 200 人の労働者を使用する不動産業の事業場において、第一種衛生管理者免許を有する者のうちから、衛生管理者を１人選任している。

（４）常時 200 人の労働者を使用する旅館業の事業場において、第二種衛生管理者免許を有する者のうちから衛生管理者を１人選任している。

（５）常時 600 人の労働者を使用する各種商品小売業の事業場において、３人の衛生管理者のうち２人を事業場に専属で第一種衛生管理者免許を有する者のうちから選任し、他の１人を事業場に専属でない労働衛生コンサルタントから選任している。

問２　常時使用する労働者数が 300 人の事業場で、法令上、総括安全衛生管理者の選任が義務付けられていない業種は、次のうちどれか。

（１）通信業

（２）各種商品小売業

（３）旅館業

（４）ゴルフ場業

（５）警備業

問３　衛生管理者が管理すべき業務として、法令上、定められていないものは次のうちどれか。

ただし、次のそれぞれの業務のうち衛生に係る技術的事項に限るものとする。

（1）化学物質等による危険性又は有害性等の調査及びその結果に基づき講ずる措置に関すること。

（2）健康診断の実施その他健康の保持増進のための措置に関すること。

（3）労働者の衛生のための教育の実施に関すること。

（4）労働者の健康を確保するため必要があると認めるとき、事業者に対し、労働者の健康管理等について必要な勧告をすること。

（5）少なくとも毎週１回作業場等を巡視し、衛生状態に有害のおそれがあるときは、直ちに、労働者の健康障害を防止するため必要な措置を講じること。

問４　労働安全衛生法に基づく心理的な負担の程度を把握するための検査の結果に基づき実施する面接指導に関する次の記述のうち、正しいものはどれか。

（1）常時50人以上の労働者を使用する事業者は、１年以内ごとに１回、定期に、心理的な負担の程度を把握するための検査結果等報告書を所轄労働基準監督署長に提出しなければならない。

（2）事業者は、面接指導の対象となる労働者の要件に該当する労働者から申出があったときは、申出の日から３か月以内に、面接指導を行わなければならない。

（3）事業者は、面接指導を行った場合は、当該面接指導の結果を当該事業場の当該部署に所属する労働者の集団その他の一定規模の集団ごとに集計し、その結果について分析しなければならない。

（4）面接指導の結果は、健康診断個人票に記載しなければならない。

（5）面接指導を行う医師として事業者が指名できる医師は、法定の研修を修了した医師に限られる。

問５　産業医の職務として、法令に定められていない事項は次のうちどれか。
ただし、次のそれぞれの事項のうち医学に関する専門的知識を必要とするものに限るものとする。

（１）安全衛生に関する方針の表明に関すること。
（２）作業の管理に関すること。
（３）健康診断の実施に関すること。
（４）衛生教育に関すること。
（５）労働者の健康障害の原因の調査及び再発防止のための措置に関すること。

問６　労働衛生コンサルタントに関する次の記述のうち、法令上、誤っているものはどれか。

（１）労働衛生コンサルタントは、他人の求めに応じ報酬を得て、労働者の衛生の水準の向上を図るため、事業場の衛生についての診断及びこれに基づく指導を行うことを業とする。
（２）労働衛生コンサルタント試験には、保健衛生及び労働衛生工学の２つの区分がある。
（３）労働衛生コンサルタント試験に合格した者は、厚生労働大臣の指定する指定登録機関に備える労働衛生コンサルタント名簿に、氏名、生年月日等所定の事項の登録を受けることにより、労働衛生コンサルタントとなることができる。
（４）労働衛生コンサルタントが、その業務に関して知り得た秘密を漏らし、又は盗用したときは、その登録を取り消されることがある。
（５）労働衛生コンサルタントは、法定の研修を修了することにより、ストレスチェックの実施者となることができる。

問７　労働安全衛生規則に基づく次の定期健康診断項目のうち、厚生労働大臣が定める基準に基づき、医師が必要でないと認めるときは、省略することができる項目に該当しないものはどれか。

（１）既往歴及び業務歴の調査
（２）心電図検査
（３）肝機能検査
（４）血中脂質検査
（５）貧血検査

問８　事務室の空気環境の調整に関する次の文中の［　　］内に入れるＡ及びＢの数値の組合せとして、法令上、正しいものは（1）～（5）のうちどれか。

「①　空気調和設備又は機械換気設備を設けている場合は、室に供給される空気が、１気圧、温度25℃とした場合の当該空気中に占める二酸化炭素の含有率が100万分の［ Ａ ］以下となるように、当該設備を調整しなければならない。
②　①の設備により室に流入する空気が、特定の労働者に直接、継続して及ばないようにし、かつ、室の気流を［ Ｂ ］m/s以下としなければならない。」

	A	B
（１）	1,000	0.3
（２）	1,000	0.5
（３）	2,000	0.3
（４）	2,000	0.5
（５）	2,000	1

問９　労働基準法における労働時間等に関する次の記述のうち、正しいものはどれか。

（１）１日８時間を超えて労働させることができるのは、時間外労働の協定を締結し、これを所轄労働基準監督署長に届け出た場合に限られている。

（２）労働時間に関する規定の適用については、事業場を異にする場合は労働時間を通算しない。

（３）労働時間が８時間を超える場合においては、少なくとも45分の休憩時間を労働時間の途中に与えなければならない。

（４）機密の事務を取り扱う労働者については、所轄労働基準監督署長の許可を受けなくても労働時間に関する規定は適用されない。

（５）フレックスタイム制の清算期間は、６か月以内の期間に限られる。

問10　週所定労働時間が32時間、週所定労働日数が４日である労働者であって、雇入れの日から起算して３年６か月継続勤務したものに対して、その後１年間に新たに与えなければならない年次有給休暇日数として、法令上、正しいものは次のうちどれか。

ただし、その労働者はその直前の１年間に全労働日の８割以上出勤したものとする。

（１）10日

（２）11日

（３）12日

（４）13日

（５）14日

〔労働衛生〕

問 11　事務室における必要換気量Q（m^3/h）を算出する式として、適切なものは（1）～（5）のうちどれか。

ただし、AからDは次のとおりとする。

A　室内二酸化炭素基準濃度（%）

B　室内二酸化炭素濃度の測定値（%）

C　外気の二酸化炭素濃度（%）

D　在室者全員が1時間に呼出する二酸化炭素量（m^3/h）

（1）Q ＝｛D／（A － B)｝× 100

（2）Q ＝｛D／（A － C)｝× 100

（3）Q ＝｛D／（B － A)｝× 100

（4）Q ＝｛D／（B － C)｝× 100

（5）Q ＝｛D／（C － A)｝× 100

問 12　温熱条件に関する次の記述のうち、誤っているものはどれか。

（1）温度感覚を左右する環境要素は、気温、湿度、気流及びふく射（放射）熱である。

（2）実効温度は、人の温熱感に基礎を置いた指標で、気温、湿度及び気流の総合効果を温度目盛りで表したものである。

（3）相対湿度は、空気中の水蒸気量と、その温度における飽和水蒸気量との比を百分率で示したものである。

（4）ＷＢＧＴは、暑熱環境による熱ストレスの評価に用いられる指標で、日射がある場合は、自然湿球温度、黒球温度及び気温（乾球温度）の測定値から算出される。

（5）算出したＷＢＧＴの値が、作業内容に応じて設定されたＷＢＧＴ基準値未満である場合には、熱中症が発生するリスクが高まる。

問 13　照明等の視環境に関する次の記述のうち、誤っているものはどれか。

（1）照度の単位はルクスで、１ルクスは光度１カンデラの光源から１ｍ離れた所で、その光に直角な面が受ける明るさに相当する。

（2）前方から明かりをとるときは、まぶしさをなくすため、眼と光源を結ぶ線と視線が作る角度は、おおむね 30°以上になるようにする。

（3）全般照明と局部照明を併用する場合、全般照明による照度は、局部照明による照度の 15 分の１以下になるようにしている。

（4）室内の彩色で、目の高さ以下の壁や床には、まぶしさを防ぐため濁色を用いるようにする。

（5）高齢者は、若年者に比較して、一般に、高い照度が必要であるが、水晶体の混濁により、まぶしさを感じやすくなっている場合もあるので、注意が必要である。

問 14　厚生労働省の「労働者の心の健康の保持増進のための指針」に基づくメンタルヘルスケアの実施に関する次の記述のうち、適切でないものはどれか。

（1）「心の健康づくり計画」の策定に当たっては、衛生委員会又は安全衛生委員会において十分調査審議を行う。

（2）「セルフケア」、「ラインによるケア」、「事業場内産業保健スタッフ等によるケア」及び「事業場外資源によるケア」の四つのケアを継続的かつ計画的に行う。

（3）メンタルヘルスケアを推進するに当たって、労働者の個人情報を主治医等の医療職や家族から取得する際には、あらかじめこれらの情報を取得する目的を労働者に明らかにして承諾を得るとともに、これらの情報は労働者本人から提出を受けることが望ましい。

（4）労働者の心の健康は、職場配置、人事異動、職場の組織等の要因によって影響を受ける可能性があるため、人事労務管理部門と連携するようにする。

（5）プライバシー保護の観点から、衛生委員会や安全衛生委員会において、ストレスチェック制度に関する調査審議とメンタルヘルスケアに関する調査審議を関連付けて行うことは避ける。

問 15　労働者の健康保持増進のために行う健康測定における運動機能検査の項目とその測定種目との組合せとして、誤っているものは次のうちどれか。

（1）筋力 …………………… 握力
（2）柔軟性 ………………… 座位体前屈
（3）筋持久力 ……………… 上体起こし
（4）敏しょう性 …………… 踏み台昇降
（5）全身持久性 …………… 最大酸素摂取量

問 16　1,000 人を対象としたある疾病のスクリーニング検査の結果と精密検査結果によるその疾病の有無は下表のとおりであった。このスクリーニング検査の偽陽性率及び偽陰性率の近似値の組合せとして、適切なものは（1）～（5）のうちどれか。

ただし、偽陽性率とは、疾病無しの者を陽性と判定する率をいい、偽陰性率とは、疾病有りの者を陰性と判定する率をいうものとする。

精密検査結果による疾病の有無	スクリーニング検査結果（人）	
	陽性	陰性
疾病有り	20	5
疾病無し	200	775

	偽陽性率（%）	偽陰性率（%）
（1）	20.0	0.5
（2）	20.5	20.0
（3）	22.0	25.0
（4）	25.8	0.5
（5）	28.2	20.0

問 17　脳血管障害及び虚血性心疾患に関する次の記述のうち、誤っているものはどれか。

（1）脳血管障害は、脳の血管の病変が原因で生じ、出血性病変、虚血性病変などに分類される。

（2）出血性の脳血管障害は、脳表面のくも膜下腔《くう》に出血するくも膜下出血、脳実質内に出血する脳出血などに分類される。

（3）くも膜下出血は、通常、脳動脈瘤《りゅう》が破れて数日後に発症し、激しい頭痛を伴う。

（4）虚血性心疾患は、心筋の一部分に可逆的な虚血が起こる狭心症と、不可逆的な心筋壊《え》死が起こる心筋梗塞とに大別される。

（5）心筋梗塞では、突然激しい胸痛が起こり、「締め付けられるように痛い」、「胸が苦しい」などの症状が、１時間以上続くこともある。

問 18　骨折に関する次の記述のうち、正しいものはどれか。

（1）単純骨折とは、骨にひびが入った状態をいう。

（2）複雑骨折とは、骨が多数の骨片に破砕された状態をいう。

（3）不完全骨折では、骨折端どうしが擦れ合う軋轢《あつれき》音や変形などが認められる。

（4）脊髄損傷が疑われる場合は、動かさないことを原則とするが、やむを得ず搬送する場合は、負傷者に振動を与えないようにするため、柔らかいマットに乗せる。

（5）骨折に対する処置として、副子を手や足に当てるときは、骨折部分の上下の関節まで固定できる長さで、かつ、幅の広いものを用いる。

問 19　ノロウイルスによる食中毒に関する次の記述のうち、正しいものはどれか。

（1）食品に付着したウイルスが食品中で増殖し、ウイルスが産生した毒素により発症する。

（2）ウイルスの感染性は、長時間煮沸しても失われない。

（3）潜伏期間は、１～２日である。

（4）発生時期は、夏季が多い。

（5）症状は、筋肉の麻痺《ひ》などの神経症状が特徴である。

問 20　ＢＭＩに関する次の記述のうち、正しいものはどれか。

（１）ＢＭＩは肥満や低体重（痩せ）の判定に用いられる指数で、この数値が大きいほど肥満の傾向があり、小さいほど痩せの傾向がある。

（２）ＢＭＩを算出するには、腹囲の値が必要である。

（３）ＢＭＩを算出するには、体脂肪率の値が必要である。

（４）ＢＭＩは、内臓脂肪の重量と直線的な比例関係にある。

（５）ＢＭＩによる肥満度の判定基準には、男性の方が女性より大きな数値が用いられる。

〔労働生理〕

問 21　呼吸に関する次の記述のうち、正しいものはどれか。

（１）呼吸は、胸膜が運動することで胸腔《くう》内の圧力を変化させ、肺を受動的に伸縮させることにより行われる。

（２）肺胞内の空気と肺胞を取り巻く毛細血管中の血液との間で行われるガス交換は、内呼吸である。

（３）通常の呼吸の場合の呼気には、酸素が約 16％、二酸化炭素が約４％含まれる。

（４）チェーンストークス呼吸とは、肺機能の低下により呼吸数が増加した状態をいい、喫煙が原因となることが多い。

（５）身体活動時には、血液中の窒素分圧の上昇により呼吸中枢が刺激され、１回換気量及び呼吸数が増加する。

問22　神経系に関する次の記述のうち、誤っているものはどれか。

（1）神経細胞の細胞体が集合しているところを、中枢神経系では神経節といい、末梢《しょう》神経系では神経核という。

（2）大脳の外側の皮質は、神経細胞の細胞体が集合した灰白質で、感覚、運動、思考などの作用を支配する中枢として機能する。

（3）副交感神経系は、身体の機能を回復に向けて働く神経系で、休息や睡眠状態で活動が高まり、心拍数を減少し、消化管の運動を亢《こう》進する。

（4）自律神経系は、交感神経系と副交感神経系とに分類され、各種臓器に対して両方の神経が支配している。

（5）体性神経には感覚器官からの情報を中枢に伝える感覚神経と、中枢からの命令を運動器官に伝える運動神経がある。

問23　心臓及び血液循環に関する次の記述のうち、誤っているものはどれか。

（1）心臓は、自律神経の中枢で発生した刺激が刺激伝導系を介して心筋に伝わることにより、規則正しく収縮と拡張を繰り返す。

（2）肺循環により左心房に戻ってきた血液は、左心室を経て大動脈に入る。

（3）大動脈を流れる血液は動脈血であるが、肺動脈を流れる血液は静脈血である。

（4）心臓の拍動による動脈圧の変動を末梢《しょう》の動脈で触知したものを脈拍といい、一般に、手首の橈《とう》骨動脈で触知する。

（5）動脈硬化とは、コレステロールの蓄積などにより、動脈壁が肥厚・硬化して弾力性を失った状態であり、進行すると血管の狭窄《さく》や閉塞を招き、臓器への酸素や栄養分の供給が妨げられる。

問24　脂肪の分解・吸収及び脂質の代謝に関する次の記述のうち、誤っているものはどれか。

（１）脂肪は、膵《すい》臓から分泌される消化酵素である膵《すい》アミラーゼにより脂肪酸とグリセリンに分解される。

（２）胆汁は、アルカリ性で、消化酵素は含まないが、食物中の脂肪を乳化させ、脂肪分解の働きを助ける。

（３）肝臓は、過剰な蛋《たん》白質及び糖質を中性脂肪に変換する。

（４）コレステロールやリン脂質は、神経組織の構成成分となる。

（５）脂質は、糖質や蛋《たん》白質に比べて多くのＡＴＰを産生するエネルギー源となるが、摂取量が多すぎると肥満の原因となる。

問25　腎臓又は尿に関する次のＡからＤの記述について、誤っているものの組合せは（１）～（５）のうちどれか。

Ａ　腎臓の皮質にある腎小体では、糸球体から血液中の糖以外の血漿《しょう》成分がボウマン嚢《のう》に濾《こ》し出され、原尿が生成される。

Ｂ　腎臓の尿細管では、原尿に含まれる大部分の水分及び身体に必要な成分が血液中に再吸収され、残りが尿として生成される。

Ｃ　尿は淡黄色の液体で、固有の臭気を有し、通常、弱酸性である。

Ｄ　尿酸は、体内のプリン体と呼ばれる物質の代謝物で、健康診断において尿中の尿酸の量の検査が広く行われている。

（１）Ａ，Ｂ

（２）Ａ，Ｃ

（３）Ａ，Ｄ

（４）Ｂ，Ｃ

（５）Ｃ，Ｄ

問26　感覚又は感覚器に関する次の記述のうち、誤っているものはどれか。

（1）眼軸が短過ぎるために、平行光線が網膜の後方で像を結ぶものを遠視という。

（2）嗅覚と味覚は化学感覚ともいわれ、物質の化学的性質を認知する感覚である。

（3）温度感覚は、皮膚のほか口腔《くう》などの粘膜にも存在し、一般に冷覚の方が温覚よりも鋭敏である。

（4）深部感覚は、筋肉や腱にある受容器から得られる身体各部の位置、運動などを認識する感覚である。

（5）平衡感覚に関係する器官である前庭及び半規管は、中耳にあって、体の傾きや回転の方向を知覚する。

問27　ヒトのホルモン、その内分泌器官及びそのはたらきの組合せとして、誤っているものは次のうちどれか。

	ホルモン	内分泌器官	はたらき
（1）	アルドステロン	副腎髄質	血糖量の増加
（2）	インスリン	膵《すい》臓	血糖量の減少
（3）	パラソルモン	副甲状腺	血中のカルシウム量の調節
（4）	プロラクチン	下垂体	黄体形成の促進
（5）	副腎皮質刺激ホルモン	下垂体	副腎皮質の活性化

問28　免疫に関する次の記述のうち、誤っているものはどれか。

（1）抗原とは、免疫に関係する細胞によって異物として認識される物質のことである。

（2）抗原となる物質には、蛋《たん》白質、糖質などがある。

（3）抗体とは、体内に入ってきた抗原に対して体液性免疫において作られる免疫グロブリンと呼ばれる蛋《たん》白質のことである。

（4）好中球は白血球の一種であり、偽足を出してアメーバ様運動を行い、体内に侵入してきた細菌などを貪食する。

（5）リンパ球には、血液中の抗体を作るTリンパ球と、細胞性免疫の作用を持つBリンパ球がある。

問29　ストレスに関する次の記述のうち、誤っているものはどれか。

（１）外部からの刺激であるストレッサーは、その形態や程度にかかわらず、自律神経系と内分泌系を介して、心身の活動を抑圧する。

（２）ストレスに伴う心身の反応には、ノルアドレナリン、アドレナリンなどのカテコールアミンや副腎皮質ホルモンが深く関与している。

（３）昇進、転勤、配置替えなどがストレスの原因となることがある。

（４）職場環境における騒音、気温、湿度、悪臭などがストレスの原因となることがある。

（５）ストレスにより、高血圧症、狭心症、十二指腸潰瘍などの疾患が生じることがある。

問30　体温調節に関する次の記述のうち、正しいものはどれか。

（１）体温調節中枢は、間脳の視床下部にある。

（２）体温調節のように、外部環境が変化しても身体内部の状態を一定に保つ生体の仕組みを同調性といい、筋肉と神経系により調整されている。

（３）寒冷な環境においては、皮膚の血管が拡張して血流量を増し、皮膚温を上昇させる。

（４）計算上、体重70kgの人の体表面から10 gの汗が蒸発すると、体温が約１℃下がる。

（５）不感蒸泄《せつ》とは、水分が発汗により失われることをいう。

予想模擬試験

この「予想模擬試験」は、学習の仕上げとして本試験の予行演習をしていただくために、**本試験と同じ出題形式、同じ問題配分で作成**してあります。第二種衛生管理者試験を攻略するには、試験に慣れておくことが大切です。演習する際には、時間を計り、別冊 P.35 の解答用紙を利用するなど、実際に受験する要領で行うようにしましょう。

「解答・解説編」は別冊に収録しています。

科　目	問題数	試験時間
関係法令	10問	3時間※
労働衛生	10問	
労働生理	10問	

※船員法による科目免除者については2時間 15 分となる

〔関係法令〕

問１　事業場の衛生管理体制に関する次の記述のうち、法令上、誤っているものはどれか。

ただし、衛生管理者及び産業医の選任の特例はないものとする。

（1）常時200人以上の労働者を使用する各種商品小売業の事業場では、総括安全衛生管理者を選任しなければならない。

（2）常時1,000人を超え2,000人以下の労働者を使用する事業場では、４人以上の衛生管理者を選任しなければならない。

（3）常時50人以上の労働者を使用する通信業の事業場では、第二種衛生管理者免許を受けた者のうちから衛生管理者を選任することができる。

（4）２人以上の衛生管理者を選任する場合、そのうち１人についてはその事業場に専属でない労働衛生コンサルタントのうちから選任することができる。

（5）常時700人の労働者を使用し、そのうち深夜業を含む業務に常時500人以上の労働者を従事させる事業場では、その事業場に専属の産業医を選任しなければならない。

問２　常時使用する労働者数が100人で、次の業種に属する事業場のうち、法令上、総括安全衛生管理者の選任が義務付けられていないものの業種はどれか。

（1）林業

（2）清掃業

（3）燃料小売業

（4）建設業

（5）運送業

問３　衛生委員会に関する次の記述のうち、法令上、定められているものはどれか。

（１）衛生委員会の議長は、衛生管理者である委員のうちから、事業者が指名しなければならない。

（２）衛生委員会の議長を除く全委員は、事業場の労働組合又は労働者の過半数を代表する者の推薦に基づき指名しなければならない。

（３）衛生委員会の委員として、事業場に専属でない産業医を指名することはできない。

（４）衛生委員会の付議事項には、労働者の精神的健康の保持増進を図るための対策の樹立に関することが含まれる。

（５）衛生委員会は、毎月１回以上開催するようにし、重要な議事に係る記録を作成して、これを５年間保存しなければならない。

問４　産業医の職務として、法令に定められていない事項は次のうちどれか。

ただし、次のそれぞれの事項のうち医学に関する専門的知識を必要とするものに限るものとする。

（１）衛生教育に関すること。

（２）作業環境の維持管理に関すること。

（３）作業の管理に関すること。

（４）労働者の健康障害の原因の調査及び再発防止のための措置に関すること。

（５）安全衛生に関する方針の表明に関すること。

問５　労働安全衛生規則に基づく医師による雇入時の健康診断に関する次の記述のうち、誤っているものはどれか。

（１）医師による健康診断を受けた後３か月を経過しない者を雇い入れる場合、その健康診断の結果を証明する書面の提出があったときは、その健康診断の項目に相当する雇入時の健康診断の項目は省略することができる。

（２）雇入時の健康診断における聴力の検査は、1,000 ヘルツ及び 4,000 ヘルツの音に係る聴力について行わなければならない。

（３）雇入時の健康診断の項目には、血糖検査が含まれているが、血液中の尿酸の量の検査は含まれていない。

（４）雇入時の健康診断の結果に基づいて作成した健康診断個人票は、５年間保存しなければならない。

（５）雇入時の健康診断の結果については、その対象労働者数が 50 人以上となるときには、事業場の規模にかかわらず、所轄労働基準監督署長に報告しなければならない。

問６　労働衛生コンサルタントに関する次の記述のうち、法令上、誤っているものはどれか。

（１）労働衛生コンサルタントは、他人の求めに応じ報酬を得て、労働者の衛生の水準の向上を図るため、事業場の衛生についての診断及びこれに基づく指導を行うことを業とする。

（２）労働衛生コンサルタント試験には、保健衛生及び労働衛生工学の２つの区分がある。

（３）労働衛生コンサルタント試験に合格した者は、厚生労働大臣の指定する指定登録機関に備える労働衛生コンサルタント名簿に、氏名、生年月日等所定の事項の登録を受けることにより、労働衛生コンサルタントとなることができる。

（４）労働衛生コンサルタントが、その業務に関して知り得た秘密を漏らし、又は盗用したときは、その登録を取り消されることがある。

（５）労働衛生コンサルタントの診断及び指導を受けた事業者は、その記録を作成して、これを３年間保存しなければならない。

問７　労働安全衛生法に基づく心理的な負担の程度を把握するための検査（以下「ストレスチェック」という。）の結果に基づき実施する医師による面接指導に関する次の記述のうち、正しいものはどれか。

（１）面接指導を行う医師として事業者が指名できる医師は、当該事業場の産業医に限られる。

（２）面接指導の結果は、健康診断個人票に記載しなければならない。

（３）事業者は、ストレスチェックの結果、心理的な負担の程度が高い労働者であって、面接指導を受ける必要があると当該ストレスチェックを行った医師等が認めたものが面接指導を受けることを希望する旨を申し出たときは、当該申出をした労働者に対し、面接指導を行わなければならない。

（４）事業者は、面接指導の対象となる要件に該当する労働者から申出があったときは、申出の日から３か月以内に、面接指導を行わなければならない。

（５）事業者は、面接指導の結果に基づき、当該労働者の健康を保持するため必要な措置について、面接指導が行われた日から３か月以内に、医師の意見を聴かなければならない。

問８　事務所衛生基準規則に基づく設備の点検、清掃等に関する次の記述のうち、誤っているものはどれか。

（１）燃焼器具を使用するときは、発熱量が著しく少ないものを除き、毎日、異常の有無を点検しなければならない。

（２）事務室において使用する機械による換気のための設備については、２か月以内ごとに１回、定期に、異常の有無を点検しなければならない。

（３）空気調和設備を設けている場合は、その設備内に設けられた排水受けについて、原則として、１か月以内ごとに１回、定期に、その汚れ及び閉塞の状況を点検し、必要に応じ、その清掃等を行わなければならない。

（４）中央管理方式の空気調和設備を設けている建築物の事務室については、６か月以内ごとに１回、定期に、空気中の一酸化炭素及び二酸化炭素の含有率を測定しなければならない。

（５）事務室の建築、大規模の修繕又は大規模の模様替を行ったときは、その事務室における空気中のホルムアルデヒドの濃度を、その事務室の使用開始後所定の期間に１回、測定しなければならない。

問９　年次有給休暇（以下「休暇」という。）に関する次の記述のうち、労働基準法上、正しいものはどれか。

（１）週所定労働時間が30時間以上で、雇入れの日から起算して６年６か月以上継続勤務し、直近の１年間に、全労働日の８割以上出勤した労働者には、15日の休暇を新たに与えなければならない。

（２）労働者の過半数で組織する労働組合（その労働組合がない場合は労働者の過半数を代表する者）と使用者との書面による協定により休暇を与える時季に関する定めをした場合は、休暇のうち５日を超える部分については、その定めにより休暇を与えることができる。

（３）法令に基づく育児休業又は介護休業で休業した期間は、出勤率の算定に当たっては、出勤しなかったものとして算出することができる。

（４）休暇の請求権は、これを１年間行使しなければ時効によって消滅する。

（５）監督又は管理の地位にある者及び機密の事務を取り扱う者については、休暇に関する規定は適用されない。

問10　労働基準法に定める妊産婦等に関する次の記述のうち、法令上、誤っているものはどれか。

ただし、常時使用する労働者数が10人以上の規模の事業場の場合とし、管理監督者等とは、「監督又は管理の地位にある者等、労働時間、休憩及び休日に関する規定の適用除外者」をいうものとする。

（１）時間外・休日労働に関する協定を締結し、これを所轄労働基準監督署長に届け出ている場合であっても、妊産婦が請求した場合には、管理監督者等の場合を除き、時間外・休日労働をさせてはならない。

（２）１か月単位の変形労働時間制を採用している場合であっても、妊産婦が請求した場合には、管理監督者等の場合を除き、１週40時間、１日８時間を超えて労働させてはならない。

（３）１年単位の変形労働時間制を採用している場合であっても、妊産婦が請求した場合には、管理監督者等の場合を除き、１週40時間、１日８時間を超えて労働させてはならない。

（４）妊娠中の女性が請求した場合には、管理監督者等の場合を除き、他の軽易な業務に転換させなければならない。

（５）生理日の就業が著しく困難な女性が休暇を請求したときは、その者を生理日に就業させてはならない。

〔労働衛生〕

問11　暑熱環境の程度を示すWBGTに関する次の記述のうち、誤っているものはどれか。

（1）WBGTは、気温、湿度及び気流の三つの要素から暑熱環境の程度を示す指標として用いられ、その単位は気温と同じ℃で表される。

（2）日射がある場合のWBGT値は、自然湿球温度、黒球温度及び気温（乾球温度）の値から算出される。

（3）WBGTには、基準値が定められており、WBGT値がWBGT基準値を超えている場合は、熱中症にかかるリスクが高まっていると判断される。

（4）WBGT基準値は、身体に対する負荷が大きな作業の方が、負荷が小さな作業より小さな値となる。

（5）WBGT基準値は、暑熱順化者に用いる値の方が、暑熱非順化者に用いる値より大きな値となる。

問12　照明などの視環境に関する次の記述のうち、誤っているものはどれか。

（1）前方から明かりを取るときは、眼と光源を結ぶ線と視線とで作る角度が、40°程度になるようにしている。

（2）あらゆる方向から同程度の明るさの光がくると、見るものに影ができなくなり、立体感がなくなってしまうことがある。

（3）全般照明と局部照明を併用する場合、全般照明による照度は、局部照明による照度の５分の１程度になるようにしている。

（4）照度の単位はルクスで、１ルクスは光度１カンデラの光源から10 m離れた所で、その光に直角な面が受ける明るさに相当する。

（5）室内の彩色で、明度を高くすると光の反射率が高くなり照度を上げる効果があるが、彩度を高くしすぎると交感神経の緊張を招きやすく、長時間にわたる場合は疲労を招きやすい。

問 13　在室者が 12 人の事務室において、二酸化炭素濃度を 1,000 ppm 以下に保つために最小限必要な換気量（m^3/h）に最も近いものは次のうちどれか。ただし、在室者が呼出する二酸化炭素量は 1 人当たり 0.018 m^3/h、外気の二酸化炭素濃度は 300 ppm とする。

（1）160

（2）220

（3）260

（4）310

（5）390

問 14　厚生労働省の「労働者の心の健康の保持増進のための指針」に基づくメンタルヘルス対策に関する次の記述のうち、誤っているものはどれか。

（1）メンタルヘルスケアは、「セルフケア」、「家族によるケア」及び「事業場内産業保健スタッフ等によるケア」の三つのケアを継続的かつ計画的に行うことが重要である。

（2）メンタルヘルスケアを中長期的視点に立って継続的かつ計画的に行うため策定する「心の健康づくり計画」は、各事業場における労働安全衛生に関する計画の中に位置付けることが望ましい。

（3）「心の健康づくり計画」の策定に当たっては、衛生委員会又は安全衛生委員会において十分調査審議を行う。

（4）事業者がメンタルヘルスケアを積極的に推進する旨の表明に関することは、「心の健康づくり計画」で定めるべき事項に含まれる。

（5）「セルフケア」とは、労働者自身がストレスや心の健康について理解し、自らのストレスを予防、軽減する、またこれに対処することである。

問 15　厚生労働省の「職場における腰痛予防対策指針」に基づく、重量物取扱い作業などにおける腰痛予防対策に関する次の記述のうち、正しいものはどれか。

（1）満 18 歳以上の男子労働者が人力のみで取り扱う物の重量は、体重のおおむね 50%以下となるようにする。

（2）腰部保護ベルトは、全員に使用させるようにする。

（3）立ち作業時は身体を安定に保持するため、床面は弾力性のない硬い素材とする。

（4）腰掛け作業の場合の作業姿勢は、椅子に深く腰を掛けて、背もたれで体幹を支え、履物の足裏全体が床に接する姿勢を基本とする。

（5）腰部に著しい負担のかかる作業に常時従事する労働者に対しては、1 年以内ごとに 1 回、定期に、腰痛の健康診断を実施する。

問 16　労働衛生管理に用いられる統計に関する次の記述のうち、誤っているものはどれか。

（1）生体から得られたある指標が正規分布である場合、そのバラツキの程度は、平均値や最頻値によって表される。

（2）集団を比較する場合、調査の対象とした項目のデータの平均値が等しくても分散が異なっていれば、異なった特徴をもつ集団であると評価される。

（3）健康管理統計において、ある時点での検査における有所見者の割合を有所見率といい、このようなデータを静態データという。

（4）健康診断において、対象人数、受診者数などのデータを計数データといい、身長、体重などのデータを計量データという。

（5）ある事象と健康事象との間に、統計上、一方が多いと他方も多いというような相関関係が認められても、それらの間に因果関係がないこともある。

問 17　脳血管障害に関する次の記述のうち、誤っているものはどれか。

（1）脳血管障害は、脳の血管の病変が原因で生じ、出血性病変、虚血性病変などに分類される。

（2）出血性の脳血管障害は、脳表面のくも膜下腔《くう》に出血するくも膜下出血や脳実質内に出血する脳出血などに分類される。

（3）脳梗塞や脳出血では、頭痛、吐き気、手足のしびれ、麻痺《ひ》、言語障害、視覚障害などの症状が認められる。

（4）虚血性の脳血管障害である脳梗塞は、脳血管自体の動脈硬化性病変による脳塞栓症と、心臓や動脈壁の血栓が剥がれて脳血管を閉塞する脳血栓症に分類される。

（5）くも膜下出血の症状は、「頭が割れるような」「ハンマーでたたかれたような」と表現される急激で激しい頭痛が特徴である。

問 18　細菌性食中毒に関する次の記述のうち、誤っているものはどれか。

（1）サルモネラ菌による食中毒は、食品に付着した菌が食品中で増殖した際に生じる毒素により発症する。

（2）ボツリヌス菌による毒素は、神経毒である。

（3）黄色ブドウ球菌による毒素は、熱に強い。

（4）腸炎ビブリオ菌は、病原性好塩菌ともいわれる。

（5）セレウス菌及びカンピロバクターは、いずれも細菌性食中毒の原因菌である。

問 19　出血及び止血法に関する次の記述のうち、誤っているものはどれか。

（1）直接圧迫法は、出血部を直接圧迫する方法であり、最も簡単で効果的な方法である。

（2）間接圧迫法は、出血部より心臓に近い部位の動脈を圧迫する方法である。

（3）体内の全血液量の３分の１程度が急激に失われると、生命が危険な状態となる。

（4）止血処置を行うときは、感染防止のため、ビニール手袋を着用したりビニール袋を活用したりして、血液に直接触れないようにする。

（5）動脈性出血は、傷口からゆっくり持続的に湧き出るような出血である。

問 20　労働衛生対策を進めるに当たっては、作業環境管理、作業管理及び健康管理が必要であるが、次のＡからＥの対策例について、作業管理に該当するものの組合せは（1）～（5）のうちどれか。

Ａ　座位での情報機器作業における作業姿勢は、椅子に深く腰をかけて背もたれに背を十分あて、履き物の足裏全体が床に接した姿勢を基本とする。

Ｂ　情報機器作業において、書類上及びキーボード上における照度を 400 ルクス程度とする。

Ｃ　高温多湿作業場所において労働者を作業に従事させる場合には、計画的に、暑熱順化期間を設ける。

Ｄ　空気調和設備を設け、事務室内の気温を調節する。

Ｅ　介護作業等腰部に著しい負担のかかる作業に従事する労働者に対し、腰痛予防体操を実施させる。

（1）Ａ，Ｂ

（2）Ａ，Ｃ

（3）Ｂ，Ｅ

（4）Ｃ，Ｄ

（5）Ｄ，Ｅ

〔労働生理〕

問 21　血液に関する次の記述のうち、誤っているものはどれか。

（1）赤血球は、骨髄で産生され、寿命は約 120 日であり、血球の中で最も多い。

（2）血液中に占める赤血球の容積の割合をヘマトクリットといい、貧血になるとその値は高くなる。

（3）好中球は、白血球の約 60％を占め、偽足を出してアメーバ様運動を行い、体内に侵入してきた細菌などを貪食する。

（4）血小板は、直径２～３ μm の不定形細胞で、止血作用をもつ。

（5）ＡＢＯ式血液型は、赤血球の血液型分類の一つで、Ａ型の血清は抗Ｂ抗体をもつ。

問 22　消化器系に関する次の記述のうち、誤っているものはどれか。

（1）三大栄養素のうち糖質はブドウ糖などに、蛋《たん》白質はアミノ酸に、脂肪は脂肪酸とモノグリセリドに、酵素により分解されて吸収される。

（2）無機塩やビタミン類は、酵素による分解を受けないでそのまま吸収される。

（3）膵《すい》臓は、消化酵素を含む膵液を十二指腸に分泌するとともに、血糖値を調節するホルモンを血液中に分泌する。

（4）ペプシノーゲンは、胃酸によってペプシンという消化酵素になり、蛋白質を分解する。

（5）胆汁はアルカリ性で、蛋白質を分解するトリプシンなどの消化酵素を含んでいる。

問 23　呼吸に関する次の記述のうち、誤っているものはどれか。

（1）呼吸運動は、気管と胸膜の協調運動によって、胸郭内容積を周期的に増減させて行われる。

（2）胸郭内容積が増し、その内圧が低くなるにつれ、鼻腔《くう》や気管などの気道を経て肺内へ流れ込む空気が吸気である。

（3）肺胞内の空気と肺胞を取り巻く毛細血管中の血液との間で行われる酸素と二酸化炭素のガス交換を肺呼吸又は外呼吸という。

（4）全身の毛細血管中の血液が各組織細胞に酸素を渡して二酸化炭素を受け取るガス交換を内呼吸又は組織呼吸という。

（5）血液中の二酸化炭素濃度が増加すると、呼吸中枢が刺激され、肺でのガス交換の量が多くなる。

問 24　成人のヒトの肝臓の機能として、誤っているものは次のうちどれか。

（1）脂肪酸の分解及びコレステロールの合成

（2）アルブミンなどの血漿《しょう》蛋白の合成

（3）赤血球の産生及び分解

（4）アミノ酸からのブドウ糖の合成

（5）グリコーゲンの合成及び分解

問 25　ホルモン、その内分泌器官及びそのはたらきの組合せとして、誤っているものは次のうちどれか。

	ホルモン	内分泌器官	はたらき
（1）	コルチゾール	副腎皮質	血糖量の増加
（2）	グルカゴン	膵臓	血糖量の増加
（3）	パラソルモン	副甲状腺	血中のカルシウムバランスの調節
（4）	メラトニン	副腎髄質	体液中の塩類バランスの調節
（5）	インスリン	膵《すい》臓	血糖量の減少

問26　腎臓・泌尿器系に関する次の記述のうち、誤っているものはどれか。

（1）腎臓の皮質にある腎小体では、糸球体から血液中の血球、糖及び蛋白質以外の成分がボウマン嚢に濾《こ》し出され、原尿が生成される。

（2）腎臓の尿細管では、原尿に含まれる大部分の水分及び身体に必要な成分が血液中に再吸収され、残りが尿として生成される。

（3）尿は淡黄色の液体で、固有の臭気を有し、通常、弱酸性である。

（4）尿の生成・排出により、体内の水分の量やナトリウムなどの電解質の濃度を調節するとともに、生命活動によって生じた不要な物質を排出する。

（5）尿の約95%は水分で、残りの約５％が固形物であるが、その成分が全身の健康状態をよく反映するので、尿検査は健康診断などで広く行われている。

問27　視覚に関する次の記述のうち、誤っているものはどれか。

（1）眼をカメラに例えると、虹《こう》彩はしぼりの働きをする。

（2）ヒトの眼は、硝子体の厚さを変えることにより焦点距離を調節して網膜の上に像を結ぶようにしている。

（3）角膜が歪《ゆが》んでいたり、表面に凹凸があるために、眼軸などに異常がなくても、物体の像が網膜上に正しく結ばないものを乱視という。

（4）網膜には、錐《すい》状体と杆《かん》状体の二種類の視細胞がある。

（5）視作業の継続により、前額部の圧迫感、頭痛、複視、吐き気、嘔《おう》吐などの眼精疲労を生じ、作業の継続が困難になることがある。

問28　神経系に関する次の記述のうち、誤っているものはどれか。

（1）神経細胞（ニューロン）は、神経系を構成する基本的な単位で、通常、１個の細胞体、１本の軸索、複数の樹状突起から成る。

（2）中枢神経系は脳と脊髄から成る。

（3）大脳の内側の髄質は神経細胞の細胞体が集合した灰白質であり、外側の皮質は神経線維の多い白質である。

（4）体性神経系には感覚器官からの情報を中枢に伝える感覚神経と、中枢からの命令を運動器官に伝える運動神経がある。

（5）自律神経系は、交感神経系と副交感神経系とに分類され、双方の神経系は多くの臓器に対して相反する作用を有している。

問 29　ストレスに関する次の記述のうち、誤っているものはどれか。

（1）外部からの刺激であるストレッサーは、その強弱にかかわらず、自律神経系と内分泌系を介して、心身の活動を抑圧する。

（2）ストレスに伴う心身の反応には、ノルアドレナリン、アドレナリンなどのカテコールアミンや副腎皮質ホルモンが深く関与している。

（3）昇進、転勤、配置替えなどがストレスの原因となることがある。

（4）職場環境における騒音、気温、湿度、悪臭などがストレスの原因となることがある。

（5）ストレスにより、自律神経系と内分泌系のバランスが崩れ、精神神経科的疾患又は内科的疾患が生じる場合がある。

問 30　体温調節に関する次の記述のうち、誤っているものはどれか。

（1）寒冷にさらされ体温が正常以下になると、皮膚の血管が収縮して血流量が減って、放熱が減少する。

（2）高温にさらされ体温が正常以上に上昇すると、内臓の血流量が増加し体内の代謝活動が亢《こう》進することにより、人体からの放熱が促進される。

（3）体温調節にみられるように、外部環境などが変化しても身体内部の状態を一定に保とうとする性質を恒常性（ホメオスタシス）という。

（4）計算上、100g の水分が体重 70kg の人の体表面から蒸発すると、気化熱が奪われ、体温を約 1℃下げることができる。

（5）放熱は、ふく射（放射）、伝導、蒸発などの物理的な過程で行われ、蒸発には、発汗と不感蒸泄《せつ》によるものがある。

参考資料

関係法令

◆産業医の職務

次に掲げる事項で医学に関する専門的知識を必要とするものとする。

① **健康診断の実施およびその結果に基づく労働者の健康を保持するための措置に関すること。**

② 長時間労働に係る面接指導および研究開発業務従事者に対する面接指導、ならびに面接指導を行う労働者以外の労働者への措置の実施ならびにこれらの結果に基づく労働者の健康を保持するための措置に関すること。

③ 心理的な負担の程度を把握するための検査（ストレスチェック）の実施ならびに面接指導の実施およびその結果に基づく労働者の健康を保持するための措置に関すること。

④ **作業環境の維持管理に関すること。**

⑤ **作業の管理に関すること。**

⑥ ①～⑤に掲げるもののほか、労働者の健康管理に関すること。

⑦ 健康教育、健康相談その他労働者の健康の保持増進を図るための措置に関すること。

⑧ 衛生教育に関すること。

⑨ 労働者の健康障害の原因の調査および再発防止のための措置に関すること。

◆衛生委員会の付議事項

① 労働者の健康障害を防止するための基本となるべき対策に関すること。
② 労働者の健康の保持増進を図るための基本となるべき対策に関すること。
③ 労働災害の原因および再発防止対策で、衛生に係るものに関すること。
④ ①～③のほか、労働者の健康障害の防止および健康の保持増進に関する重要事項
⇒労働者の健康障害の防止および健康の保持増進に関する重要事項

ⅰ 衛生に関する規程の作成に関すること。
ⅱ 危険性または有害性等の調査およびその結果（リスクアセスメント等）に基づき講ずる措置のうち、衛生に係るものに関すること。
ⅲ 安全衛生に関する計画（衛生に係る部分に限る）の作成、実施、評価および改善に関すること。
ⅳ 衛生教育の実施計画の作成に関すること。
ⅴ 新規化学物質や発がん性等のおそれのある化学物質の有害性の調査およびその結果に対する対策の樹立に関すること。
ⅵ 作業環境測定の結果およびその結果の評価に基づく対策の樹立に関すること。
ⅶ 定期に行われる健康診断等、診察または処置の結果およびその結果に対する対策の樹立に関すること。
ⅷ 労働者の健康の保持増進を図るため必要な措置の実施計画の作成に関すること。
ⅸ 長時間にわたる労働による労働者の健康障害の防止を図るための対策の樹立に関すること。
ⅹ 労働者の精神的健康の保持増進を図るための対策の樹立に関すること。
ⅺ リスクアセスメント対象物に係るばく露低減措置に関することおよび医師または歯科医師による健康診断の実施に関すること。
ⅻ 厚生労働大臣、都道府県労働局長、労働基準監督署長、労働基準監督官または労働衛生専門官から文書により命令、指示、勧告または指導を受けた事項のうち、労働者の健康障害の防止に関すること。

◆定期健康診断の診断項目と省略基準

健康診断項目	省略基準（医師の判断）
① **既往歴**および**業務歴**の調査	—
② **自覚症状**および**他覚症状**の有無の検査	—
③ 身長、体重、腹囲、視力、聴力（1,000Hz および 4,000Hz）の検査	身長：20 歳以上は省略可 腹囲：以下の者は省略可 • 40 歳未満（35 歳は除く） • 妊娠中の女性その他の者で、腹囲内臓脂肪の蓄積を反映していないと診断された場合 • BMI が 20 未満 • 自ら腹囲を測定し、その値を申告した場合（BMI が 22 未満に限る）
④ 胸部エックス線検査および喀痰検査	胸部エックス線検査：40 歳未満の者（20、25、30、35 歳は除く）で、以下の（ア）（イ）のいずれにも該当しない者は省略可 （ア）感染症法で結核に係る定期の健康診断の対象とされている学校、医療機関等の労働者 （イ）じん肺法で 3 年に 1 回のじん肺健康診断の対象とされている労働者 喀痰：胸部エックス線検査で病変なし等で省略可
⑤ **血圧**の測定	—
⑥ 貧血検査（血色素量、赤血球数）	40 歳未満（35 歳は除く）は省略可
⑦ 肝機能検査（GOT ／ GPT ／ γ－GTP）	
⑧ 血中脂質検査（LDL コレステロール、HDL コレステロール、血清トリグリセライド）	
⑨ 血糖検査	
⑩ 心電図検査	
⑪ **尿検査**（尿糖および尿蛋白の有無の検査）	—

◆就業規則の記載事項

必ず記載しなければならない事項 （絶対的必要記載事項）	特に定める場合のみ記載する必要がある事項 （相対的必要記載事項）
① **始業および終業の時刻、休憩時間、休日、休暇**ならびに労働者を二組以上に分けて交替に就業させる場合においては就業時転換に関する事項 ② **賃金**（臨時の賃金等を除く）の決定、計算および支払いの方法、賃金の締め切りおよび支払いの時期ならびに**昇給**に関する事項 ③ **退職**に関する事項（解雇の事由を含む）	① **退職手当**の定めをする場合においては、適用される労働者の範囲、退職手当の決定、計算および支払いの方法ならびに退職手当の支払いの時期に関する事項 ② **臨時の賃金等（退職手当を除く）**および最低賃金額の定めをする場合においては、これに関する事項 ③ 労働者に食費、作業用品その他の負担をさせる定めをする場合においては、これに関する事項 ④ **安全および衛生**に関する定めをする場合においては、これに関する事項 ⑤ 職業訓練に関する定めをする場合においては、これに関する事項 ⑥ 災害補償および業務外の傷病扶助に関する定めをする場合には、これに関する事項 ⑦ 表彰および制裁の定めをする場合においては、その種類および程度に関する事項 ⑧ 前各号に掲げるもののほか、当該事業場の労働者すべてに適用される定めをする場合においては、これに関する事項

監修者紹介

ユーキャン衛生管理者試験研究会

本会は、ユーキャン衛生管理者通信講座で教材の制作や添削・質問指導を行っている講師を中心に結成されました。徹底的な過去問題の分析と、通信講座で蓄積したノウハウを活かし、わかりやすい書籍作りのために日々研究を重ねています。

■ 波場《はば》　久実《ひさみ》（監修）

第一種衛生管理者の他、特定社会保険労務士、マンション管理士、管理業務主任者等の資格を保有。各種資格試験の合格・指導経験をフルに活かし、受験生の知りたいところに手の届く指導を行う。

●法改正・正誤等の情報につきましては、下記「ユーキャンの本」ウェブサイト内「追補（法改正・正誤)」をご覧ください。

https://www.u-can.co.jp/book/information

●本書の内容についてお気づきの点は

・「ユーキャンの本」ウェブサイト内「よくあるご質問」をご参照ください。

https://www.u-can.co.jp/book/faq

・郵送・FAXでのお問い合わせをご希望の方は、書名・発行年月日・お客様のお名前・ご住所・FAX番号をお書き添えの上、下記までご連絡ください。

【郵送】〒169-8682 東京都新宿北郵便局 郵便私書箱第2005号
ユーキャン学び出版 衛生管理者資格書籍編集部

【FAX】03-3378-2232

◎より詳しい解説や解答方法についてのお問い合わせ、他社の書籍の記載内容等に関しては回答いたしかねます。

●お電話でのお問い合わせ・質問指導は行っておりません。

'24～'25年版 ユーキャンの第2種衛生管理者 重要過去問＆予想模試

2007年11月20日 初 版 第1刷発行
2009年11月 1日 第2版 第1刷発行
2012年11月16日 第3版 第1刷発行
2016年 9月30日 第4版 第1刷発行
2019年 9月 6日 第5版 第1刷発行
2020年 8月 7日 第6版 第1刷発行
2021年 8月 6日 第7版 第1刷発行
2022年 8月 5日 第8版 第1刷発行
2023年 8月 4日 第9版 第1刷発行
2024年 8月 2日 第10版 第1刷発行

編　者　ユーキャン衛生管理者試験研究会
発行者　品川泰一
発行所　株式会社 ユーキャン 学び出版
〒151-0053
東京都渋谷区代々木1-11-1
Tel 03-3378-1400
ＤＴＰ　有限会社 中央制作社
発売元　株式会社 自由国民社
〒171-0033
東京都豊島区高田3-10-11
Tel 03-6233-0781（営業部）

印刷・製本　カワセ印刷株式会社

※落丁・乱丁その他不良の品がありましたらお取り替えいたします。お買い求めの書店か自由国民社営業部（Tel 03-6233-0781）へお申し出ください。

ISBN 978-4-426-61566-6

ユーキャンの第２種衛生管理者

「重要過去問＆予想模試」

過去問題
予想模擬試験
解答・解説編

過去問題

[令和６年４月公表試験問題]

解答・解説

〔関係法令〕

問1　正答（2）

〈解説〉（1）**違反していない。常時50人以上**の労働者を使用する事業場の事業者は、衛生管理者を選任しなければならない（安衛法第12条第1項、安衛令第4条）。したがって、常時40人の労働者を使用する事業場において、衛生管理者は選任しなくてよい。また、**常時10人以上50人未満**の労働者を使用する事業場の事業者は、**衛生推進者**を選任しなければならない（安衛法第12条の2、安衛則第12条の2）。したがって、設問は法令に違反していない。

（2）**違反している**。水道業の事業場においては、第一種衛生管理者免許または衛生工学衛生管理者免許を有する者などから衛生管理者を選任しなければならない（安衛則第7条第1項第3号）。したがって、設問において、第二種衛生管理者免許を有する者のうちから衛生管理者を選任している点で、法令に違反している。なお、衛生管理者の選任数に違反はない（安衛法第12条第1項、安衛則第7条第1項第4号）。

（3）**違反していない**。**常時使用する労働者数が50人以上200人以下**の事業場では、**衛生管理者を1人以上選任**しなければならない（安衛法第12条第1項、安衛則第7条第1項第4号）。また不動産業の事業場においては、第一種衛生管理者免許、第二種衛生管理者免許もしくは衛生工学衛生管理者免許を有する者などから衛生管理者を選任しなければならない（安衛則第7条第1項第3号）。したがって、設問は法令に違反していない。

（4）**違反していない**。旅館業の事業場においては、第一種衛生管理者免許、第二種衛生管理者免許または衛生工学衛生管理者免許を有する者などから衛生管理者を選任しなければならない（安衛則第7条第1項第3号）。したがって、設問は法令に違反していない。

（5）**違反していない**。**常時使用する労働者数が500人を超え1,000人以下**の事業場では、**衛生管理者を3人以上**選任しなければならない（安衛法第12条第1項、安衛則第7条第1項第4号）。また、2人以上の衛生管理者を選任する場合において、衛生管理者の中に労働衛生コンサルタントがいるときは、1人のみ専属でない労働衛生コンサルタントから選任することができる（安衛法第12条第1項、安衛則第7条第1項第2号）。設問では、事業場に専属であって、労働衛生コンサルタントの資格を有する者のうちから衛生管理者を2人選任しているため、法令に違反していない。

問2　正答（5）

〈解説〉　**常時300人以上**の労働者を使用する**通信業、各種商品小売業、旅館業、ゴルフ場業**の事業場では、法令上、**総括安全衛生管理者の選任が義務付けられている**。しかし、常時300人の労働者を使用する警備業の事業場は、法令上、総括安全衛生管理者の選任が義務付けられていない（安衛法第10条第1項、安衛令第2条）。

したがって、選択肢（5）が正答となる。

問3　正答（4）

〈解説〉**（1）～（3）定められている。**事業者は、衛生管理者を選任し、その者に次の業務のうち衛生に係る技術的事項を管理させなければならない（安衛法第12条第1項・第10条第1項、安衛則第3条の2）。

①　労働者の危険または健康障害を防止するための措置に関すること。 ②　**労働者の安全または衛生のための教育の実施に関すること。**（3） ③　**健康診断の実施その他健康の保持増進のための措置に関すること。**（2） ④　労働災害の原因の調査および再発防止対策に関すること。 ⑤　①～④のほか、労働災害を防止するため必要な業務で、以下のもの。 ⅰ）安全衛生に関する方針の表明に関すること。 ⅱ）**危険性または有害性等の調査およびその結果に基づき講ずる措置に関すること。**（1） ⅲ）安全衛生に関する計画の作成、実施、評価および改善に関すること。

（4）定められていない。「労働者の健康を確保するため必要があると認めるとき、事業者に対し、労働者の健康管理等について必要な勧告をすること」は、事業者が衛生管理者に行わせるべき業務として、法令上、定められていない。なお、法令上、産業医の職務として「事業者に対し、労働者の健康管理等について必要な勧告をすることができる」と定められている（安衛法第13条第5項）。

（5）定められている。衛生管理者は、**少なくとも毎週1回**作業場等を**巡視**し、設備、作業方法または衛生状態に有害のおそれがあるときは、ただちに、労働者の健康障害を防止するため必要な措置を講じなければならない（安衛則第11条第1項）。

問4　正答（1）

〈解説〉**（1）正しい。常時50人以上**の労働者を使用する事業者は、**1年以内ごとに1回、**定期に、心理的な負担の程度を把握するための検査（以下、検査という）結果等**報告書を所轄労働基準監督署長に提出**しなければならない（安衛則第52条の21）。

（2）誤り。面接指導の対象となる要件に該当する労働者から申出があったときは、遅滞なく、面接指導を行わなければならない（安衛則第52条の16第2項）。申出の日から3カ月以内に行わなければならないのではない。

（3）誤り。事業者は、検査を行った場合は、当該**検査を行った医師等**に、当該検査の結果を当該事業場の当該部署に所属する労働者の集団その他の一定規模の集団ごとに集計させ、その結果について**分析させるよう努めなければならない**（安衛則第52条の14第1項）。

（4）**誤り**。事業者は、面接指導の結果に基づき、当該**面接指導の結果の記録を作成**して、これを**5年間保存**しなければならない（安衛則第52条の18第1項）。健康診断個人票に記載しなければならないのではない。

（5）**誤り**。面接指導は**当該事業場の産業医等が実施することが望ましい**とされている（心理的な負担の程度を把握するための検査及び面接指導の実施並びに面接指導結果に基づき事業者が講ずべき措置に関する指針）。したがって、面接指導を行う医師として指名するものは、「医師」であればよく、法定の研修を修了した医師に限られるのではない。

問5　正答（1）

〈解説〉　「安全衛生に関する方針の表明に関すること」は、産業医の職務として、法令に定められていない。

したがって、選択肢（1）が正答となる。

なお、「安全衛生に関する方針の表明に関すること」は、総括安全衛生管理者が統括管理する業務である（安衛法第10条第1項第5号、安衛則第3条の2第1号）。

問6　正答（5）

〈解説〉（1）**正しい**。労働衛生コンサルタントは、労働衛生コンサルタントの名称を用いて、他人の求めに応じ報酬を得て、労働者の衛生の水準の向上を図るため、事業場の衛生についての診断およびこれに基づく指導を行なうことを業とする（安衛法第81条2項）。

（2）**正しい**。労働衛生コンサルタント試験には、保健衛生および労働衛生工学の2つの区分がある（労働安全コンサルタント及び労働衛生コンサルタント規則第10条、安衛法第83条第2項・第82条第2項）。

（3）**正しい**。労働衛生コンサルタント試験に合格した者は、厚生労働大臣の指定する指定登録機関に備える労働衛生コンサルタント名簿に、氏名、生年月日等所定の事項の登録を受けることにより、労働衛生コンサルタントとなることができる（安衛法第84条1項、コンサルタント規則第16条）。

（4）**正しい**。労働衛生コンサルタントは、その業務に関して知り得た秘密を漏らし、または盗用してはならない。コンサルタントでなくなった後においても、同様とする（安衛法第86条2項）。そして、厚生労働大臣は、労働衛生コンサルタントがこの秘密保持義務に違反したときは、その登録を取り消すことができる（安衛法第85条2項）。したがって、労働衛生コンサルタントが、その業務に関して知り得た秘密を漏らし、または盗用したときは、その登録を取り消されることがある。

（5）**誤り**。労働安全衛生法に基づく心理的な負担の程度を把握するための検査について、医師および保健師以外の検査の実施者として、検査を行うために必要な知識についての研修であって厚生労働大臣が定めるものを修了した歯科医師、看護師、精神保健福祉士または公認心理師がある（安衛則第52条の10第1項）。労働衛生コンサルタントは規定されていない。

問7　正答（1）

〈解説〉　定期健康診断の項目のうち、**既往歴および業務歴の調査**、**自覚症状および他覚症状の有無の検査**、**血圧の測定**、**尿検査**については、医師が必要でないと認めるときは、省略することができる項目に該当しない（安衛則第44条第2項）。

したがって、選択肢（1）が正答となる。

問8　正答（2）

〈解説〉①　空気調和設備または機械換気設備を設けている場合は、室に供給される空気が、1気圧、温度25℃とした場合の当該空気中に占める二酸化炭素の含有率が100万分の［A　**1,000**］以下となるように、当該設備を調整しなければならない（事務所則第5条第1項第2号）。

②　①の設備により室に流入する空気が、特定の労働者に直接、継続して及ばないようにし、かつ、室の気流を［B　**0.5**］m/s以下としなければならない（事務所則第5条第2項）。

したがって、選択肢（2）が正答となる。

問9　正答（4）

〈解説〉（1）**誤り**。**災害その他避けることのできない事由によって、臨時の必要がある場合**においては、使用者は、**行政官庁（所轄労働基準監督署長）の許可**を受けて、その必要の限度において労働時間を延長し、または休日に労働させることができる（労基法第36条）。また、**公務のために臨時の必要がある場合**においても労働時間を延長し、または休日に労働させることができる（労基法第33条第1項・第3項）。したがって、1日8時間を超えて労働させることができるのは、時間外労働の労使協定を締結し、届け出た場合に限られているのではない。

（2）**誤り**。労働時間は、**事業場を異にする場合**においても、労働時間に関する規定の適用については**通算する**（労基法第38条第1項）。

（3）**誤り**。労働時間が**6時間を超える場合**においては**少なくとも45分**、**8時間を超える場合**においては**少なくとも1時間**の休憩時間を労働時間の途中に与えなければならない（労基法第34条第1項）。したがって、設問の場合は、少なくとも1時間の休憩時間を与えなければならない。少なくとも45分ではない。

（4）**正しい**。**労働時間**、**休憩**および**休日**に関する規定は、①農業または水産業に従事する者、②監督もしくは管理の地位にある者または**機密の事務を取り扱う者**、③監視または断続的労働に従事する者で、使用者が行政官庁（所轄労働基準監督署長）の許可を受けたものについては**適用しない**（労基法第41条）。

（5）**誤り**。フレックスタイム制の清算期間は、**3カ月以内**の期間に限るものとする（労基法第32条の3第1項第2号）。6カ月以内の期間に限られるのではない。

問10　正答（5）

〈解説〉　**週所定労働時間が32時間**で、週所定労働日数が4日である労働者は比例付与の対象とならないため、雇入れの日から起算して**3年6カ月継続勤務**し、直前の1年間に全労働日の8割以上出勤した場合には、法令上、短時間労働者以外の労働者と同様に**14日**の年次有給休暇を与えなければならない（労基法第39条第2項、労基則第24条の3）。

したがって、選択肢（5）が正答となる。

〔労働衛生〕

問11　正答（2）

〈解説〉　必要換気量は以下の公式から求める。

$$\textbf{必要換気量(m}^3\textbf{/h)}=\frac{\textbf{室内にいる人が1時間に呼出する二酸化炭素量（m}^3\textbf{/h）}}{\textbf{室内二酸化炭素基準濃度－外気の二酸化炭素濃度}}$$

設問では、室内二酸化炭素濃度と外気の二酸化炭素濃度が％単位であるため、上記の公式を100倍する。

したがって、選択肢（2）が正答となる。

問12　正答（5）

〈解説〉（1）**正しい**。温度感覚を左右する環境条件は、**気温**、**湿度**、**気流**および**ふく射熱（放熱）**の4つの要素で決まる。

（2）**正しい**。実効温度は、**気温**、**湿度**および**気流**の総合効果を温度目盛りで表したものである。また、実効温度は感覚温度とも呼ばれ、人の温感覚（温熱感）に基礎を置いた指標である。

（3）**正しい**。空気中の水蒸気量（水蒸気圧）と、その温度における飽和水蒸気量（水蒸気圧）との比を百分率で示したものを相対湿度という。

（4）**正しい**。WBGTは、暑熱環境による熱ストレスの評価に用いられる指標である。**日射がある場合**は、**自然湿球温度**、**黒球温度**および**気温（乾球温度）**の測定値から算出される。

（5）**誤り**。熱中症については、作業負荷等に応じたWBGT基準値が定められている。算出したWBGTの値が、作業内容に応じて設定された**WBGT基準値を超える場合**は、**熱中症の発生リスクが高まる**。

問13　正答（3）

〈解説〉（1）**正しい**。照度はルクス（lx）という単位で示される。1ルクスは光度1カンデラ（cd）の光源から**1m**離れたところで、その光に直角な面が受ける明るさに相当する。

(2)**正しい**。前方から明かりをとるとき、目と光源を結ぶ線と視線とが作る角度は、30° 以上になるようにする。まぶしさをなくすためである。

(3)**誤り**。全般照明と局部照明を併用する場合、全般照明の照度は、局部照明による照度の少なくとも**10%（10分の1）以上**が望ましいとされている。15分の1以下になるようにするのではない。

(4)**正しい**。部屋の彩色に当たり、**目の高さ以下**は、まぶしさを防ぎ安定感を出すため**濁色**にするとよい。なお、**目の高さから上の壁および天井**は、照度を上げるため**明るい色**にするとよい。

(5)**正しい**。高齢者は、若年者に比較して、一般に、高い照度が必要である。しかし、老人性白内障の症状があると、水晶体の混濁（白内障の原因）により、まぶしさを感じやすくなっている場合もあるので、注意が必要である。

問14　正答（5）

〈解説〉　「労働者の心の健康の保持増進のための指針」では、以下のように規定されている。

(1)**適切**。**衛生委員会**または**安全衛生委員会**において**十分調査審議を行い**、「心の健康づくり計画」を策定・実施するとされている。

(2)**適切**。「セルフケア」、「ラインによるケア」、「事業場内産業保健スタッフ等によるケア」および「事業場外資源によるケア」の**四つのケアを継続的かつ計画的に行う**とされている。

(3)**適切**。メンタルヘルスケアを推進するに当たって、労働者の個人情報を主治医等の医療職や家族から取得する際には、事業者は**あらかじめ**これらの情報を取得する**目的を労働者に明らかにして承諾を得る**とともに、これらの情報は**労働者本人から提出**を受けることが望ましいとされている。

(4)**適切**。労働者の心の健康は、職場配置、人事異動、職場の組織等の人事労務管理と密接に関係する要因によって、大きな影響を受ける。メンタルヘルスケアは、**人事労務管理と連携**しなければ、適切に進まない場合が多いことに留意するとされている。

(5)**不適切**。衛生委員会等において調査審議すべき事項として、「労働者の精神的健康の保持増進を図るための対策の樹立に関すること」があり、十分調査審議することが必要とされている。そして、ストレスチェック制度は、メンタルヘルス不調となることを未然に防止する一次予防を目的としている。したがって、ストレスチェック制度に関する調査審議とメンタルヘルスケアに関する調査審議を**関連付けて行うことができる**。

問15　正答（4）

〈解説〉　運動機能検査の項目のうち、敏しょう性を把握するために行う測定種目は全身反応時間である。上体起こしではない。

したがって、選択肢（4）が正答となる。

問 16　正答（2）

〈解説〉　①偽陽性率とは、**疾病なしの者を陽性（有所見）と判定する率**をいう。以下のように、精密検査によって疾病なしと判定された者のうち、スクリーニング検査では陽性と判定されていた者の割合を求める。

$$偽陽性率(\%)=\frac{\begin{array}{c}精密検査は疾病なしと判定されたが\\スクリーニング検査では陽性と判定されていた者\end{array}}{精密検査は疾病なしと判定された者}\times 100$$

これを本問にあてはめると、

$$\begin{aligned}&=\frac{200}{200+775}\times 100\\&=20.51\cdots\\&\fallingdotseq 20.5\end{aligned}$$

②偽陰性率とは、**疾病ありの者を陰性（正常）と判定する率**をいう。以下のように、精密検査によって疾病ありと判定された者のうち、スクリーニング検査では陰性と判定されていた者の割合を求める。

$$偽陰性率(\%)=\frac{\begin{array}{c}精密検査は疾病ありと判定されたが\\スクリーニング検査では陰性と判定されていた者\end{array}}{精密検査は疾病ありと判定された者}\times 100$$

これを本問にあてはめると、

$$\begin{aligned}&=\frac{5}{5+20}\times 100\\&=20.0\end{aligned}$$

以上から、近似値の組合せとして正しいものは、偽陽性率（%）20.5、偽陰性率（%）20.0 となる。

したがって、選択肢（2）が正答となる。

問 17　正答（3）

〈解説〉**(1)正しい**。脳血管障害は、脳の血管の病変が原因で生じ、**出血性病変**、**虚血性病変**などに分類される。

(2)正しい。出血性の脳血管障害は、**くも膜下出血**（脳表面のくも膜下腔に出血）、**脳出血**（脳実質内に出血）などに分類される。

(3)誤り。くも膜下出血は、脳の表面の動脈にできた動脈瘤が破れ、くも膜下腔に出血したものである。動脈瘤が破れると血液は瞬時にくも膜下腔を回りこみ、突然の頭痛や意識障害をきたす。数日後に発症するのではない。

(4)正しい。虚血性心疾患には、狭心症（心筋の一部分に可逆的虚血が起こる）と、心筋梗塞（不可逆的な心筋壊死が起こる）に大別される。

(5)正しい。心筋梗塞では、突然激しい胸痛が起こり、「締め付けられるように痛い」、「胸が苦しい」などの症状が通常長く、１時間以上続くこともある。

問18　正答**（5）**

〈解説〉（1）誤り。**単純骨折**とは、皮膚の下で骨が折れているが、**皮膚に損傷がない**ものをいう。骨にひびが入った状態をいうのではない。なお、**骨にひびの入った状態**を**不完全骨折**という。

（2）誤り。**複雑骨折**とは、骨折にともない皮膚、**皮下組織などが損傷**し、骨折した**骨が外に出ているもの**をいう。骨が多数の骨片に破砕された状態をいうのではない。

（3）誤り。骨折端どうしが擦れ合う軋轢音、変形などが認められるのは、**完全骨折**（の場合）である。不完全骨折ではない。

（4）誤り。脊髄損傷が疑われる負傷者をやむを得ず搬送させる場合は、**硬い板の上にのせて搬送**する。なお、脊髄損傷が疑われる場合は、動かさないことが原則であるとする点は、正しい。

（5）**正しい**。副子で固定するときには、骨折部分の上下の関節まで固定できる長さで、かつ、幅の広いものを用いる。また、十分な強度があるものを使用する。

問19　正答**（3）**

〈解説〉（1）誤り。ノロウイルスによる食中毒は、食品に付着した**ウイルスが腸内で増殖**することで発症する。ウイルスが産生した毒素により発症するのではない。

（2）誤り。ウイルスの感染性は、**長時間煮沸すると失われる**。

（3）**正しい**。ノロウイルスによる食中毒の**潜伏期間**は、**１〜２日間**である。

（4）誤り。ノロウイルスによる食中毒の発生時期は、**冬季が多い**。夏季ではない。

（5）誤り。ノロウイルスによる食中毒の症状は、**吐き気**、**嘔吐**、**下痢**などの症状が特徴である。筋肉の麻痺などの神経症状が特徴ではない。

問20　正答**（1）**

〈解説〉（1）**正しい**。BMIは**肥満や低体重（痩せ）の判定**に用いられる指数で、この数値が**大きい**ほど**肥満**の傾向があり、**小さい**ほど**痩せ**の傾向がある。

（2）誤り。BMIの値は、「**体重（kg）÷（身長（m））**^{2}」の計算式から算出される。BMIの算出に腹囲の値は必要ない。

（3）誤り。（2）の解説で述べたとおり、BMIの算出に体脂肪率の値は必要ない。

（4）誤り。（2）の解説で述べたとおり、BMIの値は、「**体重（kg）÷（身長（m））**^{2}」の計算式から算出されるものであり、内臓脂肪の重量と直線的な比例関係にはない。

（5）誤り。BMIによる肥満度の判定基準は、男女ともに同じ数値が用いられる。男性の方が女性より大きな数値が用いられるのではない。

〔労働生理〕

問21　正答（3）

〈解説〉（1）誤り。呼吸運動は、**横隔膜、肋間筋などの呼吸筋が収縮と弛緩**をすることによって胸郭内容積を周期的に増減し、それに伴って肺を受動的に伸縮させることにより行われる。胸膜が運動することで行われるのではない。

（2）誤り。**肺胞内の空気**と肺胞を取り巻く**毛細血管中の血液**との間で行われるガス交換を**外呼吸**という。内呼吸ではない。なお、一般にはこれを呼吸と呼ぶことが多い。

（3）正しい。人間の呼気の成分の中で、**酸素**の濃度は**約16%**、**二酸化炭素**の濃度は**約4%**である。

（4）誤り。呼吸をしていない状態から次第に呼吸が深まり、再び浅くなって呼吸が止まる状態を交互に繰り返すパターンの呼吸をチェーンストークス呼吸という。延髄の**呼吸中枢の機能が衰えることが原因**で生じる。心不全や脳卒中などが重症化して、脳への酸素の供給が不十分になっていることを示すことが多い。肺機能の低下により呼吸数が増加した状態をいうのではない。また、喫煙が原因ではない。

（5）誤り。身体活動時には、血液中の**二酸化炭素分圧（濃度）**の上昇により呼吸中枢が刺激され、１回換気量および呼吸数が増加する。窒素分圧ではない。

問22　正答（1）

〈解説〉（1）誤り。**中枢神経系**において神経細胞の細胞体が集合している部分を**神経核**といい、**末梢神経系**においては**神経節**という。

（2）正しい。大脳の**外側の皮質**は、神経細胞の細胞体が集合した**灰白質**で、感覚、運動、思考などの作用を支配する中枢として機能する。

（3）正しい。**副交感神経系**は、身体の機能を回復に向けて働く。たとえば、休息や睡眠状態で活動が高まり、**心拍数を減少**し、**消化管の運動を亢進**する。

（4）正しい。**自律神経系**は、**交感神経系**と**副交感神経系**に分類され、各種臓器において双方の神経線維が分布し、ほぼ相反する作用をする。

（5）正しい。**体性神経**には、感覚器官からの情報を中枢に伝える**感覚神経**と、中枢からの命令を運動器官に伝える**運動神経**がある。

問23　正答（1）

〈解説〉（1）誤り。心臓は、**洞結節（洞房結節）**で発生した刺激が、刺激伝導系を介して心筋に伝わることにより、規則正しく収縮と拡張を繰り返す。自律神経の中枢で発生した刺激ではない。

（2）正しい。**肺循環**により**左心房に戻ってきた血液**は、**左心室を経て大動脈に入る**。なお、心臓から拍出された血液を送る血管を動脈といい、心臓に戻る血液を送る血管を静脈という。

（3）正しい。**大動脈**を流れる血液は**動脈血**であるが、**肺動脈**を流れる血液は**静脈**

血である。なお、動脈血は酸素を多く含む血液であり、静脈血は二酸化炭素を多く含む血液である。

(4)正しい。心臓の拍動による動脈圧の変動を末梢の動脈で触知したものを脈拍という。一般に、手首の橈骨動脈（手首の母指側）で触知する。

(5)正しい。動脈硬化とは、コレステロールの蓄積などにより、**動脈壁が肥厚・硬化して弾力性を失った状態**をいう。進行すると血液が通る血管の狭窄や閉塞を招き、臓器への酸素や栄養分の供給が妨げられる。このように、血液の供給が滞ることで組織の一部が死ぬことを、梗塞という。

問24　正答（1）

〈解説〉(1)誤り。脂肪は、膵臓から分泌される膵液中の消化酵素である**リパーゼ(膵リパーゼ)**により脂肪酸とモノグリセリドに分解され、小腸の絨毛から吸収される。膵アミラーゼにより分解されるのではない。なお、膵アミラーゼは、糖質（炭水化物）を分解する。

(2)正しい。胆汁は、**アルカリ性**で、**消化酵素は含まない**。しかし、食物中の脂肪を乳化させ、脂肪分解の働きを助ける。なお、食物中の脂肪を乳化させるのは、胆汁酸である。

(3)正しい。肝臓は、過剰（余分）な蛋白質と糖質（炭水化物）を中性脂肪に変える。

(4)正しい。コレステロールやリン脂質は、**神経組織の構成成分**となる。また、細胞膜の成分となる。

(5)正しい。**脂質（脂肪）**は、糖質（炭水化物）や蛋白質に比べて**多くのＡＴＰ（アデノシン三リン酸）を産生**することができるので、エネルギー源として優れている。ただし、摂取量が多すぎると肥満の原因となる。なおＡＴＰの分解により、筋肉の収縮に使用されるエネルギーが得られる。

問25　正答（3）

〈解説〉　A　誤り。腎臓の腎小体では、糸球体から血液中の**血球**および**蛋白質以外の血漿成分**が**ボウマン嚢に濾し出され**、原尿が生成される。なお、原尿中には糖（グルコース）やナトリウムなどの電解質が含まれる。糖以外の血漿成分が漉し出されるのではない。

B　正しい。腎臓の尿細管では、原尿に含まれる**大部分の水分**および**身体に必要な成分**（糖やナトリウム）が**血液中に再吸収**され、残りが尿として生成される。

C　正しい。尿は淡黄色の液体で、固有の臭気を有している。通常、**弱酸性**である。

D　誤り。尿酸は、体内のプリン体と呼ばれる物質の代謝物である。健康診断においては、**血液中**の尿酸値の量の検査が広く行われている。尿中ではない。
以上から、誤っているものの組合せは、A、Dとなる。

したがって、選択肢（3）が正答となる。

問 26　正答（5）

〈解説〉（1）**正しい**。眼軸が**短すぎる**ために、平行光線が網膜の**後方**で像を結ぶ状態を**遠視**（遠視眼）という。

（2）**正しい**。嗅覚と味覚は化学感覚ともいわれ、物質の**化学的性質（刺激）を認知**する感覚である。

（3）**正しい**。温度感覚は、皮膚のほか口腔などの粘膜にも存在し、一般に**冷覚の方が温覚よりも鋭敏**である。

（4）**正しい**。深部感覚は、筋肉や腱にある受容器から得られる身体各部の位置、運動などを認識する感覚である。

（5）**誤り**。平衡感覚に関係する器官である前庭および半規管は、**内耳**にあって、体の傾きや回転の方向を知覚する。中耳ではない。

問 27　正答（1）

〈解説〉（1）**誤り**。アルドステロンは、副腎皮質から分泌されるホルモンで、**血中の塩類バランスの調節**の働きがある。血糖量の増加の働きがあるのではない。

（2）**正しい**。インスリンは、膵臓から分泌されるホルモンで、**血糖量の減少**の働きがある。

（3）**正しい**。パラソルモンは、副甲状腺から分泌されるホルモンで、**血中（体液中）のカルシウムバランスの調節**の働きがある。

（4）**正しい**。プロラクチンは、下垂体から分泌されるホルモンで、**黄体形成の促進**の働きがある。

（5）**正しい**。副腎皮質刺激ホルモンは、下垂体から分泌されるホルモンで、**副腎皮質の活性化**の働きがある。

問 28　正答（5）

〈解説〉（1）**正しい**。抗原とは、免疫に関係する細胞によって異物として認識される物質のことである。

（2）**正しい**。抗原となる物質には、細菌やウィルスに存在する蛋白質、糖質などがある。

（3）**正しい**。抗体とは、体内に入ってきた抗原に対して体液性免疫において作られる免疫グロブリンと呼ばれる蛋白質のことである。

（4）**正しい**。好中球は白血球の一種であり、偽足を出してアメーバ様運動を行い、体内に侵入してきた細菌やウイルスなどを貪食する。なお、好中球は、白血球の約 60%を占めている。

（5）**誤り**。リンパ球には、血液中の**抗体を作るBリンパ球**と、**細胞性免疫の作用を持つTリンパ球**がある。

問29　正答（**1**）

〈解説〉（1）**誤り**。ストレッサーは、その**強弱や質に応じて、自律神経系と内分泌系**を介して、心身の活動を亢進したり抑圧したりする。

（2）**正しい**。ストレス反応には、ノルアドレナリン、アドレナリンなどの**カテコールアミン**や**副腎皮質ホルモン**が深く関与している。ストレッサーの強弱や質に応じて分泌が亢進する。

（3）**正しい**。昇進、転勤、配置替えなどがストレスの原因となることがある。

（4）**正しい**。職場環境における騒音、気温、湿度、悪臭などがストレスの原因となることがある。

（5）**正しい**。ストレスにより、高血圧症、狭心症、胃・十二指腸潰瘍などの**内科的疾患**が生じることがある。

問30　正答（**1**）

〈解説〉（1）**正しい**。体温調節中枢は、**間脳の視床下部**にある。なお、体温調節中枢は、産熱と放熱とのバランスを維持し体温を一定に保つよう機能している。

（2）**誤り**。体温調節のように、外部環境が変化しても身体内部の状態を一定に保つ生体の仕組みを**恒常性（ホメオスタシス）**という。同調性ではない。また、恒常性（ホメオスタシス）は、おもに**内分泌系**と**神経系（自律神経系）**により調整されている。筋肉と神経系により調整されているのではない。

（3）**誤り**。寒冷にさらされ体温が正常より低くなると、**皮膚の血管が収縮**して血流量を**減らし**、皮膚温を**低下**させる。これにより、皮膚温と気温の差が少なくなり、放熱が抑制される。

（4）**誤り**。計算上、発汗によって体重70kgの人の体表面から**100g**の汗が蒸発すると、気化熱が奪われ、体温が約1℃下がる。10gではない。

（5）**誤り**。**発汗のほかに皮膚および呼気から水分が失われる現象**を不感蒸泄という。

予想模擬試験
解答・解説

〔関係法令〕

問1　正答（1）

〈解説〉（1）**誤り**。**常時 300 人以上**の労働者を使用する各種商品小売業の事業場では、総括安全衛生管理者を選任しなければならない（安衛法第10条第1項、安衛令第2条）。常時200人以上ではない。

（2）**正しい**。常時使用する労働者数が **1,000 人を超え 2,000 人以下**の事業場では、衛生管理者を**4人以上**選任しなければならない（安衛法第12条第1項、安衛則第7条第1項第4号）。

（3）**正しい**。**常時 50 人以上**の労働者を使用する事業場の事業者は、衛生管理者を選任しなければならない（安衛法第12条第1項、安衛令第4条）。また、**通信業**の事業場においては、第一種衛生管理者免許、**第二種衛生管理者免許**もしくは衛生工学衛生管理者免許を有する者、医師、歯科医師または労働衛生コンサルタントから衛生管理者を選任しなければならない（安衛則第7条第1項第3号・第10条）。したがって、第二種衛生管理者免許を受けた者のうちから衛生管理者を選任することができる。

（4）**正しい**。衛生管理者は、原則として、その事業場に専属の者を選任する。ただし、**2人以上の衛生管理者を選任する場合**において、衛生管理者の中に労働衛生コンサルタントがいるときは、そのうち**1人のみ専属でない労働衛生コンサルタントから選任**することが**できる**（安衛法第12条第1項、安衛則第7条第1項第2号）。

（5）**正しい**。常時1,000人以上の労働者を使用する事業場または**深夜業を含む有害業務に常時 500 人以上**の労働者を従事させる事業場においては、専属の産業医を選任しなければならない（安衛法第13条第1項、安衛則第13条第1項第3号）。設問では、深夜業を含む業務に常時500人以上の労働者を従事させているので、その事業場に専属の産業医を選任しなければならない。

問2　正答（3）

〈解説〉　**常時 100 人以上**の労働者を使用する**林業**、鉱業、**建設業**、**運送業**および**清掃業**の事業場では、法令上、総括安全衛生管理者の選任が義務付けられている。しかし、常時100人の労働者を使用する燃料小売業の事業場は、法令上、総括安全衛生管理者の選任が義務付けられていない（安衛法第10条第1項、安衛令第2条）。なお、燃料小売業の事業場では、常時300人以上の労働者を使用する場合に安全衛生管理者の選任が必要となる。

したがって、選択肢（3）が正答となる。

問3　正答（4）

〈解説〉（1）**定められていない**。衛生委員会の議長は、**総括安全衛生管理者**または**総括安全衛生管理者以外の者で当該事業場においてその事業の実施を統括管理するもの**もしくは**これに準ずる者**のうちから事業者が指名した者がなる（安衛法

第18条第4項・第17条第3項)。衛生管理者である委員のうちから指名するのではない。

(2)**定められていない**。衛生委員会の**議長を除く委員の半数**については、事業場に労働者の過半数で組織する労働組合があるときはその労働組合、そのような労働組合がないときは労働者の過半数を代表する者の推薦に基づき指名しなければならない(安衛法第18条第4項・第17条第4項)。議長を除く全委員ではない。

(3)**定められていない**。産業医のうちから**事業者が指名した者**は、衛生委員会の委員となる(安衛法第18条第2項第3号)。つまり、産業医であれば、**専属でなくても指名できる**。

(4)**定められている**。衛生委員会の付議事項には、**労働者の精神的健康の保持増進を図るための対策の樹立に関すること**が含まれる(安衛法第18条第1項第4号、安衛則第22条第10号)。

(5)**定められていない**。衛生委員会は、**毎月1回以上開催**し、委員会における議事で重要なもの等を記録し、**3年間保存**しなければならない(安衛則第23条第1項・第4項)。5年間保存ではない。

問4　正答(5)

〈解説〉　安全衛生に関する方針の表明に関することは、産業医の職務として、法令に定められていない。

したがって、選択肢(5)が正答となる。

なお、事業者は、産業医に、次の事項を含む労働者の健康管理等に関する事項で、医学に関する専門的知識を必要とするものを行わせなければならない(安衛法第13条第1項、安衛則第14条第1項)。

① 健康診断の実施およびその結果に基づく労働者の健康を保持するための措置に関すること。
② 面接指導等および必要な措置の実施ならびにこれらの結果に基づく労働者の健康を保持するための措置に関すること。
③ 心理的な負担の程度を把握するための検査(ストレスチェック)の実施ならびに面接指導の実施およびその結果に基づく労働者の健康を保持するための措置に関すること。
④ **作業環境の維持管理に関すること**。
⑤ **作業の管理に関すること**。
⑥ ①~⑤に掲げるもののほか、労働者の健康管理に関すること。
⑦ 健康教育、健康相談その他労働者の健康の保持増進を図るための措置に関すること。
⑧ **衛生教育に関すること**。
⑨ **労働者の健康障害の原因の調査および再発防止のための措置に関すること**。

問5　正答（5）

〈解説〉（1）**正しい。**常時使用する労働者を雇い入れるときは、当該労働者に対し、一定の項目について医師による健康診断を行わなければならない。ただし、医師による健康診断を受けた後、**3カ月を経過しない者を雇い入れる場合**において、その者がその**健康診断の結果を証明する書面を提出**したときは、その**健康診断の項目に相当する項目**については**省略**することが**できる**（安衛則第43条）。

（2）**正しい。**雇入れ時の健康診断における聴力の検査は、1,000ヘルツおよび4,000ヘルツの音に係る聴力について行わなければならない（安衛則第43条3号）。

（3）**正しい。**雇入れ時の健康診断の項目には、血糖検査が含まれているが、血液中の尿酸の量の検査は含まれていない（安衛則第43条9号）。

（4）**正しい。**雇入れ時の健康診断の結果に基づいて作成した健康診断個人票は、**5年間保存**しなければならない（安衛則第51条）。

（5）**誤り。雇入れ時の健康診断の結果**については、対象労働者数および事業場の規模にかかわらず、所轄労働基準監督署長に**報告する義務はない**（安衛則第52条参照）。

問6　正答（5）

〈解説〉（1）**正しい。**労働衛生コンサルタントは、労働衛生コンサルタントの名称を用いて、他人の求めに応じ報酬を得て、労働者の衛生の水準の向上を図るため、事業場の衛生についての診断およびこれに基づく指導を行なうことを業とする（安衛法第81条第2項）。

（2）**正しい。**労働衛生コンサルタント試験には、保健衛生および労働衛生工学の2つの区分がある（労働安全コンサルタント及び労働衛生コンサルタント規則第10条、安衛法第83条第2項・第82条第2項）。

（3）**正しい。**労働衛生コンサルタント試験に合格した者は、厚生労働大臣の指定する指定登録機関に備える労働衛生コンサルタント名簿に、氏名、生年月日等所定の事項の登録を受けることにより、労働衛生コンサルタントとなることができる（安衛法第84条1項、コンサルタント規則第16条）。

（4）**正しい。**労働衛生コンサルタントは、その業務に関して知り得た秘密を漏らし、または盗用してはならない。コンサルタントでなくなった後においても、同様とする（安衛法第86条2項）。そして、厚生労働大臣は、労働衛生コンサルタントがこの秘密保持義務に違反したときは、その登録を取り消すことができる（安衛法第85条2項）。したがって、労働衛生コンサルタントが、その業務に関して知り得た秘密を漏らし、または盗用したときは、その登録を取り消されることがある。

（5）**誤り。**労働衛生コンサルタントの診断および指導を受けた事業者が、その記録を作成して、これを3年間保存しなければならないとする規定はない。なお、労働衛生コンサルタントは、実施した診断項目等を記載した帳簿を備え、3年間保存しなければならない（安衛法第103条第3項、コンサルタント規則第

22条）

問7　正答（3）

〈解説〉（1）**誤り**。面接指導は**当該事業場の産業医等が実施することが望ましい**とされている（心理的な負担の程度を把握するための検査及び面接指導の実施並びに面接指導結果に基づき事業者が講ずべき措置に関する指針）。当該事業場の産業医に限られるのではない。

（2）**誤り**。事業者は、面接指導の結果に基づき、当該**面接指導の結果の記録を作成**して、これを5年間保存しなければならない（安衛則第52条の18第1項）。健康診断個人票に記載しなければならないのではない。

（3）**正しい**。事業者は、ストレスチェックの結果、心理的な負担の程度が高い者であって、**面接指導を受ける必要がある**とストレスチェックを行った**医師等が認めたもの**が、医師による面接指導を受けることを希望する旨を**申し出たとき**は、その申出をした労働者に対し、医師による面接指導を行わなければならない（安衛法第66条の10第3項、安衛則第52条の15）。

（4）**誤り**。面接指導の対象となる要件に該当する労働者から申出があったときは、**遅滞なく**、面接指導を行わなければならない（安衛則第52条の16第2項）。申出の日から3カ月以内に行わなければならないのではない。

（5）**誤り**。面接指導の結果に基づく医師からの意見聴取は、面接指導が行われた後、**遅滞なく**行わなければならない（安衛法第66条の10第5項、安衛則第52条の19）。面接指導が行われた日から3カ月以内ではない。

問8　正答（4）

〈解説〉（1）**正しい**。燃焼器具を使用するときは、発熱量が著しく少ないものを除き、**毎日、異常の有無を点検**しなければならない（事務所則第6条第2項）。

（2）**正しい**。事務室において使用する機械による換気のための設備については、**2カ月以内ごとに1回**、定期に、**異常の有無を点検**しなければならない（事務所則第9条）。

（3）**正しい**。空気調和設備内に設けられた排水受けについては、原則として、**1カ月以内ごとに1回**、定期に、その**汚れおよび閉塞の状況を点検**し、必要に応じ、その**清掃等**を行わなければならない（事務所則第9条の2第4号）。

（4）**誤り**。中央管理方式の空気調和設備を設けた建築物内の事務室については、空気中の**一酸化炭素および二酸化炭素の含有率**を、**2カ月以内ごとに1回**、定期に、**測定**しなければならない（事務所則第7条第1項）。6カ月以内ごとに1回ではない。

（5）**正しい**。事務室の建築、大規模の修繕または大規模の模様替を行ったときは、その事務室における空気中のホルムアルデヒドの濃度を、その事務室の使用開始後所定の時期（室の使用を開始した日以後最初に到来する6月から9月までの期間）に1回、測定しなければならない（事務所則第7条の2）。

問9　正答（2）

〈解説〉（1）**誤り**。週所定労働時間が**30時間以上**である労働者は比例付与の対象とならないため、雇入れの日から起算して**6年6カ月以上継続勤務**し、**直近の1年間**に、**全労働日の8割以上出勤**したときには、短時間労働者以外の労働者と同様に「**20日**」の年次有給休暇（以下、「休暇」という）を新たに与えなければならない（労基法第39条第2項、労基法施行規則第24条の3）。15日ではない。

（2）**正しい**。使用者は、労働者の過半数で組織する労働組合（その労働組合がない場合においては労働者の過半数を代表する者）との書面による協定により、休暇を与える時季に関する定めをしたときは、休暇の日数のうち**5日を超える部分**については、その定めにより休暇を与えることができる（労基法第39条第6項）。

（3）**誤り**。①労働者が業務上負傷し、または疾病にかかり療養のために休業した期間、②**法令に基づく育児休業または介護休業をした期間**、③産前産後の女性が休業した期間は、出勤率の算定に当たっては、これを**出勤したものとみなす**（労基法第39条第10項）。出勤しなかったものとして算出するのではない。

（4）**誤り**。休暇の請求権は、**2年間**行使しないときは、**時効によって消滅**する（労基法第115条）。1年間ではない。

（5）**誤り**。労働時間（労働時間、休憩および休日）に関する規定は、①農業または水産業（林業は除く）に従事する者、②**監督もしくは管理の地位にある者**または**機密の事務を取り扱う者**、③**監視または断続的労働に従事する者で**、使用者が**行政官庁の許可を受けたもの**については**適用しない**（労基法第41条）。しかし、休暇に関する規定は適用される。休暇に関する規定は適用されないのではない。

問10　正答（4）

〈解説〉（1）**正しい**。労使協定による**時間外・休日労働**をさせる場合であって、**妊娠中または産後1年を経過しない女性（以下、「妊産婦」という）が請求したときは**、当該女性に対して法定労働時間（1週40時間および1日8時間）を超えて労働させることはできない（労基法第66条第1項）。また、管理監督者等には、労働時間、休憩および休日に関する規定は適用されない（労基法第41条）ため、時間外・休日労働に関する労使協定を締結し、これを所轄労働基準監督署長に届け出ている場合であっても、妊産婦が請求したときは、**管理監督者等を除き、時間外・休日労働をさせてはならない**。

（2）**正しい**。**1カ月単位の変形労働時間制**を採用している場合であって、**妊産婦等が請求したときは**、当該女性に対して法定労働時間（1週40時間および1日8時間）を超えて労働させることはできない（労基法第66条第1項）。また、管理監督者等には、労働時間、休憩および休日に関する規定は適用されない（労基法第41条）ため、1カ月単位の変形労働時間制を採用している場合であっても、妊産婦が請求したときは、**管理監督者等を除き、1週40時間および1日8時間を超えて労働させてはならない。**

（3）**正しい。1年単位の変形労働時間制**を採用している場合であって、**妊産婦等が請求したときは**、当該女性に対して法定労働時間（1週40時間および1日8時間）を超えて労働させることはできない（労基法第66条第1項）。また、管理監督者等には、労働時間、休憩および休日に関する規定は適用されない（労基法第41条）ため、1年単位の変形労働時間制を採用している場合であっても、妊産婦が請求したときは、**管理監督者等を除き、1週40時間および1日8時間を超えて労働させてはならない。**

（4）**誤り。妊娠中の女性が請求した場合においては**、他の軽易な業務に転換させなければならない（労基法第65条第3項）。**管理監督者等の場合であっても、他の軽易な業務に転換させなければならない。**

（5）**正しい。**生理日の就業が著しく困難な女性が休暇を請求したときは、その者を生理日に就業させてはならない（労基法第68条）。

〔労働衛生〕

問11　正答（1）

〈解説〉（1）**誤り。**WBGTは、**気温**、**湿度**、**気流**および**輻射熱（放射熱）**の4つの要素から暑熱環境の程度を示す指標として用いられる。気温、湿度および気流の3つの要素ではない。なお、その単位は気温と同じ℃で表される。

（2）**正しい。日射がある場合**のWBGT値は、**自然湿球温度**、**黒球温度**および**気温（乾球温度）**の測定値から算出される。なお、日射がない場合は、自然湿球温度および黒球温度の値から算出される。

（3）**正しい。**熱中症については、作業負荷等に応じたWBGT基準値が定められている。算出したWBGTの値が、作業内容に応じて設定された**WBGT基準値を超える場合**は、**熱中症の発生リスクが高まる。**

（4）**正しい。**WBGT基準値は、身体に対する**負荷が大きな作業**の方が、負荷が小さな作業より**小さな値となる。**たとえば、熱に順化している人が軽い手作業（タイピング）をする場合のWBGT基準値は30であり、より負荷が大きい釘打ちなどの作業をする場合のWBGT基準値は28である。

（5）**正しい。**WBGT基準値は、**暑熱順化者**（熱に順化している人）に用いる値の方が、暑熱非順化者（熱に順化していない人）に用いる値より**大きな値**となる。たとえば、軽い手作業（タイピング）をする場合のWBGT基準値は、暑熱順化者が30、暑熱非順化者は29である。

問12　正答（4）

〈解説〉（1）**正しい。**前方から明かりをとるとき、目と光源を結ぶ線と視線とが作る角度は、**30°以上**になるようにする。40°程度になるようにしていることは、この基準を満たしている。

(2)**正しい**。あらゆる方向から同程度の明るさの光がくると、見る物に影ができなくなり、立体感がなくなるので、不都合な場合がある。

(3)**正しい**。全般照明と局部照明を併用する場合、全般照明の照度は、局部照明による照度の少なくとも**10分の1（10%）以上**が望ましいとされている。全般照明による照度を局部照明による照度の5分の1（20%）程度になるようにしていることは、この基準を満たしている。

(4)**誤り**。照度はルクス（lx）という単位で示される。1ルクスは光度1カンデラ（cd）の光源から**1m**離れたところで、その光に直角な面が受ける明るさに相当する。10 mではない。

(5)**正しい**。室内の彩色で、白色などの**明度**（色の明るさ）**の高い色彩**は、光の反射率が高いため、**照度を上げる**効果がある。しかし、**彩度**（色の鮮やかさの尺度）**が高い色彩は、交感神経の緊張を招き、長時間にわたる場合は疲労が生じやすい**。

問13　正答（4）

〈解説〉　必要換気量は以下の公式から求める。

$$\text{必要換気量}\ (m^3/h) = \frac{\text{室内にいる人が1時間に呼出する二酸化炭素量}\ (m^3/h)}{\text{室内二酸化炭素基準濃度}-\text{外気の二酸化炭素濃度}}$$

① 在室者12人が1時間に呼出する二酸化炭素量を求める。

⇒ $0.018\ (m^3/h) \times 12\ (\text{人}) = 0.216\ (m^3/h)$

② 二酸化炭素濃度がppm単位であるため、上記の公式を1,000,000倍する。

①、②と与えられた数値を公式にあてはめる。

$$\text{必要換気量}\ (m^3/h) = \frac{0.216\ (m^3/h)}{1000-300} \times 1{,}000{,}000 = 308.57\cdots$$

以上から、二酸化炭素濃度を1,000 ppm以下に保つために最小限必要な換気量の値（m^3/h）に最も近いものは、310となる。

したがって、選択肢（4）が正答となる。

問14　正答（1）

〈解説〉(1)**誤り**。「労働者の心の健康の保持増進のための指針」において、メンタルヘルスケアは、「**セルフケア**」、「**ラインによるケア**」、「**事業場内産業保健スタッフ等によるケア**」、「**事業場外資源によるケア**」の**4つのケア**が継続的かつ計画的に行われることが重要であるとされている。

(2)**正しい**。メンタルヘルスケアを中長期的視点に立って継続的かつ計画的に行うため策定する「心の健康づくり計画」は、各事業場における**労働安全衛生に関する計画の中に位置付けることが望ましい**とされている。

(3)**正しい**。衛生委員会または安全衛生委員会において十分調査審議を行い、「心の健康づくり計画」を策定・実施するとされている。

（4）正しい。心の健康づくり計画で定めるべき事項として、事業者がメンタルヘルスケアを積極的に推進する旨の表明に関することが規定されている。

（5）正しい。「**セルフケア**」は、**労働者自身**がストレスや心の健康について理解し、自らのストレスを予防、軽減する、またはこれに対処することである。

問 15　正答（4）

〈解説〉「職場における腰痛予防対策指針」では、以下のように規定されている。

（1）誤り。**満 18 歳以上の男子労働者**が**人力のみにより取り扱う物の重量**は、体重のおおむね**40%以下**となるように努めること。50%以下ではない。

（2）誤り。腰部保護ベルトについては、**一律に使用させるのではなく**、労働者ごとに効果を確認してから使用の適否を判断すること。全員に使用させるようにするのではない。

（3）誤り。立ち作業において、床面が硬い場合は、立っているだけでも腰部への衝撃が大きいので、**クッション性のある作業靴やマットを利用**して、**衝撃を緩和**すること。床面は弾力性のない硬い素材とするのではない。

（4）正しい。腰掛け作業の場合の作業姿勢は、椅子に深く腰を掛けて、背もたれで体幹を支え、履物の足裏全体が床に接する姿勢を基本とすること。また、必要に応じて、滑りにくい足台を使用すること。

（5）誤り。重量物取扱い作業、介護・看護作業等**腰部に著しい負担のかかる作業に常時従事する労働者**に対しては、当該作業に配置する際およびその後**6カ月以内ごとに1回**、定期に、医師による腰痛の健康診断を実施すること。1年以内ごとに1回ではない。

問 16　正答（1）

〈解説〉（1）誤り。生体から得られたある指標が正規分布である場合、そのバラツキの程度は、**分散**や**標準偏差**によって表される。

（2）正しい。集団を比較する場合、平均値が等しくても分散が異なっていれば、異なった特徴をもつ集団であると評価される。

（3）正しい。健康管理統計において、**ある時点**での検査における**有所見者の割合**を**有所見率**という。また、このようなデータを静態データという。

（4）正しい。健康診断において、対象人数、受診者数などのデータを計数データといい、身長、体重などのデータを計量データという。

（5）正しい。ある事象と健康事象との間に、相関関係（統計上、一方が増えると他方も増える現象）が認められても、それらの間に因果関係がないこともある。

問 17　正答（4）

〈解説〉（1）正しい。脳血管障害は、出血性病変、虚血性病変などに分類される。

（2）正しい。出血性の脳血管障害は、くも膜下出血（脳表面のくも膜下腔に出血）、脳出血（脳実質内に出血）などに分類される。

(3) **正しい**。脳梗塞や脳出血では、頭痛、吐き気、手足のしびれ、麻痺、言語障害、視覚障害などの症状が認められる。

(4) **誤り**。虚血性の脳血管障害である脳梗塞は、**脳血管自体の動脈硬化性病変による脳血栓症**と、**心臓や動脈壁の血栓などがはがれて脳血管を閉塞する脳塞栓症**に分類される。設問は、脳血栓症と脳塞栓症の説明が逆である。

(5) **正しい**。くも膜下出血の症状は、急激で激しい頭痛が特徴である。

問18　正答（1）

〈解説〉(1) **誤り**。サルモネラ菌による食中毒は、食物に付着している**細菌そのものの感染**によって起こる（感染型食中毒）。食品に付着した菌が食品中で増殖した際に生ずる毒素により発症する（毒素型食中毒）のではない。

(2) **正しい**。ボツリヌス菌による毒素は、**神経毒**である。なお、ボツリヌス菌は、缶詰、真空パック食品など、酸素のない食品中で増殖する。

(3) **正しい**。黄色ブドウ球菌による毒素は、**熱に強い**。黄色ブドウ球菌による食中毒は、食物に付着した**細菌により産生された毒素**によって発症する。

(4) **正しい**。腸炎ビブリオ菌は、**病原性好塩菌**ともいわれる。サルモネラ菌による食中毒と同様に、食物に付着している**細菌そのものの感染**によって起こる。

(5) **正しい**。セレウス菌、カンピロバクターの他、ウェルシュ菌は、いずれも細菌性食中毒の原因菌である。

問19　正答（5）

〈解説〉(1) **正しい**。止血法には、直接圧迫法、間接圧迫法などがある。直接圧迫法とは、出血部を直接圧迫する方法で、最も簡単で確実な止血法である。

(2) **正しい**。間接圧迫法とは、出血部位より、心臓に近い部位の動脈を圧迫する方法である。

(3) **正しい**。体内の**全血液量**は、体重の約８％程度（13分の１）で、その**約３分の１**を短時間に失うと生命が危険な状態となる。

(4) **正しい**。止血を行うときは、ビニール手袋を着用したりビニール袋を活用するようにする。

(5) **誤り**。動脈性出血は、鮮紅色を呈する拍動性の出血である。**傷口からゆっくり持続的に湧き出る**ような出血は、**静脈性出血**である。

問20　正答（2）

〈解説〉　**作業内容や作業方法等を適正に管理**することにより、作業から発生する有害要因を排除し、作業負荷の軽減を図り、労働者の健康を守ることを作業管理という。作業管理には、**作業条件の管理**、有害作業の管理、保護具の使用状況等の管理などが含まれている。

設問のうちＡの作業姿勢の管理とＣの作業条件の管理が作業管理に該当する。したがって、選択肢（２）が正答となる。

なお、B、Dの対策は作業環境管理、Eの対策は健康管理に該当する。

〔労働生理〕

問21　正答（2）

〈解説〉（1）**正しい**。赤血球は、骨髄で産生され、その寿命は約120日である。また、赤血球は、全血液の体積の約40%を占めており、血球の中で最も多い。

（2）**誤り**。血液中に占める赤血球の容積の割合をヘマトクリットといい、この値は貧血になると**低く**なる。

（3）**正しい**。好中球は、白血球の約60%を占め、偽足を出してアメーバ様運動を行い、体内に侵入してきた細菌やウイルスなどを貪食する。

（4）**正しい**。血小板は、直径2～3μmの不定形細胞で、**血液凝固を促進**させる物質を放出し止血をする。

（5）**正しい**。ABO式血液型は、赤血球による血液型分類の一つで、A型血液の血清は抗B抗体をもつ。

問22　正答（5）

〈解説〉（1）**正しい**。三大栄養素のうち**糖質（炭水化物）**は**ブドウ糖**（グルコース）などに、**蛋白質**は**アミノ酸**に、**脂肪**は**脂肪酸**と**モノグリセリド**に、酵素により分解されて吸収される。なお、糖質（炭水化物）、蛋白質、脂質をまとめて三大栄養素と呼び、人間が生命活動を営むためのエネルギーとなる。

（2）**正しい**。**無機塩**や**ビタミン類**は、酵素による**分解を受けない**でそのまま吸収される。なお、無機塩（ミネラル）の代表的なものに血液に含まれるナトリウムがある。

（3）**正しい**。膵臓は、**消化酵素を含む膵液**を十二指腸に分泌するとともに、**血糖値を調節するホルモン**を血液中に**分泌**する。なお、膵臓から分泌される膵液は、三大栄養素のすべての消化酵素を含む。

（4）**正しい**。**ペプシノーゲン**は、胃酸によって**ペプシン**という消化酵素になり、**蛋白質**を**分解**する。なお、蛋白質は、ペプシンによりペプトンに分解される。

（5）**誤り**。**胆汁**は、**消化酵素**を**含んでいない**。また、トリプシンは、膵液中の消化酵素である。なお、胆汁がアルカリ性であるとする点は、正しい。

問23　正答（1）

〈解説〉（1）**誤り**。呼吸運動は、主として**肋間筋**と**横隔膜**の**協調運動**によって胸郭内容積を周期的に増減し、それに伴って肺を受動的に伸縮させることにより行われる。気管と胸膜の協調運動によるのではない。なお、呼吸に関与する筋肉は、延髄にある呼吸中枢によって支配されている。

（2）**正しい**。胸郭内容積が増し、内圧が低くなるにつれ、鼻腔、気管などの気道を経て肺内へ流れ込む空気が吸気である。

（3）**正しい**。**肺胞内の空気**と肺胞を取り巻く毛細血管中の血液との間で行われるガス交換を肺呼吸または**外呼吸**という。

（4）**正しい。**全身の毛細血管中の血液が各組織細胞に酸素を渡して二酸化炭素を受け取るガス交換を内呼吸または組織呼吸という。

（5）**正しい。**身体活動時には、血液中の**二酸化炭素分圧（濃度）**の上昇により呼吸中枢が刺激され、肺でのガス交換の量（1回換気量）および呼吸数が**増加**する。

問24　正答（3）

〈解説〉（1）**正しい。**肝臓は、脂肪酸の分解および**コレステロールの合成**をする。

（2）**正しい。**肝臓は、アルブミンなどの血漿《しょう》蛋白の合成をする。

（3）**誤り。**肝臓には、赤血球の産生をする機能はない。赤血球は骨髄で産生される。なお、肝臓は、赤血球の分解物からビリルビンを合成して胆汁に排泄する。

（4）**正しい。**肝臓は、アミノ酸からのブドウ糖の合成をする。

（5）**正しい。**肝臓は、**グリコーゲンの合成**および**分解**をする。血糖値が上昇するとグリコーゲンを合成・貯蔵し、血糖値が低下すると、グリコーゲンを分解し、血中に放出する。

問25　正答（4）

〈解説〉（1）**正しい。**コルチゾールは、副腎皮質から分泌されるホルモンで、**血糖量を増加**させる働きがある。

（2）**正しい。**グルカゴンは、膵臓から分泌されるホルモンで、**血糖量を増加**させる働きがある。

（3）**正しい。**パラソルモンは、副甲状腺から分泌されるホルモンで、**血中（体液中）のカルシウムバランスを調節**する働きがある。

（4）**誤り。**メラトニンは、**脳の松果体から分泌**されるホルモンで、**サーカディアンリズム（概日リズム）を調節**する働きがある。なお、体液中の塩類バランスの調節をする働きがあるのは、副腎皮質から分泌されるアルドステロンである。

（5）**正しい。**インスリンは、膵臓から分泌されるホルモンで、**血糖量を減少**させる働きがある。

問26　正答（1）

〈解説〉（1）**誤り。**腎臓の腎小体では、糸球体から血液中の**血球**および**蛋白質以外**の成分が**ボウマン嚢に濾し出され**、**原尿**が生成される。糖はボウマン嚢に濾し出される。

（2）**正しい。**腎臓の**尿細管**では、原尿に含まれる**大部分の水分**および**身体に必要な成分**（糖やナトリウム）が血液中に**再吸収**され、残りが尿として生成される。

（3）**正しい。**尿は淡黄色の液体で、固有の臭気を有している。通常、**弱酸性**である。

（4）**正しい。**尿の生成・排出により、体内の水分の量やナトリウムなどの電解質の濃度を調節するとともに、生命活動によって生じた不要な物質を排出する。

(5) **正しい**。尿の約95%は水分で、約5%が固形物であるが、その成分が全身の健康状態をよく反映するので、尿検査は健康診断などで広く行われている。なお、尿検査のほか、腎臓の機能をみる検査として、血液中の尿素窒素（BUN）がある。

問27　正答 **(2)**

〈解説〉(1) **正しい**。ヒトの眼をカメラに例えると、虹彩は、しぼりの働きをする。光量に応じて瞳孔の径を変える。

(2) **誤り**。ヒトの眼は、**水晶体**の厚さを変えることにより、焦点距離を調節して網膜の上に正しく像を結ぶようにしている。硝子体ではない。

(3) **正しい**。**角膜が歪んでいたり**、**表面に凹凸**があるために、物体の像が網膜上に正しく結ばないものを**乱視**という。

(4) **正しい**。網膜には、**錐状体**と、**杆状体**の2種類の視細胞がある。なお、**錐状体は**、明るい所で働き**色を感じ**、**杆状体は**、暗い所で働き**弱い光を感じる**。

(5) **正しい**。視作業の継続により、前額部の圧迫感、頭痛、複視（ものが二重に見えること）、吐き気、嘔吐などの症状が現れることがある。これによって作業の継続が困難になることがある。

問28　正答 **(3)**

〈解説〉(1) **正しい**。神経系を構成する基本的な単位である神経細胞は、**ニューロン**ともいわれる。通常、1個の細胞体、**1本の軸索**および**複数の樹状突起**からなる。

(2) **正しい**。神経系は、肉眼的には**中枢神経系**と**末梢神経系**に大別され、**中枢神経系**は**脳**と**脊髄**からなる。

(3) **誤り**。大脳の**内側**の**髄質**は**神経線維の多い白質**であり、外側の皮質は神経細胞の細胞体が集合した灰白質である。

(4) **正しい**。**体性神経**には、感覚器官からの情報を中枢に伝える**感覚神経**と、中枢からの命令を運動器官に伝える**運動神経**がある。

(5) **正しい**。自律神経系は、交感神経系と副交感神経系とに分類される。また、交感神経系と副交感神経系は多くの臓器に対して相反する作用を有している。

問29　正答 **(1)**

〈解説〉(1) **誤り**。ストレッサーは、その**強弱や質に応じて**、自律神経系と内分泌系を介して、心身の活動を亢《こう》進したり抑圧したりする。

(2) **正しい**。ストレス反応には、ノルアドレナリン、アドレナリンなどのカテコールアミンや副腎皮質ホルモンが深く関与している。ストレッサーの強弱や質に応じて分泌が亢進する。

(3) **正しい**。昇進、転勤、配置替えなどがストレスの原因となることがある。

(4) **正しい**。職場環境における騒音、気温、湿度、悪臭などがストレスの原因となることがある。

(5)正しい。ストレスにより、自律神経系の障害（発汗、手足の震えなど）や内科的疾患（高血圧症、狭心症、十二指腸潰瘍など）が生じることがある。

問30　**正答（2）**

〈解説〉**(1)正しい。**寒冷にさらされ体温が正常より低くなると、**皮膚の血管が収縮**して**血流量を減らし、皮膚温を低下**させる。これにより、皮膚温と気温の差が少なくなり、放熱が減少する。

(2)誤り。体温が正常以上に上昇すると、皮膚の血管が拡張して血流量が増え、皮膚温が上昇する。これにより、皮膚からの発汗が増加し、放熱が促進される。その一方、体内の血管は収縮し内臓への血流量が減少し、**体内の代謝活動を抑制**することにより、産熱が抑制される。

(3)正しい。体温調節のように、外部環境が変化しても身体内部の状態を一定に保つ生体の仕組みを**恒常性（ホメオスタシス）**という。おもに**内分泌系**と**神経系（自律神経系）**により調整されている。

(4)正しい。計算上、発汗によって体重70kgの人の体表面から**100g**の汗が蒸発すると、体温が約1℃下がる。

(5)正しい。蒸発には、発汗のほかに皮膚および呼気から水分が失われる不感蒸泄《せつ》によるものがある。なお、放熱は、ふく射（放射）、伝導、蒸発などの物理的な過程で行われるとする点も正しい。

切取線

過去問題　解答用紙

種別	第二種衛生管理者

氏名	

解答欄	問1	問2	問3	問4	問5	問6	問7	問8	問9	問10	問11	問12	問13	問14	問15	問16	問17	問18	問19	問20	問21	問22	問23	問24	問25	問26	問27	問28	問29	問30
	1	1	1	1	1	1	1	1	1	1	1	1	1	1	1	1	1	1	1	1	1	1	1	1	1	1	1	1	1	1
	2	2	2	2	2	2	2	2	2	2	2	2	2	2	2	2	2	2	2	2	2	2	2	2	2	2	2	2	2	2
	3	3	3	3	3	3	3	3	3	3	3	3	3	3	3	3	3	3	3	3	3	3	3	3	3	3	3	3	3	3
	4	4	4	4	4	4	4	4	4	4	4	4	4	4	4	4	4	4	4	4	4	4	4	4	4	4	4	4	4	4
	5	5	5	5	5	5	5	5	5	5	5	5	5	5	5	5	5	5	5	5	5	5	5	5	5	5	5	5	5	5

マークシート記入上の注意点

1．解答は必ずＨＢの鉛筆かシャープペンシルで記入してください。
2．マークシートからはみ出さないようにしてください。

良い例　　悪い例

3．解答は1問につき1つです。複数の解答を記入すると不正解となります。
4．解答を消すときは、柔らかい消しゴムで丁寧に消してください。
5．解答用紙は、折り曲げたり汚したりしないでください。

切取線

予想模擬試験　解答用紙

種別	第二種衛生管理者

氏名	

解答欄	問1	問2	問3	問4	問5	問6	問7	問8	問9	問10
	1	1	1	1	1	1	1	1	1	1
	2	2	2	2	2	2	2	2	2	2
	3	3	3	3	3	3	3	3	3	3
	4	4	4	4	4	4	4	4	4	4
	5	5	5	5	5	5	5	5	5	5

解答欄	問11	問12	問13	問14	問15	問16	問17	問18	問19	問20
	1	1	1	1	1	1	1	1	1	1
	2	2	2	2	2	2	2	2	2	2
	3	3	3	3	3	3	3	3	3	3
	4	4	4	4	4	4	4	4	4	4
	5	5	5	5	5	5	5	5	5	5

解答欄	問21	問22	問23	問24	問25	問26	問27	問28	問29	問30
	1	1	1	1	1	1	1	1	1	1
	2	2	2	2	2	2	2	2	2	2
	3	3	3	3	3	3	3	3	3	3
	4	4	4	4	4	4	4	4	4	4
	5	5	5	5	5	5	5	5	5	5

マークシート記入上の注意点

1．解答は必ずＨＢの鉛筆かシャープペンシルで記入してください。
2．マークシートからはみ出さないようにしてください。
3．解答は１問につき１つです。複数の解答を記入すると不正解となります。
4．解答を消すときは、柔らかい消しゴムで丁寧に消してください。
5．解答用紙は、折り曲げたり汚したりしないでください。

良い例　悪い例